第七届鲁迅文学奖获奖者

小 说 精 选 集

黄咏梅 著

给猫留门

作家出版社

目 录

父亲的后视镜 / *1*

瓜子 / *19*

证据 / *58*

走甜 / *78*

墙 / *95*

表弟 / *114*

勾肩搭背 / *131*

金石 / *151*

开发区 / *184*

草暖 / *202*

小姨 / *219*

给猫留门 / *236*

父亲的后视镜

　　父亲生于 1949 年。过去，他总是响亮地跟别人说，我跟中华人民共和国同龄。不过，很久没听他再这么说了。退休前，父亲是个货运司机，跑长途。那些年月，汽车司机是很红的，跟副食品店员、纺织工人合称"三件宝"。父亲跟人炫耀光辉岁月，总是说，他最远跑到过天路，"呀拉嗦，那就是青藏高原……"一说，肯定就要唱。天晓得父亲是哪个年代开到过天路的。别人要是问起，天路是一条怎么样的路？他无言以答，只顾哼"呀拉嗦"，一哼没个完，好像他记忆里那条天路，开不到尽头，还时常超速，把人撇在后视镜都看不见的拐弯处。

　　公路上拖着大皮卡的那些货车司机，敞开车窗，赤着膊，肩头挂根油腻腻的毛巾，边扭动方向盘边朝窗外吐痰，或者逆着风大声讲粗话。父亲跟他们完全不一样，他无论跑多远，都穿得整整齐齐的，第二颗扣子永远扣牢以支撑衣领的挺拔，皮带卡在第二或第三只眼上，坐再久也不松懈。90 年代初，发胶刚刚开始流行那阵，父亲的车上就一直备着一瓶，风从来吹不动他的大背头。人们说，父亲倒像一个开礼仪车的，后边那一大卡车的货物，就像一支仪仗队，父亲领着它们在盘山公路、国道上拉练。我记得很清楚，父亲的驾驶室上挂着一个小相框，倒不是常见的平安符之类的东西，也不是毛主席肖像，是他80年代在彩虹照相馆拍的4寸艺术照。所谓艺术照，也就是在黑白相片的基础上，涂上些彩色，眉毛加黑了，嘴唇微红，衬衫涂成了蓝色。坐在抖叽抖叽的驾驶椅上，父亲看看远方的路，又看看近前的艺术照，心里不知想到了什么，脸上露出了跟那照片一样的笑容，臭美地、轰隆隆地开向目的地。父亲的车开得并不快，他说，开得再快，也快不过前方那团云，一眼是这样，再下一眼，就跑样了，所以，着急啥呢？父亲不着急。父亲在路上跑的时候，感觉不到时光飞速，每次回家看看日历，摸摸脑袋，哎呀，这个月又穷啦？后来，我从物理课上学到了绝对运动定理，父亲在跑，时间在跑，父亲在路上的时间等于静止。

母亲在家守着我们兄妹二人，参照隔壁印刷厂工人老王一家五口的日子，时间就在做相对运动，跑得又快又漫长。母亲经常忧心忡忡地说："也不知道你们父亲在路上会遇到什么？"那个时候没有移动电话，全靠父亲从某个途中加油站，拨个电话回家报平安，有时候是清晨，有时候是深夜。后来我才弄明白，母亲最害怕父亲在路上遇到人。仔细想想，父亲每次出车，不仅自己穿得整洁，还把大卡车也擦洗得清爽，的确像一个出门约会的男人。母亲的担心不是没有缘由。事实上，父亲四十岁那年，他跟他的卡车的确开出过轨道。这事情无须隐瞒，在我们这条红石板街，只要住过些年头的人，都不会忘记父亲那次出轨。那个下雪的深夜，他们在梦里被一阵接一阵的汽车长鸣惊醒了，叫声既像一个人在发疯，又像是拉响的警报，听说有好几个人从床上蹦下地，出门打算要往防空洞逃了，后来发现竟然是一辆卡车，停在我们红石板街中央，在我们家楼下那片空地，瞪着大大的远光灯，厉声尖叫着。雪仿佛是被它从天上叫下来的，簌簌发抖着跌落地面。人们看着这不明来路的庞然大物，竟然不敢张口开骂，只是探出头去，像看到一只受了伤、不断哀号的野兽。

卡车不知道叫了多久，忽然便一下子安静了下来，同时远光灯也熄灭了，人们才看见，我父亲那辆卡车不知什么时候已经停到了近前。他们先是沉默着，车头顶着车头。后来，父亲的卡车发动起来了，发出嗡嗡的叹息声。父亲一点一点地逼近，那辆卡车开始一点一点地往后退，一直退出了我们红石板街，在大转盘掉了个头，朝城北开出去了。父亲的卡车安静地跟在后边，打着亮亮的远光灯，照亮了前边的道路。一前一后，他们开到国道上去了。

被灯光照亮过的雪，是有记忆的，结冰时就把光锁在了里边。两辆卡车留下的车痕，有时重叠，有时分开，每一段都特别深、特别亮，我母亲踩在车痕上，来来回回地走。天亮的时候，父亲回来了。如同他每次跑完长途回家一样，用热水把自己洗得干干净净，把大背头梳得亮亮的，然后倒到床上，睡了一个长长的觉。

人们再也没见到过那辆尖叫的卡车，他们总是不无遗憾地说，可惜那晚灯光太刺眼了，看不清车上那个四川婆。"四川婆"漂亮的吧？我母亲也常这样问父亲，父亲从来没正面回应过，在他看来，这问题就是公路上设的一个路障，他手握方向盘，绕了过去。

"不要总是老生常谈嘛，我们是新社会的人。我跟新中国同龄。"父亲理直气壮地越过这路障。

"新社会的人，就要做这样的荒唐事？"母亲眼眶就红了。

"好啦好啦，都过去了，已经开过十八道弯了，都过去了不是吗？"父亲就这么哄着母亲。

我们都没有见过"四川婆"，她是父亲远方的情人。

母亲生前也有一个情人，他总是在远方。父亲跑长途，远的地方，一趟七八上十天的，母亲就把父亲一件灰色的旧毛衣垫在枕头上，把手伸进袖口里，这样，她就躺在父亲的胸口上了，并跟父亲握着手。等到父亲出车回来，很奇怪的，那个远方的情人就消失了。她总是动不动就埋怨父亲，那种温柔的思念一扫而空。通常是吃过饭，把我们打发去做作业了，她就开始对着桌上的空碟、脏碗，责备起父亲来。归根结底，她是怨父亲不顾家庭，一个人跑到外边潇洒，留下她一个人在家拖儿带女。父亲也不逃避，安静地坐在母亲身边，用火柴将香烟点着后，花一点时间，用食指和拇指将火柴烧黑的地方捻掉，火柴变成了一根牙签，在父亲牙缝间进进出出。母亲那些唠叨在父亲耳畔进进出出，父亲像剔牙一样将它们剔了出来。

偶尔，父亲也不会绕开这些"路障"，会向母亲申辩。"你以为一个人在外边跑有多潇洒？我不累？你自己想想看吧。"母亲沉默一下，心里认输了，嘴巴还是要犟的："再累也没我累，我一个人，既要上班，又要照顾两个孩子，你一个人在外头，吃饱穿暖，全家不饿的……""我哪里是一个人了？我后边不是拖着一条大尾巴？"我母亲光联想到父亲坐在驾驶室疾驰的风光模样，她忘记了父亲身后那一车重重的货物。母亲无语了。父亲站起身来，拍着母亲的肩膀，柔声说："我哪里是一个人？我背后拉着一台拖拉机呢。"母亲彻底沉默了，肩膀慢慢地松懈下来。

父亲常说，他的身后拉着台拖拉机，母亲是车头，哥哥是左轮，我是右轮。

在我和哥哥的成长过程中，父亲经常缺席，他从来没有参加过一次家长会，他的签名从没出现在我们任何一本作业簿上。可是，父亲却为我们的求知欲付出过沉重代价。那一年，哥哥念初三，我念初一，我们不再满足从父亲捎回来的特产袋子上找课本里读到的地名了，我们缠着父亲讲那些地方。可是，父亲每每让我们失望。父亲抱歉地解释说，你们老爸天天坐在这个大玻璃罩子里，脚都不沾地，这些地方，多数是在镜子里看到的，你们知道，后视镜里看到的东西，比老王伯伯的风筝还飞得远，又远又小。是的，隔壁老王伯伯经常从印刷厂里拿回些彩纸，扎各种各样的纸风筝，星期天带上他们家三个女儿到运河边放，我们也会跟去。运河边空旷，北风南风全都不缺，风筝遇到风就会失控，线一松就往天空蹿，很快就远成一个点了。既然父亲在路上看到的风景仅仅是那样的一个个点，父亲又有什么好说的呢？可我们还是不甘心。我们趴在父亲的卡车轮子边，用手摸着厚厚的轮胎，想要从那些粗糙的纹路里，找到父亲碾过的地方，张家界、桂林、南京长江大桥、嘉峪关……最后，我们钻进父亲的驾驶位上，吵闹着，让父亲带我们到公路上，到这个小城以外的任何一个地方去。父亲从来没有妥协过。运输厂纪律很严，别说是我们小孩子，就连母亲，都没坐过父亲的车出城，她最多坐过父亲的车到十里外的郊区农场买红茶菌。母亲恐吓我们说，别老缠着爸爸和他的卡车，要是爸爸饭碗丢了，我们这台拖拉机就报废了，到那个时候，拆掉你们这两只轮子，卖钱去。我们就再不钻进父亲的驾驶室闹了。

　　有一天，吃过晚饭，父亲从房间里拿出一沓照片，神秘兮兮地递给我们。我们一看，竟然全是父亲在路上拍的。原来父亲求厂里那个工会主席借了相机。这些照片拍下的多数是公路牌。很多地名我们听也没听说过：怀集、白沙、乐从、溧阳……也有我们知道的：桂林、长沙、武昌，天啊，竟然还有贺兰山。哥哥显摆地背起了那首诗："驾长车，踏破贺兰山缺，壮志饥餐胡虏肉，笑谈渴饮匈奴血。待从头，收拾旧山河，朝天阙！"父亲赞赏地看着哥哥，那目光让我嫉妒死了。母亲也凑了过来，一张一张去认照片上的地名。翻到一张"宁夏人民欢迎您！"

的路标时，她激动了半天，说，哎呀，这就是宁夏啊。原来她读书时，有个要好的同桌，读了一年就跟着父母转学到宁夏，从此杳无音讯，似乎跑到西伯利亚那么远去了。所以，她对宁夏这个地名印象特别深刻。母亲像找到了老同学般激动。过后，我从书里找哥哥背的那首《满江红》，心里一阵郁闷，此贺兰山非彼贺兰山啊，当时，竟然没有一个人知道，就连开到过贺兰山的父亲也不知道。那么，父亲算不算到过这些地方？

逐渐地，我们不再满足看公路牌，我们吵着父亲要看风景。父亲只好拍些沿途的风景回来。一座奇怪的石头山，一排飒爽的钻天杨，一道有趣的倒淌河，以及一轮即将沉入群山的落日……父亲的拍摄技术不怎么样，他的取景器总是装不完那些美丽的瞬间，这时，父亲就会在旁边用话语补充给我们听，有照片为指示牌，父亲说得生动些了。

父亲拍回来的照片越来越多，也越来越好看，他被路上的风景迷住了。因为这些照片，我们觉得自己就坐在父亲的副驾驶位上，到了父亲所到的地方，看到了父亲所看到的风景，我们不再觉得父亲远得只剩一个点了。

我们开始记挂在路上的父亲，会看着街上任何一辆车，想，不知道这次，父亲又会拍回什么样的照片呢？我们这样记挂着，觉得时间慢得像蜗牛。那天，父亲回来了，脸色沉重，二话不说，只顾喝水。气氛严肃，我和哥哥便没敢吵着父亲要看照片。母亲更伤心，她只是一直重复着那句话："阿基，就是不能停啊，以后千万别停了！"父亲没作任何申辩，他垂着头，乖乖地重复着母亲的话："是啊，就是不该停的啊，以后千万不能停了……"原来，父亲这次开到贵州六盘水盘山公路，那地方刚下过雨，山与山之间正骑着一道彩虹，像年画里看到的那么美。父亲生怕这彩虹消失了，连忙停下车，抓起相机，跑到路边拍起来。没想到，父亲停车的地方是盘山路一个转弯口，迎面一辆货车看到父亲的卡车时，刹车已经来不及，两相对撞，货车翻了，父亲卡车上的货物也被撞得七零八落。万幸的是，人没事。父亲被厂里记过处分，还要负责赔偿货物损失。

父亲再也没有停下来拍照。那些地图一样的照片，一段时间被我夹在课外书里，当书签。

父亲拉着我们这台拖拉机，吭哧吭哧地进入了新世纪，好在，我们都算争气，哥哥念了一所理科重点大学，毕业后在一家著名的证券公司工作，他骄傲地对父亲说，我跟您一样，也抓方向盘啦，我的手一转，上亿金额从我的手里转进转出。哥哥成了业界颇有名声的操盘手，赚大钱了，给父亲在运河边买了一套公寓。我呢，则读了文科，在一家报社工作，比上不足比下有余。在买下人生第一辆车那天，我隆重邀请父亲这个老司机坐到副驾驶位。那时父亲已经退休在家，开始看时间参照自己在做相对运动，他认为时间比过去快多了，像一辆改装后提速的卡车。我们一直朝城北开去，上了新开通的一条高速公路。父亲刚开始对车的感觉有些保守，总是盯着我的脚底下看，似乎害怕我踩错了油门和刹车。在高速路上飙了一阵，父亲才有点兴奋起来，他说，你这样开车，真像那个女人。我愣了一下，才明白他在讲"四川婆"。那个女人开得一点都不端庄。父亲说，就像你现在这样，从这条车道窜到那条车道，我跟在她后边，净看到她的车屁股扭来扭去，野得很。父亲遇见那女人的时候，是想跟上她，教训她一下，对她说，车不能这么开，太危险了，刚才她超他的时候，差点撞上了他的车头。谁知道那女人一直没让父亲赶上，"扭着个大屁股，在我跟前晃啊晃的。"父亲暧昧地笑了笑，不知道是想起那女人还是那车的屁股了。父亲赌气地一路跟着她，那女人见甩不掉父亲，就那样保持着若即若离的距离。一直开到一个汽车旅馆，他们都停了下来。他们坐在一起吃饭，好像经过一路上的较量彼此已经熟悉。后来，父亲干脆请那女人喝起了酒，他们喝得很尽兴，每喝一杯就像在用手挂挡，一挡、二挡、三挡……他们加速度冲向终点。

我猜，父亲跟那个女人爱得很疯狂，那个下雪的夜晚，女人跟踪父亲来到我们红石板街，疯狂地揿响喇叭，母亲说，就像一只在雪地里撒泼打滚的母老虎。

父亲向母亲保证过，想要再跟那女人见面，除非母亲不在这个世界上了。不过，直到母亲去世，父亲也没再跟那女人联系。父亲说，怎么能开历史倒车呢？

父亲一辈子只会开车，也没有培养什么业余爱好。母亲去世后，他独自一人打发晚年生活。我们劝父亲学点什么，父亲都兴致不高，后来哥哥想起父亲曾经爱拍照，就给他买了架简易的徕卡照相机。父亲拿着相机在运河边转悠，将远景拉成近景，将天空的云图分成若干帧局部，将一朵花拆成几瓣，将运河搓成一根线……如此半年不到，父亲发现，从镜头里看到的世界，其实跟肉眼看到的也没什么区别。他不玩了，把徕卡相机放进柜子里。

六十岁那年，医生检查出父亲的脊椎变形、增生，是长期坐驾驶椅落下的职业病，晚年加重，压迫了神经，出现耳鸣、双腿发麻等症状。医生教父亲尝试倒着走路，可以锻炼脊椎，减轻疼痛。父亲很快喜欢上了这项运动，他做得很好。只见他双手握拳，双臂前后摆动，就像胸前摆着一只方向盘，父亲上下转动着它，一发动，便双膝微曲，左右、左右，一步步朝后退去。父亲倒行得很稳当，既撞不到朝前行走的旁人，也撞不到身后的树木、花丛、栏杆，仿佛他的身体左右各安了两只后视镜，背上装了只影像雷达，并且还发出了嘟嘟的警报声："倒车，请注意，倒车，请注意……"每天，父亲给自己定下了起点和终点，从稻香园小区出发，沿着河堤，倒行至拱宸桥底，再折返，参照那条一路向东流淌的运河，父亲顺流一趟，逆流一趟，如此往复，一日两次，服药般定时定量。这种有起点有终点的运动，让父亲找回了上班的感觉，少一趟他都会觉得浑身不舒服。

父亲倒行的本领日渐上乘，速度已经可以跟那些慢跑者相媲美，他就像车流中一辆逆行的车子，往往引来行人避让、侧目，父亲超过了这些人，并且跟这些人对望，他正视着他们，朝和善者微笑，朝埋怨者挤挤眼，直到把这些人远远地甩在他的正前方。有一次，由于手臂摆幅过大，父亲撞到了一个男人的脊背。男人停下脚步，朝父亲瞪大了眼睛，嘴里骂骂咧咧。父亲超过他之后，一边倒退着，一边朝男人作揖道歉，男人觉得父亲倒行作揖的动作实在滑稽，简直有点卓别林的效果，便转怒为乐，用手臂捅一下身边的女伴，两人指着父亲笑起来。父亲看着那对开心的男女逐渐从自己眼前远去，最终变成两只小点。父亲说，现在我才知道，原来后视镜里的小点是这样形成的，有趣。

父亲倒行遇见了很多有趣的事。那个漂亮的年轻妈妈拉着小儿子闪进灌木丛，不一会儿就传出了小孩哭声，父亲清楚地看到了她教训儿子的过程，她无声地揪着那孩子的耳朵，又无声地把作业本塞进那孩子的手上；那个跟在生气的姑娘身后的男孩，数次抬起手，虚拟着去敲姑娘的后脑，表情既无奈又解恨；那一对老头儿老太磨蹭地落在了晨运队伍后边，他们偷偷拉了一会儿手；那个拉着行李箱的少年后边，跟着个中年男人，他走一会儿，就将手背放到脸上抹一把，抹完还不忘东张西望……倒行不仅有趣，也使父亲的脊椎轻松多了，他在电话里对我说，就像有人在前边拉着自己走，一点都不用使力的，即使上坡也不用挂挡，哈哈。父亲神清气爽的样子，让我感到欣慰，也减轻了我对父亲的内疚，算起来，我已经有两个月没回家看过父亲了。

一个秋天的傍晚，父亲倒行至德胜桥底拐弯的一个小坡，竟发生了"车祸"。他的脊背重重地遭到了一下撞击，脚下一个趔趄，重心朝后倒，要不是刹车果断，他差点一屁股摔到地上。父亲随即听到了一声尖厉的"啊呀"，之后很快爆发了一串响亮的笑声。父亲掉转车头，查看"车祸"现场，只见一个女人先他转过了头，查明事故原因后，兀自先笑了起来。那女人原来也在做着跟父亲一样的倒行运动，因而接收不到父亲身后的雷达警示，于是——两背相撞。

父亲停下了，女人也停下了。彼此道歉，并不追究事故责任人。父亲和这位姓赵的女士，放弃了他们此次出车的终点，他们停留在各自的中间站，坐到运河边的长椅上，交流起他们的"行车经验"，聊得愉悦。自此，他们每每相约到德胜桥下的那张长椅，偶尔，也结伴倒行至武林门或者拱宸桥。那赵女士调皮地称父亲为"驴友"。当父亲头一回跟我说起这个词的时候，我还以为赵女士是位时髦的中年妇女。说实话，父亲孤伶伶的，我倒不拒绝父亲再找一个阿姨。

认识了赵女士之后，父亲生活变得丰富多彩，尤其晚上，他的手再也不去抓遥控器了，他抓住了赵女士的手。在横跨运河的那条潮王桥下，依着河堤的那只桥洞里，开有一间歌舞厅，名叫水晶宫，在运河一带是极有"老人气"的，白天集中在河边运动的老人们，到了晚上会带着舞伴来这里娱乐。赵女士喜欢带父亲到"水晶宫"去"嘭嚓嚓"。刚开始，父亲不愿意去，他这辈子没跳过舞，跳舞对他来说是新事物，他的腿不懂得"前嗒嗒、后嗒嗒，嘭嚓嚓、嘭嚓嚓"，他的手从不会握着女人的手和腰，"左晃晃、右晃晃，嘭嚓嚓、嘭嚓嚓"。赵女士像唱歌一样念着这些口诀，培训着父亲。她说："跳舞嘛，小意思，就是嘭嚓嚓、嘭嚓嚓嘛！"她边说着，用脚带着父亲，前前后后地舞了起来。赵女士跳起舞来，是真的很迷人的，父亲向我坦白过这一点。

据赵女士自己介绍，她今年五十有六，一儿一女都在外地生活，目前属于"空巢"一族，她跟她的老伴，呃，每每提到她的老伴，父亲总觉得她有满腹辛酸。起初，父亲倒不想太了解她老伴，横竖他和赵女士仅仅是"驴友"，即使像现在这样拉着手握着腰"嘭嚓嚓"，也只限于纯洁的"驴友"友谊。可偏偏赵女士最爱讲的还就是她老伴，仿佛那个人是缠绕她一身的慢性病，生气起来如山倒，多数时候提起来又如抽丝。时日长了，父亲渐渐明白，赵女士早就不想跟老伴过了，无奈就是找不到离婚的契机。明白了这一点，父亲的心就像碾到了一块石头，咯噔地颠了一下。在与赵女士认识、交往的这一路上，父亲的路况极其不稳定，总是被这样咯噔、咯噔地颠着，父亲的心脏就有了反应，他先是同情赵女士，后来，就喜欢上了赵女士。

某天晚上，父亲约赵女士又到水晶宫，买了两张十元钱含茶水的门票。他捏着赵女士的手，"嘭嚓嚓，嘭嚓嚓"。这晚，他发挥得尤其好，自我感觉也非常佳。父亲的外形在水晶宫里是出挑的，尽管他的头发稀疏了，但长年保持的大背头依旧隆起，闪着发胶浇湿的光泽，他的皮带还毫不吃力地搭在第二格里，他跳舞的时候，脖子尽量伸得长长的，在蓝荧荧的灯光下，就像一尾俊美的白条鱼，而赵女士呢，父亲觉得她就像风情万种的美人鱼了。

几曲跳毕，他们坐到边上的圆桌喝茶歇息。他们置身的水晶宫，宫殿的穹顶就是桥身，在音乐停止的间隙，能听到桥上过车的轰鸣，感受到车轮碾过桥身的颤动，在这些熟悉的颤动中，父亲一脚油门到底，朝赵女士飙出了一句："离婚吧，跟我过！"这句话一脱口，父亲就感到头顶的桥身上，一辆重型卡车正隆隆驶过，凌空的重量仿佛要压向自己。

赵女士并没有回答父亲，她只是站起身，优雅地朝父亲伸出一只右手，邀请父亲跳下一支快三。一被父亲揽住，赵女士才忽然变得羞涩起来，她服帖地倚着父亲，随着父亲的脚步，前进一步，后退两步……他们像两条优雅的鱼，欢乐、亲昵，在这幽暗的水晶宫里，游过来游过去。

隔三岔五，赵女士就来跟父亲住。父亲先是觉得别扭，但又不愿意拒绝。赵女士生动活泼的生活作风，用父亲的话来说是——很有味道的。赵女士到家里来，改造了父亲的生活滋味，这滋味好是好，但细嚼起来也有那么点异常，父亲总觉得这样名不正言不顺的夫妻生活，实在是不成体统的，也心存隐恐，他说，哪天，老胡杀上门来，会宰了我们。尽管父亲从没见过老胡，也不知道老胡住在哪个小区哪间公寓，但在赵女士长期的描述中，父亲已当他是一位抬头不见低头见的邻居了。赵女士面对父亲的担忧却毫不在意，她总是说，老胡病怏怏的，拳头都握不紧，怕什么？再说了，我已经跟他分床住，等到春节，子女都回来后，我们就摊牌离婚。面对仍有疑虑的父亲，赵女士豪爽地说了一句："嗨，你怎么那么老派，现在都是新时代了，我们可是新时代的人啊！"父亲才想起，自己出生于1949年，是中华人民共和国的同龄人呐。

这么看来，赵女士是位开放、大方的新派人物，事事显示出跟这个时代合拍的步调，可唯独在见家人这件事情上，赵女士表现出了不可突破的传统。当父亲要求把赵女士带给我和哥哥认识的时候，赵女士却坚持自己的原则，理由是时机还不成熟，见过家人，那就意味着要成为一家人了，目前，"我们还不能成为一家人"，父亲把赵女士的原话告诉了我们，我和哥哥顿时觉得，这位赵女士有热情，却不乏理性，绝对是操持家政的一把好手。一度，我们甚至把"成为一家人"当成了父亲余生的寄托，有这位"驴友"陪伴父亲同走人生的最后阶段，也没什么遗憾了。

那年春节，注定是个不平常的日子，就连我那一贯运筹帷幄的哥哥也有点抓不准了，他给我打电话说，妹妹，会不会我们春节回去，家里就多了个新——妈妈？哥哥的心情跟我一样复杂。我更多地想起了我们的母亲，这个常年枕着父亲毛衣独自睡觉的女人，这个常年参照着隔壁老王家生活得又苦又漫长的女人。母亲没有跟进到这个越来越美好的新时代，她就是一台过时的拖拉机，永远停留在了那个埋头耕耘的年月。母亲真的没享到福。除旧迎新之际，往事历历在目，我想得泪流满面。不过，我又不得不宽慰自己，父亲跟赵女士结婚后，我就可以有理由长时间不回家了，我跟父亲的距离，就心安理得地处于一种远方的距离，而远方总是充满了想念，温柔、美好，我的父亲跟母亲就如同一张张旧照片，好好地珍存在我过去的某个远方了。

离大年三十还有五天，赵女士拎着一把新扫帚，几瓶玻璃水、油葫芦等清洁用品，风风火火地跑到父亲家，说要提前给父亲"扫垃圾"，因为两天后，她的子女回家，就没工夫管父亲了，她要处理离婚大事了。父亲心里一阵温暖，将这个正扎着一块头巾用扫帚撩着蜘蛛网的女人认定为自己的妻子，并下决心跟她一起养老至终。

赵女士怕父亲被灰尘呛着，命父亲到运河边做做运动。出门前，父亲喝下了一杯浓醇的铁观音，他关上门的那一刻，隐约听到了赵女士欢快地哼起了小曲。父亲微笑着下了楼，散步到河堤，"预备，开始！"父亲轻快地往后迈出了第一步。北风吹得树叶哗哗地往一侧倒去，似乎在为运河当啦啦队，有旁观者助威，运河跑得比平日快，像一个志在必得的冠军选手。父亲在逆风中稳住了自己，他双拳紧握，上下摆动着胸前那只"方向盘"，步伐如此坚定，仿佛他是在朝前奔去，是迎着风，相反，运河则在他的视线里一点点往后退去。父亲想着，那种孤单凄清的晚年生活，即将像这运河一样，速速退出自己视线。父亲百感交集，他的思维在一个又一个弯道里行驶。

父亲倒行一个来回后，神清气爽地回到家，只见屋内窗明几净，悄无声息，一缕冬阳正罩着桌上那杯喝剩的铁观音，好心好意地为父亲加热着。毫无迹象地，赵女士如灰尘般消失了。就像一个会变戏法的女巫，赵女士骑着那把扫帚飞走了。她还把父亲衣柜里那些值钱的东西都变走了，包括：两只夏家祖宗传下来的金元宝、一对母亲的玉手镯、一只瑞士老手表以及那架还装着风景的徕卡照相机。父亲找遍了衣橱、壁柜、床底，甚至每一只抽屉，赵女士都不在里边。

父亲坚决不承认赵女士是个女骗子，他为她做过许多设想，他想得最笃定的就是——赵女士被老胡抓走了，没收了手机，软禁起来了。那么，老胡在哪儿呢？这个一度被父亲当成邻居却从没出现过的人，随着赵女士的消失，遥远得成了一个没有形状的黑点，甚至，一个点都不是，是一团白色的浮沫，逐渐消散。我们劝父亲报警，父亲死活不同意。他说，这绝对不是入室抢劫，哪里会有这么一个贼，先帮主人打扫卫生，然后再拿东西的？赵女士不是贼。好在，父亲的损失并不算太严重，加起来不过几万块钱。赵女士没拿走父亲的存折，她知道，拿了也取不出来，反而成为一名大盗。

父亲没有报警，他在水晶宫门口守了好些个夜晚，他在运河一带来来回回地碰，期待能与他的"驴友"重逢。这些美好的念头一次一次从侥幸的身边擦肩而过。整个冬天过去了，春天来了，万物发芽的时候，父亲将那些美好的念头掐芽，他将它们制成茶叶，泡水喝。夏天即将到来的时候，父亲终于敢直面这次挫败，他向我们坦白，跟那个女人好的时候，还给过四万元让那女人代为炒股，也不知道她到底有没有炒。我和哥哥倒吸了一口冷气，像侦破一桩大案般，顺着父亲一点一点的交代，闪回了各种蛛丝马迹。哥哥说，遇到大盗了，这应该是一个有组织、有预谋的诈骗团伙，回过头看，父亲在德胜桥倒行的那次"车祸"，就是那女人的一次"碰瓷"。马路"碰瓷"这类手法，对于长期在路上开车的人来说，往往一眼就能识破，父亲为什么轻易就上当了呢？父亲没作任何解释，他低下头，用手慢慢地捋着那一丛稀疏的大背头，反复说："在那个地方，就不应该停下来的，不该停的，我真像驴一样蠢啊……"看着父亲这个样子，哥哥悄悄地对我说，我们的父亲真的老了，已经搞不掂这个时代了。我的心里一阵疼痛。

父亲再不乐意在路面上倒行了。他跟大多数老头子一样，在运河边散散步，坐在长椅上晒晒太阳。不过父亲还是跟大多数老头子不一样，他不爱扎堆聊天，而是找僻静的一截河岸，坐在椅子上，看着离自己不到十米远的运河，以及河上稀稀拉拉的几艘货船，目送它们从下游的一个河弯处逐渐消失。父亲想起了很多遥远的事情，仿佛他的脑子里有无数面镜子，那些关于我母亲以及我们兄妹的往事，在镜子里成像清晰，他自个儿看得感慨万分，常常不管在上班时间还是午睡时间，拎起电话就给我或哥哥打，"小峰，你们小时候用石头去砸车厂的猪，人家都跑掉了，你还傻乎乎地站在那里看，害得我在厂里上了一个晚上的家长学习班……""小妹，你总是吵着妈妈给你买明星贴纸，妈妈不给，你就到我挂在门背的衣服口袋里翻，每次都有五毛钱在里面吧？那是我故意留在里边的……""唉，你们妈妈都没好好坐过我的车，她总是说，想坐我的车去宁夏看看，她最远到过哪里？……唉，你们妈妈最可惜了，都没享到福……"这些星星点点的事情，让父亲变得忧伤甚至消沉。我不得不鼓励他："老爸，别老想着过去，你要往前看，吃好穿好，过好每一天，现在生活好了，想要什么就去买，我给你买……"父亲从来都乖乖应答，仿佛他是大病刚愈的患者。我讲得口干舌燥，心里其实很虚弱，我又能帮他做些什么呢？电话结束的时候，父亲说得最多的一句话是："怪了，就像是昨天发生的事情……"

有一天上午，我接到父亲的电话，他兴致勃勃地告诉我，他决定开始练习游泳，他打算到运河里游一游。我吓了一跳，当即警告他，千万别做这事，这条肉眼看起来平缓的河水，实际上太危险了。在我的印象中，父亲从不会游泳。可父亲却丝毫听不进去，他很兴奋，向我说起老家乡下的那条河，他说他从小就是泡着那条河水长大的，不过他只懂得青蛙式，小时候一淘气，奶奶就会追着他打，一追，他就跳进河里，奶奶在岸上又气又急的……父亲说："我要把游泳捡回来，今年夏天到运河里走走。"电话里，我听到了一声清脆的船鸣，我猜父亲正站在河边，羡慕地看着这艘货船，仿佛运河是他即将启航的另一条公路。

父亲对运河游做足了准备。他到小区的游泳馆，花八百元请了那个健硕的游泳教练，一对一地教他，并且只教一个动作——仰泳。父亲觉得仰泳这个姿势太优雅了。人像睡觉般仰卧在水里，头枕在水面上，双臂在身体两侧轮流滑水，双腿夹着水往后蹬，一往后蹬，人就往前飙出几米，这比在河堤上倒行优雅多了。

父亲练得刻苦认真，除了每天到游泳馆，教练利用午休时间一对一地训练他之外，他更多的时间是在家里自行练习。他穿着厚厚的羽绒服和棉裤，仰卧在客厅的木地板上，双手在身体两侧划着地面，双脚则配合地往后蹬。他先是在原地滑动，反复练习之后，他开始尝试着在地板上游。他顺着客厅往卧室的那条笔直长廊来回地游。后来，他掌握了用髋部拐弯，就从客厅的长廊里游进卧室，再从卧室游进书房……父亲的方向感很强，他的脑袋就像一个舵，能准确地判断出，前方十点钟的位置是房门，左边九点的位置是一张茶几，右边四点的位置是一只拖鞋……父亲摆着舵，轻易地绕开了这些障碍物。

　　夏天还没真正到来，父亲已经可以仰躺在水面上，周游游泳池了。即使池子里人再多，父亲都不会撞到他们，就算那个埋头划着狗刨式的大块头，鲁莽地就要撞向父亲了，父亲都会调整好身体，脚掌一踩水，来一个侧滑，像一条无声无息的鱼，优雅地从大块头身边掠过。教练抱着双臂站在池子边，得意地看着他六十四岁的高徒，他对他的同事说："所以说，年龄根本不是问题，关键看怎么教，谁来教。"

　　那个午后，父亲从一场充足的午睡中醒来。他开始行动了。他穿上一件文化衫，在游泳裤外套上一条阔短裤，脚踏进一双拖鞋，再用一只塑料袋装上一条浴巾，精神抖擞地往河边走去。在文化广场的一个坡下，他找到了走下运河的那条阶梯。他站在倒数第四级阶梯，脱下了衣裤和拖鞋，将它们装进塑料袋里，放在地上，又犹豫了一下，返回坡上，在草丛里找来一块石头，将石头压在塑料袋上。做完这一切，父亲才放心地走向最后一级台阶。

　　父亲的脚一迈，重心就交付给了与他做伴几十年的运河。

　　跟父亲的理想完全吻合。他平躺在河面上，顺着流水的方向，不紧不慢地，两手划水，两脚蹬水，脑袋顶水，那丛大背头被浸湿了，坍塌下来，藤蔓般稀稀拉拉地攀在他头上。游着游着，父亲惊讶地发现，在这里游泳根本不费力气，比在木地板上、游泳池里省力多了。他开始放松身体，快乐地、轻盈地向前浮游，并不时扭头看两岸风景、路灯、长椅、花坛、六角亭、柳树、橙色的健身器械……他看到自己走了无数遍的那条堤岸，他朝岸边挥挥手，就像一个阅兵的首长。偶尔，父亲会停下来，身体静止在水面上，很享受地朝天空打个呵欠。远远看去，那样子真像是睡着了。

　　父亲优雅的游泳姿态逐渐吸引了两岸的观众，他们倚着栏杆，站在树荫下看，其中有几个人，还迈起了碎步，一路跟着父亲，跟了一会儿，他们看到一条装满黑煤的货船，远远地驶过来了。货船的船身被压得很低，破着深深的水线，笔直朝前开，仿佛稍微做个侧身都很困难。在距离父亲还有几百米远的时候，货船已经发现了水上这个障碍物，长长地鸣叫了几声，把岸上的人都吓了好几跳。

父亲丝毫不理会那噪音，他慢条斯理地继续直线朝前游，仿佛他的脚掌上安着两只后视镜，在货船还没叫喊之前，他就先看到了它，并且完全掌握了它跟自己的距离。

货船越驶越近，它已经不可能再为父亲调整方向了。这辆身上写着"湖州 007 号"的货船，主人是一对中年夫妻，他们着急地走出船舱，双手叉腰，朝前方的父亲大声嚷嚷。紧接着，他们养的一条大狼犬也站到船头来了，它朝父亲紧锣密鼓地示威嚎叫。岸上的人开始揪起了心，好像父亲很快就会被卷到船底下，有的人还甚至朝父亲呼叫、打手势，他们以为父亲是个聋子。

就在货船与父亲相距不到一百米的时候，只见父亲双腿一蜷，身体一个侧翻，沉入水里，几秒之后，又浮出了水面，父亲脑袋朝下，背朝天空，张开四肢，像一只敏捷的青蛙，迅速地朝岸边游去，给货船让出了路来……

货船超过父亲的时候，那对中年夫妻惊魂未定，就像被捉弄了一番，恼怒地朝父亲大叫大骂，而那只大狼犬却无比安静，它警惕地看着远处的父亲，耳朵紧张地竖着，仿佛水中潜藏着一个威力无穷的不明危险物。

沉重的货船疲倦地朝前方开远了，风平浪静。父亲又回到了河中央，他安详地仰躺着，闭着眼睛。父亲不需要感知方向，他驶向了远方，他的脚一用力，运河被他蹬在了身后，再一用力，整个城市都被他蹬在了身后。

瓜 子

1

　　十岁那年的某一天，我忽然不再愿意讲管山话，一个音也不愿发出来。就算在课堂默读或者做数学题用心算，我都坚决用广州话。回到家，我也跟老爸讲广州话。我老爸来广州十多年了，他的舌头还是绕不过他们管山地区的边界，就算基本的广州话都能听懂，但要叫他说几个词，他立刻就变成了一只笨茶壶，有嘴吐不出话来。所以，现在我跟我老爸讲话，真的像鸡跟鸭的对话。尽管老爸要求过我好几次，跟他讲管山话，我死活都不愿意。我一不愿意，就会发脾气，我一发脾气，我老爸就会像一根我最爱吃的麦当劳薯条一样，慢慢软了下来。

　　也就是从那时候开始，我老爸再也不敢把我抱到他大腿上，更不敢再用吐着浓臭烟味的嘴巴使劲地亲我的脸了。他对隔壁的管山老乡说："来运鳖啊，我女儿长大了，变成广州人啦！"

　　那个来运鳖嘿嘿嘿地冷笑几声说，开成鳖，说几句广州话就是广州人啦？你真是抽神经啦！给户口簿我望望？哼，我还真没见过住在出租屋里的广州人!

嘻嘻,来运鳖,我女儿两岁就跟我来广州,吃广州的米比吃管山的味精还多,幼儿园小学都在广州念,以后还要在广州念高中念大学,你说,她不是广州人是什么人?

开成鳖,你难道没见过广州人?广州人长得比我们管山人差十万八千里啦,你看看物业那个会计李晴晴……

话还没讲完,我老爸就爆发出了一串笑。我老爸只要一笑得激烈,就能听到喉管里藏着的痰在蠢蠢欲动。那个来运鳖也跟着笑了。好像他们同时看到了乐运小区里那个难看的李晴晴。

这两个人,各叼着根烟站在楼梯过道上,用管山话大大声地"鳖"来"鳖"去,在我听来,真的是很丢脸。

我老爸说过,在管山人的嘴巴里,"鳖"是一种珍贵的东西。如果在一个人的名字后边加上个"鳖"字,就好比在水煮鱼头里加上一把辣椒,在芹菜炒香干里割进几片烟熏肉,顿时就有滋味,亲起来了。也就是说,"鳖"像一个秤砣砣,加在交情这杆秤上,分量就重了许多。唉,他们根本不知道,"鳖"在广州话里,就是指"水鱼"。广州人只要称某个人是"水鱼",某个人一定就是个很好骗很好蒙的蠢货,是个被人揩了油还不察觉的笨蛋!难为我老爸他们还把"鳖"当作一种昵称。

我反感地在心里嘲笑着这两条大"水鱼"。

可是,事情往往令人讨厌,我越是反感这些操着管山话"鳖"来"鳖"去的大"水鱼",我生活的周围就越多这样的大"水鱼"。我们住在石牌村的出租屋,一走出门口,旁边修单车卖小五金零件的是一个"鳖",对面那个挑着水果长年跑来跑去的"走鬼"又是一个"鳖",巷口那家我最喜欢光顾的卖十元三本过期港台娱乐周刊的书摊上又有一个"鳖"……只要我老爸一走进石牌村这条窄窄的小巷,就可以跟人"鳖"

来"鳖"去，所以，他可喜欢这条城中村了，他说，这是广州唯一让他待得舒服的地方。

其实，这些"鳖"最集中的地方，莫过于我老爸当保安的那个乐运小区。

在我进学校读书之前，我老爸每天上班就把我像放羊一样放到乐运小区。乐运小区离石牌村很近，但是却有着跟石牌村截然不同的面貌。小区一共有八栋高楼，每栋都有二十八层。我就在这八栋高楼之间荡秋千——跟着进进出出的大人们坐电梯。从一栋一楼坐到二十八楼再坐到一楼，接着又从二栋一楼坐到二十八楼再坐到一楼，一直坐遍了八栋。电梯没什么好玩的，可是电梯里总能遇到住在这里的人，这些人一进到窄窄的电梯，就会比在大街上显得亲近，闲得没事也会逗我说说话，问这问那的。幸运的时候，还会遇到跟我年龄相仿的小孩子，他们会听父母的话，将手上的零食大方地分我一点。

当然，更多的时间里我会在小区的花园玩。花园也没什么好玩的。不过，有些晒太阳的老爷爷老奶奶，他们每天都有数不完的时间，如果我愿意的话，他们可以一直陪着我在花园里玩，直到他们到点回家，一个个消失在"砰砰"关上的电子铁门后。

除此之外，就是跟小区里的"鳖"们在一起。乐运小区的物业主管就是老爸他们管山人，很自然的，十个保安里就有六个是管山人，顺带着，一些保洁工人、水电工人甚至是蹲在小区门口时刻等着上门收买报纸废品的，也都分布着不少管山人。这些扎堆在一起的"鳖"们，分散在乐运小区的每个角落，门口的岗亭、车库底下、水电房里、垃圾房、花坛边……所以，无论我走到哪里，都能碰见他们。他们也没什么好玩的。他们喜欢相互开玩笑，喜欢装作要跟对方打架的样子，在不弄疼人的程度下，动手动脚，拳来腿去，打打闹闹，无聊透顶了。

小区里的"鳖"们都知道，开成鳖的宝贝女儿，年纪小小，却古怪得很，轻易不跟他们搭话，一副骄傲又讨嫌的样子。他们对我老爸说，你看看你这个女儿，怎么养都养不熟，要是一直放在老家养，肯定不会这种样子，管山人的后代，总是要吃够管山的米才能养熟啊。放到广州来养，孤孤的，都养歪怪了。

这种说法让我无比讨厌。相比起回管山爷爷奶奶家，我更愿意被放在乐运小区，一千、一万个愿意。管山的村子里有什么啊？有爷爷和奶奶，有牛和牛粪，有猪和猪臊，有穿得破破烂烂从没见过城市的小孩子……在我看来，管山就像一只瘪瘪的破塑料袋。而乐运小区却像一个装满了漂亮礼物的大礼包。尽管在乐运小区，大部分时间我孤单得像草坪上的小狗。那些从家里跑出来的小孩，压根都不爱跟我玩，因为我是那个看东门的保安的女儿，因为我没有掌上游戏机，也没有可相互交换的漫画书，更没有漂亮的巧克力，而这些东西，基本上就是通往小区孩子们友谊大门的门卡和通行证。我没有。我兜里只有老爸头天晚上帮我嗑好的一包五香瓜子肉（在小区里是不让我嗑瓜子的）以及那只我喜欢了很长时间的老爸在地摊上买的"小熊维尼"（后来，我上英语课了，懂得音标，才知道，它并不是动画片里那只真"小熊维尼"，它只能叫作"小熊文尼"，因为在它胸口上绣着的名字，跟真维尼熊相差了一个字母）。即便是这样，我也宁可待在这里，忍受着那些"鳖"们，忍受他们时不时跑过来捏我的脸，或者用手架住我的脖子将我抬离地面。

当然，除了偶尔几次过年之外，我老爸是不会把我送回管山养的。他早就把我的孤，都归根为命。是一种被算死了的事实。

在我老爸床头的一只小柜里，放着一只蓝色的铁盒子。盒子里装着老爸所有重要的证件，身份证、暂住证、健康证等等，跟这些重要证件锁在一起的，还有一张折叠得整整齐齐的红纸片。展开这张纸片，我就能看到，关于孤这个事实的认证——纸片上孤零零地写着一个"孤"字。我老爸将这张红纸片跟我的出生证夹在一起，仿佛"孤"是我的一个妹妹。

　　这张红纸片没什么特别的，它只不过是一张过年时用来包红包的那种纸，而上面写的那个"孤"字，更没有什么特别的，在我小学四年级的时候，就已经能写出比这更好的字了。可我老爸硬是将这张红纸片当成宝贝，他说，那是狐仙开出的药方，弄掉了，命就会犯太岁。至于犯了太岁，命会怎么样？我老爸含含糊糊，只是说，小孩子，只要听大人话，管那么多命的事情做什么？

　　开这张药方的狐仙，我见过。其实，狐仙也没有什么特别的。狐仙抱过我，还给我买过一元一包的脆脆面吃。现在，我还能指出来，她曾经住在石牌村那家桂林米粉店楼上，三楼楼梯口转右边的第一个房间，现在住着一个卖北方水饺的老头儿。

　　那段时间，找狐仙算命的人，能从三楼楼梯口排到一楼米粉店。由于人太多了，排队时还引起过纠纷和混乱，差点因为打架引来公安。所以，那女人聪明地做了些号牌，就像中药铺里的医生叫号看病一样，她给人叫号算命。

　　我老爸是带着我一起去算命的。我觉得我老爸的好奇和紧张其实跟我一样多。他一坐到那个女人面前，就把靠在他脚边的我紧紧地夹在了两条大腿中间。他一度还将手伸出来，摆到跟前的桌子上，做出等待号脉的姿势。那女人看着我老爸这个样子，就笑了出来。女人一笑，就不像狐仙了，像一个好看的阿姨。这个好看的阿姨脸比一般人都白，眼睛细细，嘴巴小小。让我看得目不转睛的，是她那两根眉毛。那两根眉毛不是长出来的，而是画出来的，那上边连一根毛都找不到，就像用蜡笔画出来的两根线。这两根线忽上忽下，忽靠近忽分离，主宰了我对整个算命过程的记忆。当然，除了这两根线外，接下来发生的事情也强占了我的记忆。

狐仙拿着一张白纸、一支笔，一边问我老爸一些问题，一边在纸上画来画去。之后，她从身后拿出一只大大的红箱子，矮下身来，递到我跟前，让我把手从箱口伸进去，抓出一个小布袋来。

我被吓住了。当时我才六岁，面对一个陌生人递过来的东西，本来就不知所措，要将手伸到一个看不到里边的箱子里，无疑等于一个人被关在黑乎乎的房间里，或者说像每次回管山时，火车必然要在某个地方，钻进一条伸手不见五指的隧道。这是我在那个年龄最为恐惧的事情。

与其说我从那只箱子里许许多多布袋中独抓到了装着那张红纸片的布袋，不如说是狐仙最具影响力的一番话，使我老爸死死认定了这就是狐仙开的药方，而不是我选中的命运。

狐仙打开这张红纸片，看了看那上边写着的"孤"字，就用细眼睛紧紧地盯着我老爸，严重地说出了一个事实——这孩子天生就是个孤命，很小的时候就跟娘分开了，应该是她两三岁的事吧……

我能感觉到老爸的两条大腿，像被谁猛地敲了一棍子，重重地抖了一下，又好像是在午睡的时候，梦到自己掉到山谷里了，两脚同时踏空，迅速地抽搐了一下。

接下来，狐仙又喃喃喃喃地跟我老爸说了一些话。狐仙说着说着，老爸偶尔作出回答的声音开始抖了。狐仙又说了一阵，老爸开始用袖角揩眼泪了。狐仙把我老爸都说哭了，但是她好像还没有停止的意思，继续又说了一阵，我老爸就连眼泪也顾不上揩了，丝毫不控制地哭出了声音来，仿佛眼前这个狐仙阿姨，就是他失散多年后重逢的一个老朋友、老乡亲。

这是我有生以来第一次看到老爸哭。据管山的爷爷奶奶说，其实在我两岁之前，在那个死女人跟煤老板跑到山西之后，我老爸动不动就爱揩眼泪，直到把我带到广州，打上工，赚上钱，才好了起来。那个死女人，就是我至今没落下记忆的老娘。

其实，这张药方上的"孤"，既是命数，也是解药。狐仙对我老爸说，你发现没？这张纸上写的，要顺着看呢，就是一个孤单的"孤"字，要逆着看呢，就是"瓜子"两个字。一个字能变两个字，这就是解孤命的药方。你说啊，一个人能变成两个人，这命还能是个孤命吗？

我老爸眼睛盯着纸上的那个"孤"字，听得半懂半不懂，却仍然在用力点头。

后来我听说，这次算命，老爸心甘情愿地花掉了整整八十大元，只拿回了这张红色纸片。

不管是否值当，无论懂还是不懂，经过这次算命，拜托那位狐仙阿姨，我得以长年累月地嗑瓜子。她叮嘱我老爸说，没事就多嗑瓜子吧，去去孤命。

嗑瓜子就能去孤命？只要有点文化的人，都不会去做这样的傻瓜事，偏偏我老爸就是这样一个没文化的人，而最关键还在于，他一直对那个不知为何能说中他伤心事，惹得他号啕大哭的狐仙阿姨到死都深信无疑。

我也相信。因为嗑瓜子成了我童年最爱做的一件事情。嗑着瓜子，我会觉得不那么无聊，加上我嗑瓜子的技术相当娴熟，速度也惊人，一嗑上，嗒嗒嗒嗒、嗒嗒嗒嗒，脆脆响响的声音，听起来仿佛有一排排小朋友从我嘴巴里一路小跑出来。碰上出租屋经常停电的夜里，电视看不上，我和老爸两个人，坐在屋子里，就着黑，嗑瓜子，听到从我们嘴巴里发出此起彼伏的声音，就像一屋子都坐满了聊天的人，热闹得要命。

2

这么久以来，我们几乎都忘记了嗑瓜子是狐仙阿姨开给我和老爸的药方，而是我和老爸生活中难以戒掉的一种"瘾"。在我老爸的裤兜里，随时都能摸出一大把瓜子。上班的时候，我老爸严格遵守保安纪律，绝不吸一根烟，不嗑一粒瓜子。不过，他却有一个毛病，没事喜欢把手伸进裤袋里，一撅一撅地抖动那些瓜子，发出沙沙沙沙的声音，而且，抖得相当有节奏，抖出来的声音，真有几分像一首曲子的节奏。小区里那个退休的孤寡老人麦教授，每次进出东门，看到我老爸站在岗亭门口，无意识地将手放在裤兜里撅瓜子，总是要停下来，笑话我老爸一番——想女人啦？裤兜里是不是睡了个女人？

经过麦教授这么一说，小区里的那些"鳖"们都觉得特别形象，闲得无聊就会拿这些话出来笑我老爸，不仅笑，有几个跟老爸玩得最好的"鳖"还会伸手去掏他的裤兜，掏裤兜是假，转过手掏老爸的裤裆却是真的。老爸也不介意，随他们玩，有的时候还跟他们扭打在一起，你掏我，我掏你的。我老爸说，嘿嘿，这些卵鳖，玩自己的还不够，还要玩别人的，玩嘛玩嘛，反正闲着也没事。

我老爸曾经被一些中年女业主投诉过，她们说老爸玩裤兜这个动作不文明，有损小区的风貌。有两次，我老爸还因此被保安队队长孟鳖找去谈话。谈话后，我老爸确实刻意地提醒自己，强制性地减少了撅瓜子的次数，可没几天，老毛病又犯了。孟鳖也拿他没办法，在保安纪律条例上并没写明不准撅瓜子，再说，我老爸是在裤兜里玩自己的东西，既不妨碍他人，也不损害公共设施，耐我老爸何？

不过，撅瓜子这个习惯，也成了孟鳖教训我老爸的一个习惯性理由。

我从识字开始就知道，这个孟鳖名字叫孟毛，也是老爸他们管山人，比我老爸年轻些。得以知道这些，是因为在小区岗亭的墙上，贴着他神气十足的照片，照片下边写着他的简历、手机号码等等。我听老爸说，刚开始，大家叫他"毛鳖"，他不愿意，后来人们就改口叫他"孟鳖"，他还是不高兴，再后来不知道是谁起了个头，用普通话叫他"孟头"，他一听，只笑得有牙没眼。"孟鳖"改"孟头"，懂得管山话的发音，你就知道这个改变，简直比让麦当劳的汉堡包增高半寸还难——管山话里根本没有"头"这个发音，他们把"头"一律念成"豆"。念不来，所以，管山的人还是只好叫他"孟鳖"。

孟鳖来广州不如我老爸时间长，不过，由于物业主管是他的表哥，他得以坐滑滑梯，一溜到位。尽管我老爸认得的"鳖"比他认得的多，但是那些"鳖"用我老爸的话来说，都是些跟他一样的"没意义鳖"。我老爸在乐运小区当门卫，守的不是正门，而是东边那个不走车光通人的小侧门。这个侧门由于离菜市场比较近，一般进出的都是些住户，外来人几乎都不知道有这个门，所以，这个门在他们的保安事业当中，属于一个没前途的门，而我老爸也早就被认定是一个没前途的门卫。我老爸已经四十二岁了，身材既不高大，相貌也不威猛。孟鳖不时恐吓我老爸，如果他守门出点错的话，要再降，就只能降到地底车库里守车了。

对于有没有前途，我老爸一点都不介意，可以说，他把所有希望都寄托在了我身上。隔壁屋那个来运鳖喝了几杯酒，喜欢当老师，逮到谁就跟谁讲道理，他一讲道理，就拿我老爸来当课文，他把我老爸对宝贝女儿的读书问题当成一种榜样，到处讲。他说，开成鳖这样的人，下辈子投胎做人都要找回他来当老爸，你看，阿蓉在广州读书，从一年级到六年级，一级也没少给过！听起来，好像我读书升级，都是我老爸给的。那个来运鳖在管山，大概连学都没上过，他哪里知道，每一次升学考试，我都吭哧吭哧得像爬山坡一样艰苦哩。

我所读的小学学校，在全广州的小学里，名字都排不上。据说当初是因为名额问题，我没能在石牌村唯一一所民办小学里念书。至于乐运小区旁边那所公立学校，对于我们这些外来工的子女，简直是门都没有。我老爸又死活不愿意我推迟一年上学，他认为，在城里，一寸光阴一寸金，为什么这里人走路都急急忙忙的？就是因为他们知道省时间就是省钱。没办法，我老爸只好下狠心把我放到了另外一个人口比较少的城中村的民办小学。所以，每天上学，我都必须穿过一条又深又暗的地下人行隧道。这条隧道对于我来说，很像一个怪兽的大肚子，只要一走下去，我就感觉到呼呼呼怪兽喘气的声音逼近耳朵。

早上上学，我老爸拜托楼下的梁阿姨带我——梁阿姨每天必要准时穿过隧道，到一家医院给病人当护工。不过，到放学的时候，我就得自己一个走回来了。所以，我老爸和我约好了，每天下午放学后，五点四十分左右，他会穿过隧道这边来接我。

每天，我老爸从下午五点半开始，就离开了乐运小区的东门，一路跑过乐运小区菜市场，跑过石牌村，跑进黄埔隧道，再跑到东边的出口。这一路跑，十分钟左右。基本上，老爸在隧道出口，喘好气，跟几个长年在那里卖盗版碟、挑箩筐卖花以及推自行车做鸡蛋煎饼的那些老熟人打几个招呼，聊上几句之后，就能接上我了。学校里的老师，知道我的特殊情况，从不对我留堂。事实上，这间民办学校，教的都是外来工子弟，对迟到早退甚至是旷课的学生总是睁只眼闭只眼。

有的时候，老爸会迟到，我就站在隧道口等，直到老爸气喘吁吁地从暗暗的地底下钻出来。

我也经常迟到，我一迟到，老爸就心急，因为那就意味着回乐运小区，他又要以加速度一路狂奔。

记得有一次，我因为在学校贪玩多了一会儿，迟到了，我老爸一见我就骂，我硬是不承认自己迟到了十五分钟。我很天真地认为，他又不戴手表，怎么会知道时间？谁知道我老爸居然说，我都数了三十九张鸡蛋煎饼了，往天最多数到十张！那个卖鸡蛋煎饼的大爷，一边熟练地在铛上摊着他的饼，一边笑着看我们，说，小妹妹，我煎的饼比钟还准时啊，以后别让你爸爸在这里等久啦，整天跑来又跑去，受累啊！

跟老爸一起穿过隧道的时光，以及老爸一把我带出隧道口就拔足狂奔的身影，以及老爸一开始跑动裤兜里那把瓜子就欢快地跳舞的声音，在我的整个小学时代，简直比乘法口诀还熟悉。

几乎整个石牌村的"鳖"们，认为我老爸开成鳖对他的宝贝女儿紧张得过了头。过了头的意思，主要是因为我老爸为了争取每天下午五点半到六点之间得以准时离开岗位，付出了过于沉重的代价——包括他在三十多岁正当保安大好年华的时机，放弃了守小区正门这个重要的岗位，而宁可到东门做个几乎可以忽略的闲人；包括他曾经有过的一次再婚机会，据说那女人被我老爸一路狂奔的动作吓跑了，她断定我老爸结婚的主要目的就是找一个可以代替他狂奔的人。当然，最沉重的代价莫过于，我老爸成了那个保安队队长孟鳖的小喽啰。

算起来，孟鳖只比我老爸小两岁，可他总是顺嘴叫我老爸老王。这个老王，很有点管家或者仆人的意思，他为孟鳖做的事情可不少。清晨，他要给孟鳖带回刚炸出来的油条，然后，迎着小区的晨光，他还要代替孟鳖在花园里，喊着他那极其不标准的普通话口号，带领着二三十个保安，操正步，做体操。当然，还有其他一些临时要帮孟鳖代劳的杂七杂八的事情。这些都不算什么，让人觉得窝囊的，就是每天中午时分，他要替孟鳖做一件谁都见过但却见不得人的事情——把孟鳖在食堂多打的一个盒饭，拎回石牌村，带给红姑。

石牌村里有一家总是散发着红光的神秘小店，窄窄小小的，店门口既没有类似于"金鑫"这样的店名，也没有"大出血甩卖"这样的横幅，只是乖乖地、心甘情愿地被夹在一家烟酒店和皮鞋店的中间。但是，这家店的生命力却很强，它就一直被夹在那个位置，一夹就夹了很多年。

这是一家成人用品店，老板娘就是红姑。

在我还没够年龄弄清楚小店里卖的那些东西的用途之前，我就已经知道红姑是孟鳖的女人。事实上，来运鳖背地里很是蔑视孟鳖——哼，以为送个盒饭，那女人就是他的了，真是白天做个大头梦，盒饭里睡张钞票还差不多！来运鳖这么说是有根据的，因为他不止一次地看到红姑跟不同的男人在一起。

类似于来运鳖这样的话，我老爸听了不知道有多少遍了，他也接受过老乡们许多次对这类事情的"盘问"，可每次他都装聋作哑，既不接话也不回答。这让老爸那些"鳖"们感到不爽，他们说，开成鳖这个样子，就是个拉皮条的。我老爸听了，既不生气也不还击。不过，他们最终都原谅了我老爸，因为谁都知道，我老爸对孟鳖事事顺从，没别的，仅仅是为了争取下午半个小时去接女儿。

孟鳖不仅有老婆，还有个跟我一般大的儿子，只不过他们没住在一起。他是保安队队长，又仗着表哥的力量，打着工作的旗号，在乐运小区的车库边，得到一间十来平米的小单间借住。他老婆在龙洞那边一个家政公司当钟点工，儿子也跟着她一起读书、生活。每个星期六，老婆儿子就过来跟他挤单间，一家人团聚，顺便帮他拆拆洗洗的。

老婆不在，孟鳖下班就去找红姑，找得太明目张胆了，就不断被人传出他爱找鸡的话来。有些难伺候的业主向物管处投诉，说小区不能要一个爱找鸡的流氓当保安队队长啊，风气都带坏了。物管处处长是孟鳖的表哥，他警告过孟鳖好多回，要是他再被人发现去找鸡，就要被业主委员会联名撤职，到时候，谁也保不了他。孟鳖心里虽然气恼，但是嘴巴上却不敢顶撞什么。

私下里，孟鳖请表哥喝下几杯酒之后，懊恼地对表哥说："我哪里是去找鸡哟，红姑又不是鸡！"

"卖那种东西的女人，不是鸡是什么？再说了，不是鸡，你找人家做什么？！"表哥一副见怪不怪的不屑。

喝多了几杯的孟鳖，眼睛红红的，直朝表哥摆手："红姑不是鸡，她顶多算是我的情人，或者说二奶！"

表哥一听，抡起一个巴掌，甩到孟鳖的后脑勺："你妈个头，你又不是老板！"

此后，孟鳖跟红姑的关系就开始隐秘了下来，越隐秘，我老爸要做的事就越多，也就越让老乡们不爽。好在，我老爸是一个脾气很好的"鳖"，那些人再怎么不爽，最多就在自己嘴巴里塞把花生米，呃摸呃摸就过了。

3

嗑瓜子的爱好，除了给我老爸留下一个"搣瓜子"的癖好之外，同样也给我带来了一个不良习惯。坐在座位上，一节课还没上到一半，我就因为嘴巴过长的孤单和安静，导致丧失了听课的耐心。我开始屁股如坐针毡，嘴巴行动起来。我会去骚扰隔壁的同学，撩拨他们说话，屡屡受到老师的警告之后，就只好自己玩自己的嘴巴——经常口里小声地念念有词，或者用上下嘴唇相互做游戏，动来动去，片刻不肯安宁。老师三番五次地对我用了各种惩罚、各种教育，都没有办法吓怕我这个不良习惯。最后，班主任给我下了个诊断，她对我老爸说，你这个女儿，有多动症，最好带去医院治疗。我老爸一听，就笑了。他对我们老师说，我这个女儿，平时最不好动，理都懒得理人的，邻居和老乡们都认为她是块木头，她还会犯多动的病？班主任觉得跟我老爸这样的没文化人基本上说不清楚，就放弃了。她放弃我老爸的同时，也把我放弃了。她把我单独放在一个"孤岛位"上。

"孤岛位"是一个特殊的位置，在教室的后边，所有桌子横竖都对齐之后，离开这些桌子方阵的一米多远，独独单列出了这么一张桌子。这样一来，我的前方即使有着人山人海，都似乎与我无关了。

这个离开同学们一米多远的"孤岛位"，不仅让我和班级里的同学都隔断了，而且还使我出了名。我们学校有个最喜欢跟女同学开玩笑、互相追逐打玩的男体育老师，每次见了我，都用很特异的眼光看看我。有一次，我路过学校教工娱乐室的窗口，那个体育老师正在跟几个其他班级的女老师打乒乓，他们说说笑笑，声音很大，被我听到了。原来他们正在议论我。那个体育老师说，像王蓉这样的女孩子，我见多了，从小嘴巴就飞七飞八的，长大以后，下面的嘴巴肯定也一样飞七飞八的。他这么一说，其他那些女老师就一边笑，一边用手去打他。

嘴巴还分上下？我觉得很纳闷。虽然不理解，但是我知道老师们肯定是在拿我当笑料，我难过得要命。回到家，我动不动朝老爸发脾气。我老爸就把我带到石牌村那条很热闹的女人街，让我自己挑了一件十五块的小花吊带背心。我已经六年级了，虽然个子不算高，但是，我穿上吊带背心，看上去，跟街上那些同样穿着吊带背心、化着妆的大姐姐们，相差也不算太远了，只是，我那两条裸露出来的手臂，实在是太细了一点。我穿着新买的吊带背心，对着镜子，将手臂曲起，对镜子挥了挥拳，心里暗暗鼓励自己：王蓉，加油哦，很快你就比她们更漂亮了！漂亮起来就不会被人笑话啦！这样一加油，我对自己的未来立刻充满了信心。

我老爸早就明白，买东西是使我高兴的一个绝招。我敢打赌，要是我老爸能挣大钱，他一定会带我到大商场给我买很贵的衣服，也会天天带我到心爱的麦当劳。可惜我老爸是个保安，他永远只能给我买比正版货少一个字母的东西。唉！不过我并不对我老爸抱怨，只要一想到管山那些破破烂烂的小孩子，我就觉得我老爸还不错，是他把我带到广州来，并且他也跟我一样，再也没想到要回管山。

等等吧，长大了肯定有钱！这句话不是我说的，是孟小军，那个孟鳖的儿子。他一边说，一边嚼着口香糖。这个跟我同岁的家伙不知道为什么，总觉得他现在没钱仅仅是因为他还小的缘故。

周末，孟小军会跟他老妈从龙洞那边过来乐运小区。他老妈来给孟鳖搞卫生，他就过来"提款"——他每周可以到他老爸这里领二十块零花钱。一领到钱，他就跑到石牌村，有时候找我玩，有时候就到网吧。在一天之内，无论身在何处，消失了的孟小军必然会有两个时间又出现在家里——午饭和晚饭时间，准时准点，一次也不误，一旦吃好了，就又立即跑出去玩了。他老爸气愤地敲他的脑袋，说他，就懂得回来吃饭，什么事情也不帮忙做，给你那么多钱，你不在外边吃饭做什么？孟小军看着他老爸说，钱是零花钱，又不是吃饭钱！把他老爸气得够呛。偶尔一两次，他老爸老妈实在不想做饭，就让孟小军在外边帮买盒饭回来，孟小军想都不用想，就说："买盒饭没问题，要附加百分之十的外卖费！"他老爸事后到处自豪地跟人说，这个卵崽，以后肯定能做大事！言下之意就是，以后肯定有钱！

孟小军学习不是很好也不是很坏，不过由于他无时无刻都在嚼口香糖的样子，总给人小痞的印象。其实，他长得比孟鳌好看多了。他有两只大大的眼睛，眼睫毛又长又翻，额头前斜斜撇向右并且懂得拐弯的刘海总是长长的，几乎将眼睛都遮盖住了。孟小军这种发型叫"非主流"。在我们学校男生里边，几乎人人留这样的发型。就像我们女生，长头发尽管千篇一律被学校要求扎起来，但是，整齐的刘海两边，一定各有一小缕头发飘荡在耳朵跟前，有了这两缕头发，才能算是"非主流"。

发型是我们在同学当中相互认证的一个标志。两个梳着"非主流"发型的人碰到了，无论认识不认识，他们最起码都是一国的。

我和孟小军也是一国的。

孟小军比我钱多，所以，每次他到石牌村来找我玩，都是他请客。吃一元一串的麻辣烫，吃一元半一串的烤鱿鱼，喝两元一杯的珍珠奶茶。有的时候，他还带我到网吧，上网玩游戏。由于他长得比较高，小学六年级看上去就像个中学生一样，再加上一边嚼口香糖，一边玩弄着老爸给他买的那只二手索爱音乐手机时，看起来显得很有派头，也会使网吧管理员忽略了他的年纪，让他带着我到里边玩个够。

将零花钱都花光之后，我们就会在石牌村东逛西逛。有一次，逛到红姑那家成人用品商店旁边，我忽然一阵冲动，问孟小军：

"你敢不敢进去？"

"为什么不敢？里面又没有鬼！"

"那你敢不敢进去，对那个柜台里的女人喊一句话？"

"什么话？"

"你——是——鸡！"

"那有什么难！"

说完，孟小军从口袋里掏出最后一片口香糖，放进嘴里，迅速地嚼了几下，然后，大摇大摆地走进了小店的门。

　　由于小店又窄又深，而且里边只装了些暗暗的红灯，所以，孟小军一迈进店门没几步，我在外边就几乎看不见他了。仿佛他懂得玩穿越，进了这个门，就穿越到了秦朝或者是外星球去了。

　　没过一会儿，我果然听到孟小军在暗处大声地喊出了一句话：

　　"你——是——鸡！"

　　然后，我就听到了一阵脚步声。

　　很快，孟小军从暗到明紧接着出现在我身前，抓起我的手，拼命地向前跑。

　　我一边跑一边觉得兴奋和紧张。跑了几步，就听到后边传来一个女人凶狠的声音——

　　"我要是鸡，你老爸就是龟公！去你妈的死龟公蛋！"

　　我们以为她要追出来，跑得跟不要命似的。一直到确认安全了，我们才敢停下来。

　　"这个死八婆，好凶啊，我只不过喊了一句，她就追出来骂！那么大声，满街都听到了！"孟小军气喘吁吁地说。

　　此刻，我的心里爽透了，有一种报了仇解了恨的舒畅。

　　"嘻嘻，可能今天她大姨妈来了！"也许是心情太轻松了，说出这样的话，我竟然一点都不觉得害羞。要知道，六年级的时候，我还没见过"大姨妈"呢。

　　没想到，这件让我报仇般快乐的事情却使孟小军遭了殃。他被他老爸狠狠地打了一顿，最后他还供出了是我教他喊那句脏话的。

　　"我靠，那个死八婆，居然添油加醋，我只喊了一句，她竟然向我老爸告状，说我骂了她好多脏话。"过后孟小军愤愤不平地对我说。

　　可怜我老爸，被孟鳖叫到了他房间，目的不是告我的状。他认定我之所以会对红姑说那些下流话，是我老爸教的。他威胁我老爸，要是再听到有下次，我老爸享受的一切优越待遇全都取消，别说每天五点半离开半小时，就算是半分钟也不给！

实际上，到目前为止，孟鳖给我老爸的"一切优越待遇"也就是那半小时而已。不过，恰恰是这半小时，让我老爸在孟鳖面前完全失去了个性，他即使被孟鳖骂得很惭愧，很没面子，但也不过就只是扯着张勉强的笑容，朝孟鳖道道歉，点点头。

相比起老爸这一次被威胁，更为严重的是接下来发生的一件大事。

那天，也是星期六，孟小军又来找我玩。我们像往常那样，吃了零食，又在网吧玩了游戏。这次的游戏玩得特别郁闷，打联机 CS，遇到高手，我们屡屡挂掉，有好几次，竟然被射到连抬头的机会都没有。从网吧出来之后，我们也没钱吃东西了，只好慢慢地穿过石牌东路，回家。

石牌东路周末简直就像管山的赶集日。在人行道上，到处都站满了走鬼，一个小塑料布摊在地上，一只大旅行包敞开，一辆破单车架起来……卖什么的都有。他们一旦听到有通风报信者大声叫"走鬼"，便迅速地卷起东西四下逃窜，逃到市场里，逃到巷子深处，逃到公共厕所里的都有。对于这种情况，我们见怪不怪。

无聊的我和无聊的孟小军，决定在石牌东路上玩一次游戏。

"走鬼啦！走鬼啦！"

孟小军嚼着口香糖，在人群里叫了几句，然后带头跑动了起来。

他一喊，引起了强烈的骚乱。现在回想起当时的场面，孟小军那几声喊叫，就像触动了沉睡的怪物的某根神经，一惊醒起来，简直是令人难以想象的混乱！

下游的小贩们由于不明就里，听到喊声，马上熟练地收拾起东西，驾轻就熟地朝早已经瞄好的安全地段跑。没想到，上游的小贩们很快发现了那个在人群中奔跑喊叫的孟小军，仅仅是个小屁孩，而且这个小屁孩一边喊还一边忍不住地露出了恶作剧的笑。

在我还弄不清楚到底发生了什么事情，已经离开我有十来米远的孟小军，就被一群小贩围住了。他们知道这场虚惊是来自于这个小屁孩，愤怒地将他揪了起来。

我吓死了。我在脑子里迅速地想办法。好在这里离乐运小区很近，在他们开始号叫着要教训这个小屁孩的时候，我拔腿就跑，跑回乐运小区，找我老爸。

当我老爸和孟鳖以及一大帮保安赶到石牌东，孟小军已经明显被打过了。他蹲在地上，狂哭不止，额头上那一撇长长的"非主流"头发完全垂了下来，几乎盖过了他吓得苍白的脸。

孟鳖和我老爸以及一帮保安，穿着乐运小区的保安制服，朝围观着的人凶恶地吼了起来。不知道是因为孟鳖他们那一身制服起了一定的震慑作用，还是他们打了小孩理亏的缘故，又或者是做生意的人不想惹是生非，人群很快就没了声音，并且四下散开。

由于找不到打人的人，孟鳖他们有力也没处使，只好带着孟小军，一路骂骂咧咧地回家了。

当孟鳖再次"调查"到孟小军这次惹的祸，又是跟我在一起，他恼火死了，不管三七二十一，硬是认为我指使孟小军干了这件蠢事。

这一次，孟鳖不仅狠狠地骂了我老爸，而且还狠狠地骂了我。他对我老爸说，你那个缺教的伢，她要成个烂女我不拦她，千万不要来搞到我伢，我伢子以后是做大事的人，你那女伢，迟早是要烂苹果心的。

我老爸没想到孟鳖会骂出这么难听的话。在管山话里，骂女人烂苹果心，比广州话骂"丢你老母嗨"还要难听，大概苹果心就是指女人的那个地方吧。

我老爸的脸通红通红的，他抬起头，看着孟鳖，憋出了一句话——

孟鳖，关伢子么事，伢子还小，哪里懂得会搞出这么大的事？

"不关她事难道是我伢子的事？上次也是她，教我伢讲那么多下流的话，不要脸！我看你趁早把她送老家算了，过一阵，被人搞大了肚子都不知道是谁！"

话音刚落，我就看到老爸"噌"地冲到他跟前，飞腿一脚扫过去。因为腿抬的幅度很大，我在旁边，能清楚地听到我老爸裤兜里揣着的那把瓜子，发出了稀里唰啦的声音。

孟鳖和我老爸扭打了起来。小区里刚好路过的住户以及闻声而来的保安、工作人员们也围了过来。那些"鳖"们将我老爸手手脚脚死死地抱住了。也有一些人过去抱住了孟鳖。老爸那张涨红的脸上，看着并不像打架的人那种凶恶。他那双一直盯着孟鳖的眼睛，与其说是暴力的，不如说是生气的，只不过，我从来没有看到过老爸生那么大的气。

4

打架后的那天晚上，我老爸跟来运鳖又在门口的走道上，抽烟，嗓门大大地聊天。他们说的每一句管山话都传进了我的耳朵里。

我老爸回忆起了几十年前，在他十来岁的时候，他老爸，也就是我管山的爷爷，为了一块肥猪肉，跟生产队队长干了起来。起因就是我老爸跟生产队队长儿子的一场争夺。

那天是村里的墟日，我爷爷带着我老爸赶墟，逢上一户人家娶媳妇，我爷爷看我老爸嘴巴馋死了，实在不忍心，就从箩筐里摸出几只计划着带回家给我奶奶拜祖坟用的油糍粑，问人讨了几张红纸，把油糍粑染染红，变成了婚嫁送礼用的红油糍粑，然后带着我老爸混进了结婚酒席。那个时候，是 20 世纪 70 年代，即使是结婚酒席，也罕见几点肉星，所以，当我老爸在饭桌上好不容易发现了一块肥猪肉，并且迅速地伸出筷子夹住了它，并且准备往自己嘴巴运送的时候，半路居然杀出了一双筷子，生生劫走了那块快到嘴的肥肉。

十来岁的老爸沿着那双筷子望过去，就看到了已经开始咀嚼那块肥肉的生产队队长的儿子，一个块头比自己大许多的少年。然而，一块肥肉在那个年代的诱惑力，以及少年气盛的不可欺侮，使我老爸不自量力地向生产队队长的儿子挑战了起来。

我老爸在讲这些的时候，我坐在房间里一边听，一边竟然在脑海里，动漫一般地出现了那些打架的场面。那些人物，都是以游戏中的卡通人物形象出现。我老爸矮矮瘦瘦，长得很清秀，眼睛嘛，还是我喜欢的那种大大的，他的头发染成了金黄色；而那个生产队队长的儿子呢，虽然比我老爸高大，却贼眉鼠眼，颧骨高高，形象极其丑陋，他说起话来既大声又霸道。我不仅想象了，而且还用动漫卡通语言来配了音。

我在心里为我老爸对来运鳖回忆起的那场他在十来岁时的打架进行了现场直播。

结果，当然是我老爸输了。我老爸一输，也体现出了一个少年的必然反应——像白天的孟小军被小贩们打过后，狂哭不止。我老爸一哭，我爷爷就站了出来，他要为我老爸讨公道。我爷爷跟生产队队长就干了起来，直打到双方都见了血。几年后，我爷爷跟生产队队长一伙人到山上捡灵芝，不知道为什么议论起那次打架，他们俩到头来谁都不肯认输，后来，仗着酒意，他们在山上，让乡亲们当裁判，进行了一场摔跤比赛。

嘻嘻，来运鳖啊，想起来都奇怪，天下就没有一个老子不为儿女打过架的呢！

是啊，开成鳖，我小时候也到处闯祸，我老爸替我吵架打架，不知道有多少次。我老爸是个急性子，一吵就要打，打又打不过别人，还是忍不住要打，搞到经常有伤。

这两个"鳖"开始回忆童年，顺便又回忆起了管山。我头一次从我老爸嘴里听到那么多有趣的事情。他小时候的，管山爷爷奶奶的，管山大伯的……以往，我老爸跟人也经常说起管山，不过，那个管山都被还不清的人情债和断不完的家务事压得重重的，一点都不好玩。

唉，也不知道老头子现在么样子了？我老爸长长地叹了一口大气。

嘿，我老头子昨天还跟我通了电话，说才到县医院去换了一排新牙，七十多岁的老头子，还要换牙，吃东西一点都不能输的！

哈哈哈哈……

听到屋外这两个"鳖"快乐的笑声，我也在心里偷笑。我的笑，更多是因为知道了我老爸居然为一块肥猪肉跟人打架，还连累到我爷爷也参与了战斗。我在想，要是我认识那个十来岁的老爸，我们一定可以玩得很来，我甚至可以教他怎么将那块肥猪肉从那个笨蛋嘴里骗出来！

老爸和孟鳖的矛盾，导致我老爸没有了每天半小时的"优越待遇"，我在六年级的下学期，要每天自己一个人穿越那条又深又暗的隧道。

我老爸说，要是害怕，就大声地嗑瓜子，把瓜子嗑得响响亮亮的，肯定没事。我老爸总是这样的，从小到大，只要遇到一些他解决不了的事情，或者遇到我在某个要求得不到满足大哭大闹的时候，他就会掏出一把瓜子放到我手上哄我，或者自己在一边沉默地嗑起瓜子来。仿佛嗑瓜子真的成了他解决问题的一个药方。所以，每天上学之前，我老爸坚持抓一大把瓜子放进我的校裤裤兜里。

实际上，在穿过隧道的时候，我哪里还有嗑瓜子的心情？一进入那个人又少光线又暗的地带，我绝对就要开始奔跑。我从东入口，一直奔跑过隧道，再奔跑到西出口。每次都如此。我一奔跑，我的裤兜里也发出了像我老爸裤兜里常常发出的那种沙沙沙沙的声音。听到这些沙沙沙沙的声音，我觉得我老爸就在身边，跟我一起奔跑，或者说在跟我比赛谁跑得快。这声音一响起，很奇怪的，我居然就不那么害怕了。

自从我独自穿越隧道之后，我老爸就规定我每天放学回家，绕一个小弯，经过乐运小区的东门。这样一来，让他看到我，他才能放下心。

每天，我成功地从隧道口出来之后，总是会迈着得意的步伐，朝乐运小区东门走去。还没到，准能看到我老爸站在东门的外边，伸长了脖子，远远地朝我这个方向望过来。一看到他，我更得意了，故意走得慢悠悠的，还不时伸手到裤兜里摸出几粒瓜子来嗑。有时候，将那些瓜子壳攒在手心里，等走到他的身边，我就伸出手来，我老爸就明白了，笑嘻嘻地，一张大手一摊开，便接住了那把瓜子壳。有的时候，我手里什么都没有，还是握着拳头将手伸过去，他摊开手要接，我问他，有？没有？这个笨蛋十有八九会猜错，他一猜错，我就哈哈大笑，我一笑，他仿佛就更乐了！当然，很多时候，我会懒得理他，就算经过他，既不说一句话，也不看他一眼，他也依旧那样笑嘻嘻的。要是小区里那些"鳖"们看到这样的情景，准又会说他天生命贱，养了这么个怪女儿，竟然还当成个宝贝。

比我能够摆脱对隧道的恐惧更值得欢喜的事情，是我老爸因此而摆脱了对孟鳖的服从。他不再每天捏着两根油汪汪的油条放到孟鳖的窗台上，更不会再替他喊着那些不标准的口号出操，更更不会再帮他把盒饭带到红姑那间污七八糟的小店里。他轻轻松松地站在乐运小区的东门，安心地做着保安的分内事，分外的那些事情，他一概不理。

我老爸一轻松，孟鳖可就不轻松了。他开始密切监督我老爸，坐在小区正门保安岗亭的几个视频屏幕前，他独将东门的那个屏幕放成全屏，那样，我老爸就清清楚楚地站在电视里，他那些没事爱嗑瓜子、哼小曲甚至是抠鼻屎的动作，都一一被孟鳖看在眼里。只要这些动作过于频繁或者说过长时间地持续，我老爸腰后别的那只对讲机就会咔咔咔咔语音不清地发出了声音——东门，东门，老王，你注意自己的形象，不要搞那么多小动作，听到没有？听到没有？

我老爸一听到这些声音，就会自觉地朝头顶上方的摄像头望望，盯着那只黑乎乎的小孔看上一会儿，仿佛那就是孟鳖的眼睛。

我老爸知道，孟鳖老是针对他，并不是因为我闯的那些祸，主要是他再也不帮他送盒饭给红姑了，这让孟鳖感到无比烦恼。

现在，午饭后，人们会看到孟鳖用一只黑色的塑料袋包起一只盒饭，卷得小小的，夹在自己的胳肢窝下，两手插在裤兜里，装作什么也没拿，急急忙忙朝石牌村走去。小区里那些"鳖"们看到他这个样子，都在私下里打赌，要不了多久，孟鳖肯定受不了，肯定要跟那只鸡分开。

5

"东门，东门，听到没有，听到没有？"

孟鳖的声音，常常毫无防备地从我老爸腰上的对讲机传来。我老爸总是慢吞吞的，一点都不急着回应，权当是信号不好，没听到。我老爸一不应答，孟鳖就在他腰上不断地喊，喊得快要发火，人就打算要冲到东门来了，我老爸才懒洋洋地把对讲机从腰上取了下来，喂喂地回答起来。对于老爸这种态度，孟鳖也拿我老爸没办法。相比从前，我老爸守东门更加尽职了。他每天除了上厕所之外，哪里都不去，就守在东门，礼貌对待业主，还热心地帮业主抬一些重物。由于我老爸一副憨憨的样子，人气也旺，不少业主有闲会在东门边上停留几分钟，跟我老爸说说话。

　　小区里有些早就看不惯孟鳖的人，对我老爸敞开了怀抱，欢迎这个曾经是孟鳖的小喽啰回到他们的"组织"。在他们看来，我老爸对孟鳖事事顺从到事事懒散的转变态度，是对孟鳖一次有力的背叛和打击。他们说，蚊子再小也是肉长的，连最老实的开成鳖都跟他翻脸了，这个鸟人，迟早要当不成队长了。

　　我老爸对孟鳖当不当队长一点都不关心，然而，他却并不拒绝那些人为他敞开的怀抱，相反，他在这怀抱里待得舒服温暖。他感到了多年来作为一名保安所没感受到的成就感。

　　这些成就感，具体说来，是从我老爸腰上升起来的。每当孟鳖用对讲机，叽里呱啦气急败坏地呼叫我老爸的时候，我老爸除了对这些声音充耳不闻之外，要是恰好遇到一两个"盟友"就在身边，他会把腰挺得直直的，主动地走近去跟他们说话，将孟鳖那急躁的呼叫声，轻松地带到他们面前，让他们看他对腰上的声音是多么地不耐烦，多么地不在乎。

　　在这些"盟友"的鼓励之下，我老爸是多么得意啊。照这个样子，要是时间可以倒流，我老爸可以重新回到三十多岁，他一定不会甘于守在那个没前途的东门。

　　"蚊子再小也是肉长的"，我老爸现在时常把这句方言挂在嘴边。来运鳖搞不懂了，就反问我老爸："难道你就不是肉长的？什么东西不好做，要去做一只飞蚊？"

　　有一天中午，我老爸腰上的对讲机又开始咔咔咔咔地发出了声音。这一次，孟鳖让我老爸到办公室找他。我老爸回答他说，现在是上班时间，走不脱。孟鳖说，就十分钟，我让刘森到东门顶你一下，你快点过来，找你有急事。

我老爸只好慢吞吞地离开东门，到孟鳖的办公室去。谁知到了孟鳖的办公室，孟鳖又指他到自己的宿舍里去。

转来转去，最后，到了孟鳖的宿舍里，孟鳖对我老爸的态度竟然一百八十度转变，仿佛对讲机上的那个孟鳖是假的替身，而在宿舍里的这个真身，竟然用带着请求的语气。我老爸终于搞明白——孟鳖是让自己下午陪红姑到医院去。去医院做什么？陪红姑做人流手术！

我老爸一搞明白，就像身上安了弹簧一样，从孟鳖的身边弹了开去。他摇着头，径直往宿舍门口走出去。

孟鳖一把拉住我老爸，软软地求了起来。他说，要是他去医院，被人看到了，就搞大了，搞不好要传到他老婆那里，搞不好老婆孩子都不要他了。又说，要是没人陪红姑去医院，她一闹起来，小区都知道了，搞不好饭碗都保不住了。

我老爸生气地说，那又怎么样？关我么事呢？是你搞女人又不是我搞女人！

孟鳖好说歹说，跟我老爸拉拉扯扯，并做起了我老爸的思想工作。

"开成鳖啊，我们都是老乡，又在同一个小区上班，而且，还那么巧，我又刚好负责管理你们，要是你这次不帮我，恐怕以后，会很难管理啊。"

我老爸一听这话，拉扯的力度仿佛减弱了些。孟鳖感受到了这些力度的减弱，连忙继续说了下去——开成鳖，我们都是从管山那个穷地方出来混饭吃的，难道谁还愿意看着谁又回去过穷日子？你和我，四十多岁了，没了这里的工作，出了这个小区，就连搬运工都找不到来做！你伢跟我伢同岁，读完书以后在广州找个工作，成个家，有间屋，到时候，我们就是业主的老爸啦，你说，当业主的老爸好呢还是当业主的门卫好呢？

　　我老爸知道孟鳖比自己能扯，所以，他坚决不搭话，他想，我说不过你，我不回答，那也等于你说不过我！

　　我老爸被孟鳖强行留在宿舍里。孟鳖既向他道歉，又向他诉苦，他想走也走不脱，只好坐了下来。听着听着，我老爸就从裤兜里摸出一把瓜子，嗑了起来。

　　我老爸一嗑瓜子，孟鳖就给我老爸接水喝。

　　孟鳖看我老爸不着急走了，心里就放松了，似乎对整件事情有了把握。孟鳖跟我老爸说起了很多心里话。他说，其实，他也不知道红姑肚子里的孩子是不是他的，但是，有什么办法呢？她硬说是。唉！等这件事了结之后，他就是闲得在家数卵毛，也再不到红姑那里去了，打死都不去了！

　　我老爸看着孟鳖瘪衰衰的可怜样子，又听到孟鳖说要在家数卵毛，他心里觉得好笑，随即一股解恨的笑声随着他喉咙那口浓痰滚了出来。

　　我老爸一笑，孟鳖就完全松懈了，他一松懈，就恢复了以往的得心应手，也嘿嘿笑了起来，冲我老爸说，我知道你会帮我的，你帮了我也等于帮了红姑，再怎么说，她以前肯定也喂过你几口，是吧？

　　没想到，我老爸一听这话，当即翻脸。他从凳子上一蹦起来，二话不再说，就朝门口冲了出去。孟鳖都还没想明白自己到底哪里说错了，我老爸已经打开了宿舍门，走了出去，嘴上骂骂咧咧着，一直朝东门走去。

　　我老爸回到东门站岗，哪里都没有去，就牢牢地守在那里，直到黄昏降临。

　　其间，孟鳖在老爸的腰上发出过好多次呼叫，我老爸都没有理会，他的脸黑沉沉的，好像明白着被孟鳖揩了多少油，他吃了多大的亏一样。

那个下午，小区里值班的保安们都知道我老爸跟孟鳖发生了争吵。老爸的那些"盟友"，四处探听情况，以了解我老爸跟孟鳖拉开"战事"的原因。当他们围在我老爸身边，我老爸终于憋不住，将孟鳖要他陪红姑去医院打胎的事情说了出来。他们即刻对孟鳖这种龌龊的行为进行七嘴八舌的指责，并且坚定不移地表示站在我老爸这一边。

"他以为他是谁啊？自己拉了屎还要别人帮擦屁股？"

"别理他，让那个女人来闹最好，一闹，他那队长肯定就被撬掉了！"

"真是的，这种说都说不出口的事情，还让别个来帮，真当别个是傻子啊？"

……

在这些声援之下，我老爸顿时觉得豪情万丈，他像是一名领袖，斩钉截铁地对大家说："你们在这里给我作个证，今天下午我要是到医院去，我王开成就是乌龟王八！"

说完，他把腰上的对讲机抽了出来，一关，就扔到了岗亭里的桌子上。

孟鳖见我老爸对他的呼叫始终无动于衷，没过多久，便气鼓鼓地走过来东门。

我老爸就当没看到孟鳖，继续站在那里，一副管他三七二十一的架势。

孟鳖少见我老爸这副英勇就义般的模样。当他一站到我老爸的身边，还没说话，很快就能感觉到我老爸的神气来自何方。因为他发现了分布在东门周围的那几个"鳖"。他明白，这几个人一直是他眼中的钉，是整个保安队伍里的"刺头"，最难管理了。他万万没想到，这个老实巴交、一向不爱惹事的老王，竟然也"投靠"了他们，并且由于"投靠"了他们而变得不服从、难管理起来。想到这里，他更来气了。他既是对我老爸，也是对周围的那几个"刺头"恶狠狠地说，老子今天就看你能站多久，有种你一秒钟都不要走开。

我老爸也朝着孟鳖恶狠狠地说："今天下午我要是离开东门一步，我王开成就是乌龟王八！"

说完，他用眼睛瞥了几眼在东门附近的那些"盟友"。那些人为了给我老爸作证，也为了看一场好戏，一直散落在离我老爸不远的周围，不肯离去。

孟鳖和我老爸，两人赌气地，齐齐站在东门口。

眼看着，小区里进出的人越来越多了起来。那些人跟平常一样，手里拎着菜，肩上背着包，他们迈着一天工作之后的疲劳步伐，跨进了东门。他们哪里有工夫去察觉这个跟自己擦肩而过的保安脸上，升起了跟往日不一般的笑容；他们更不会有兴趣去了解，这个多年来如一日地对他们迎进迎出的保安的内心，此刻，是如何在翻腾着汹涌的波涛。

过了一段时间，我老爸的呼吸开始急促，脸上的表情明显很不自然，似乎在忍受着什么难以抑制的状况。而且，他的两只脚相互交替地换着重心，屁股夹得紧紧的，拳头也不自觉地握了起来。

又过了一阵，不仅是孟鳖，就连那些稍微远一些的"盟友"们都感觉到了，我老爸的意志并没有先前那么坚定，他的身体开始摇摇摆摆站不稳，他的眼睛东张西望似乎在寻找着什么，他的神情是那么地着急难耐。

孟鳖看着我老爸，以为他累得站不住了，脸上露出了一丝得意的微笑，说，一秒钟也不能走开，哼，我看你到底撑到什么时候！一边说，一边还轻松地做起了上下立蹲的运动。

没想到，孟鳖在我老爸身边，那样地一立一蹲，一立一蹲，终于让我那可怜的老爸崩溃了。只见他脸上冒出的汗，迅速地聚集到了他的鼻翼，那些汗珠已经无力攀爬了，绝望地滚了下来。如同那汗珠的滚落，我老爸也落荒而逃。他用两只手，死死地捂着屁股，像是被谁急促放出去的一支箭，明确地朝乐运小区的工作人员厕所方向逃去。

我老爸一跑，其他人就紧张起来了，一动不动地伸长了脖子，眼睛定定地朝我老爸逃跑的方向望去。

刚开始孟鳖还想不到，为什么我老爸说跑开就跑开了呢？等他明白到我老爸是因为憋不住，冲到茅厕去了，他立刻胜利地开怀大笑起来。

哈哈哈，哈哈哈，屎都憋出来啦！哈哈哈，哈哈哈……

孟鳖指着我老爸奔跑的方向，一边笑一边示威地朝周围的那些人大声嚷嚷着。

你们看，你们看，老王拉屎了，难怪刚才跟他站在一起，一股臭味，怕是拉在裤子上啦，啊哈哈哈……

孟鳖乐颠颠地朝那几个"刺头"得意洋洋地又笑又跳。看得出来，那几个人对我老爸薄弱的意志失望透了，但是目睹我老爸捂着屁股朝厕所冲去的那一幕，又让他们忍不住笑。失败者是不能笑的。但是，同样意志薄弱的他们最终还是笑了，就好像刚看了一场难得一见的闹剧，不笑，那是不可能的。

由于孟鳖一开始就咬定我老爸拉屎了，所以，我老爸"跟孟鳖打赌赌出泡屎来"这样的传闻，很快从乐运小区传到了石牌村。

那个放学的黄昏，我像平时一样，以一种炫耀的脚步走向乐运小区。在远处，我既没看到总是像一杆旗插在那里，朝我这个方向探头探脑的老爸，到了近处，我也没有找到总是像个傻瓜一样见到我就笑嘻嘻的老爸。

快回去吧，你老爸回家等你了。代替老爸在东门口站岗的，是跟老爸穿着同样制服的另一个"鳖"。当他说到"你老爸"这几个字的时候，竟然都忍不住笑出了声。

6

我和孟小军一起在网吧玩过好多种游戏。每一种游戏里，都有朋友和敌人，都有好人和坏人，当然，也都有仇恨。游戏里的对手，只要遇见了，没有任何理由就会仇恨地开火，阻击。我在游戏里扮演过很多角色，解决过很多仇恨，可是，我从来不知道，原来仇恨是有味道的。

仇恨有什么味道？

仇恨有屎味。

那个晚上，我就闻到了仇恨的屎味，在出租屋里，四处环绕，整夜都在。

如果在电脑前，我会用左手摁住那只 ctrl 键，右手疯狂地挪动上下左右的光标键，将弥漫在家里那些仇恨的屎味射杀得稀巴烂。可是，仇恨只是一股没有形状没有颜色更没有武器的屎味。

我老爸整个晚上，沉默地坐在凳子上，双手无力地垂放在两腿之间。一个人坐在凳子上的老爸，看起来，是那么孤独，那么地没卵用。

我鄙视这样的老爸。我厌恶地看着他。他在家，总是穿着那件西门子电器开业赠送的黄色 T 恤，领子已经都洗得宽宽松松，几乎能同时塞进老爸的两个脖子。我觉得我老爸就跟这件免费的破 T 恤一样不值钱。我怎么会有这样的老爸啊，跟人打赌赌出泡屎！天啊，要是学校里的老师和同学知道了，要是孟小军也知道了，要是……我真的觉得丢脸死了。

我一句话都不愿意跟我老爸讲。吃饭、洗澡、上床睡觉，整个过程，一眼都不想再看到他。

　　我躺在床上，捕捉着那股跟我玩游戏一般的屎味。这种游戏让我很疲倦，我觉得我快要睡着了。在我的意识还没有掉进睡眠那只巨大黑屏幕的时候，我听到我老爸出门了。他在门外找来运鳖说了几句话，说完之后，就走远了。

　　很奇怪的，我老爸一离开，那股屎味就逐渐地减淡了，慢慢地消散了。我也就慢慢地睡着了。

　　要是我知道，我这一睡，就跟我老爸分别了，我一定不会让自己睡着。就算困死，也不会睡去。我一定会像我老爸那天下午死死地守着东门一样，守着我老爸，就算拉屎拉尿也不让我老爸跨出门半步。

　　可是，我老爸为了将那股仇恨的屎味带出门，带出我的生活，他趁我睡着的时候，去找了孟鳖，并且用一把短刀，将仇恨还给了孟鳖。

　　在我管山的大伯还没来到广州之前，来运鳖接管了我，他不止一次地懊悔着说，要是那天晚上我能看到你老爸裤兜里装着一把刀，我死都不会放他去找孟鳖的。又说，谁会知道他裤兜里装着一把刀哟，他平常都喜欢把手放在裤兜里，谁知道那里面不是揣着瓜子？唉……

　　那个差一点被我老爸刺中心脏的孟鳖，躺在病床上，向警察回忆说，他当时一点防备都没有，谁都知道老王平常总是喜欢把手放在裤兜里，所以老王来找他的时候，尽管手一直放在裤兜里，他也没多大在意，直到老王走近自己，手从裤兜里抽出一把短刀，刺过来的时候，他才懂得躲闪……

　　警察做出的结论是：凶手王开成和受害者孟毛因为白天发生了争执，导致王开成怀恨在心，晚上跑到孟毛的住处，用事先就藏在裤兜里的凶器，蓄意行凶……

　　孟鳖受伤以后，孟鳖的老婆就辞掉了龙洞那边的家政工作，说是要照料孟鳖。小区里的保安们都说，她是来管理孟鳖的赔偿金的。我老爸捅伤了人，要赔偿损失费。听孟鳖老婆说他们打算申请十万。

天啊，十万块！不仅对我老爸，对整个石牌村里所有的"鳖"来说，都是天文数字啊。他们认为孟鳖这对夫妇太黑心了。

挨一刀就要人十万块？

那个整天在石牌村村口摊开象棋邀请人下并且邀请人下注的老秦，因为长得又黄又瘦，他们叫他"板鸭"。他仗着自己走南闯北，经的事多，没棋下的时候，喜欢跟人高谈阔论。他跟一堆人讨论起这十万块的时候，满脸鄙夷，他说，这孟毛根本就是个法盲！这一刀下去，没伤内脏没伤功能，没掉骨头没掉肉的，哪里就能赔到十万块？做他的美梦吧！"板鸭"还举了他一个亲弟弟的例子。他弟弟在温州做锯木工的时候，不小心把大拇指给锯断了，最后还只是赔了一万三千。"板鸭"说，掉一只大拇指才一万三呀，还是有钱的老板赔的哩！

"板鸭"说这些的时候，来运鳖一直就站在"板鸭"身边。平时，他是最不愿意在"板鸭"身边停留的，因为他爱下象棋，忍不住总要摸出二十块拍下去跟"板鸭"赌，又逢赌必输。所以，身上有几个闲钱，来运鳖就要绕道走，离开"板鸭"远远的。这一天晚上，他就一直站在"板鸭"身边，一边听，一边理直气壮地支持着"板鸭"，并且少有地对"板鸭"滔滔不绝的分析表现出了信服。"依我看，别说十万块，恐怕一万块那鸟人也难得到！"来运鳖义愤填膺地对众人说。

要是开成鳖拔根卵毛出来吹口气就能变出一万块，那白送他十根也没问题！来运鳖这么一说，顿时引起了众人大笑。

有人接过来运鳖的话说——真送十根卵毛给那鸟人，怕也会收下来，那鸟人专揩老乡油水的！

是的呗，看他整天在人面前抖叽抖叽的样子，就是个没良心的货色！

说着说着，"板鸭"索性就不下象棋了，跟围在一起的那些人打赌起来，他们赌我老爸究竟要赔多少给那个鸟人。

开成鳖激动地从口袋里摸出了一张二十元，拍到地上那只空的棋盘上，说，我赌——赔一根卵毛！

哈哈哈哈……

据说，就连那个红姑，有一天吃饭后坐到门口来，参与别人议论这十万块的时候，都觉得那两个人下手太重了。红姑当时很肯定地说，一定是他老婆的主意，她认识的孟毛，不至于那么无情无义！

受了伤的孟鳖出院以后，除了他那个物业的表哥来慰问过之外，没有一个人走进到他的宿舍里。这个已经被"鳖"们一致"开除"出管山籍老乡的人，在疗养期间，坐在小区的花园里晒太阳，朝他昔日管理的保安们干笑，却没有人前来跟他多说几句话。

孟鳖的表哥找到孟鳖说，十万块，亏你想得出来，你想得出来，也要王开成赔得出来才有用啊？

孟鳖很不服气地说，要是那把刀，偏个两厘米，我还能坐在这里？早就死翘翘了，十万块，便宜他了，哼！

表哥用眼睛斜斜地瞅着孟鳖，说，你不是还活生生在这里吗？意思一下就行了，你这样闹下去，以后这里的保安都不服你管了，到时候，你就等着收拾包袱回管山吧！

孟鳖一听这话，气焰顿时消了不少。他不服气地对问表哥，难道我白白被捅啦？

表哥看他那副死样子，伸出一个巴掌，刮了一下他的脑袋，叹一口气，说，唉，这个小区里，那么多双眼睛都看到了，是你欺负别人在先，难道别人被你白白欺负啦？

　　孟鳖便没声了，他的脑袋顺着表哥那巴掌的力量，伏了下去。

　　由于我老爸是自首，减轻了罪行，判了八年。在审判的时候，法庭定下我老爸必须赔偿一万七千元给孟鳖。

　　听到这样的结果，孟鳖和孟鳖老婆当场就蔫掉了。十万跟一万七，中间相差的，是一个保安几乎整整五年不吃不喝的储蓄生涯！

　　不知为什么，孟鳖最后竟然提出放弃这一万七千元。他竟然说，都是老乡，算了，赚谁的钱也不能赚老乡的钱，只要自己还能在小区好好工作，那些事，就当放个臭屁放掉算了！

　　然而，当孟鳖重新回到乐运小区工作的时候，他才明白，原来被人当一只臭屁对待的，不是我老爸，也不是别人，正是他自己。不管是那里的保安、物业部的领导，还是小区的业主，都不拿正眼看他一眼。没过多久，他的表哥也保他不住了，他被业主委员会联名撤职，并且被迫退出了乐运小区的保安工作。

7

　　跟我老爸分别一样令我感到痛苦的事情，就是我在十三岁的夏天，被迫结束了我在广州的生活。如果没有发生这样的事情，再过两个月，我就可以回到石牌村，升上中学，可以不必每天穿过那条该死的隧道，可以跟石牌村里的女孩子们一起，成群结队地上学放学了。我的痛苦就像四年级的时候在胳膊上种痘一样——一针打下去，又痛又肿，热辣辣的，等到疼痛全都消失之后，那颗痘就永远地凸起在胳膊上，永远无法消除。

　　我跟随着专门来接我回管山的大伯，在广州火车站上了车。因为不是春运，也不是什么假期，火车站并没有平时那么拥挤。我除了背上背着一个大包之外，其余的东西都由我大伯拿着。

　　害怕火车站治安不好，我在手里，紧紧地捏着我老爸留给我的那只旧手机。我老爸在拘留所，穿着一件黄黄的背心出来见我和大伯的时候，除了叮嘱我回管山要好好听爷爷奶奶的话之外，还叮嘱我，他那只手机不久前才充值一百元，让我记得用完，用完了，这个号码才会自动停机。看上去，我老爸身上穿的那件黄背心，还不如他平常在家里穿的那件西门子 T 恤好看。其实，在我记忆中，老爸穿得最好看的，还是乐运小区那套深蓝色的保安制服。

　　离开看守所和登上火车离开广州一样，我拼命地掉眼泪。

　　我是在泪眼中找到了那两个硬座号码。

　　3 车厢 23 和 24 号。那里已经坐了四个人，剩出两个空位置是我和我大伯的。那三个女人一个男人，看上去是一起的。

　　火车一开动，那几个人就忙着从自己的行李里取出大袋小袋的零食出来吃。他们的零食几乎占满了眼前那张小桌子。我看了一眼，除了花生、饼干、泡椒鸡爪之外，就是好几包不同牌子的瓜子。

　　在他们嗒嗒嗒嗒都嗑起瓜子的时候，我旁边的大伯，似乎也受到了感染，他问我，要不要买包瓜子嗑嗑？

　　我使劲地甩了甩头。

　　饮料呢？

　　我还是甩头。

　　在我大伯看来，眼前这个小女孩因为跟老爸分别，难过得什么都不想要。于是，这个仅仅跟我见过几次面的大伯，将两手交叉夹到胳肢窝底下，闭上眼睛，打起瞌睡来。

　　火车窗外，那些迎面而过的山、树、电线杆之类的，像是被前边的一个看不到的什么人用力地狠狠地丢开，丢得毫不犹豫，毫不留情。

　　我无聊地开始玩起我老爸的手机。这只手机，既没有照相功能，也没有随机游戏，我只好用它来发短信。我给几个要好的同学发短信，当她们搞清楚我是在回管山的火车上给她们发短信的时候，都纷纷奇怪地问我，"为什么要回乡下啊？""你不回来读中学啦？"……

　　我一读完这些话，眼泪又哗哗地流了下来。

　　在发短信的同学当中，有一个叫梁子建的男同学，一路上坚持跟我交流一只叫《暗影狂奔》的游戏。这只游戏我玩得不多，他大概目前正玩得狂热，所以到处找人研究攻略。

　　火车，一点一点地离开了广东，不知道是进入了哪个地方。我想，那肯定是一个跟管山一样破的地方，因为，这里信号忽然变得很差很差，以致我和梁子建的短信久久都不能抵达对方。一条短信发出去，起码半小时之后才能收到回复，有的甚至就发丢了。这种有一搭没一搭的来往，使我在等待里越来越感到难过。梁子建的短信，拉长了我对被火车狠狠抛在后边的广州的留恋，也拉长了我对前方即将到来的那个破烂管山的憎恨。

　　最后一条短信，我发出去快有四十分钟了，都还没收到梁子建的回复。而那只手机的信号格始终弱得要断气。

　　我完全失去了耐心，厌烦地看了看车厢里那些人。我那困倦的大伯已经张着嘴巴睡着了。其中的两个女人也头挨着头睡了。剩下一男一女，依旧在嗑瓜子嗑个不停。那个女的，才嗑完手上那一捧，又伸手到一个袋子里捞出一把，边捞边对那个男的说："嗑瓜子虽然可以打发时间，但是也很容易上瘾，一嗑就停不下来的。"

　　我顺着女人摸瓜子的手看去，看到那是一包洽洽小而香瓜子。百无聊赖，我盯着那只精致的瓜子袋看，读到那上边有几行字：

　　有这么一群女子

　　她们细致　体贴　温柔

　　她们都喜欢　静静地待在那里

　　用纤细的手指夹食

　　洽洽小片西瓜子

　　小小的　香香的

　　一读完，我的鸡皮疙瘩就起了一片。我靠，这么老土！我差点笑出声。我又想，要是那个曾经跟我一起玩过游戏的孟小军在，一定会狂笑不已，笑得额头上那缕"非主流"长发全都垮塌到鼻梁上。

　　又过了一段时间，火车忽然开始减速，并且慢慢地在一个中途车站停了下来。火车一停下来，奇迹一般的，我手机上的信号格就像加了油似的满了起来。我似乎也被加了油，又似乎是接收到了老天发给我的某个信号。尾随着一些下车的旅客一起，我偷偷地下了车。

　　我的脚一站到地面上，就再也不想回到火车上。我头也不回，一直朝火车的尾巴走去。

　　我一直走。最后火车自顾自地跑动起来，瞬间抛弃了我。

　　打死我都不想回管山！在那些纵横交错的轨道中，我试图辨认出一条通往广州的路线。我确信，只要沿着那列通往管山的火车的反方向走，就一定能回到广州。

　　走着走着，不知道为什么，我在心里很整齐地冒出了两句话——笑，众人陪笑；泪，独自垂泪！这句话再熟悉不过了！这是我最喜欢的一只游戏《求生之路》里那个女巫经常念的一句话。每当那个穿着黑裙子、瘦瘦的女巫成功地干掉一些人，转身离开的时候，必然就会念起这句话来。我一直搞不懂这话的意思，只觉得她一边念一边转身决然离开的样子，很酷!

　　现在，在我转身离开那列火车的时候，我也在反复地念着这句话:

　　"笑，众人陪笑；泪，独自垂泪!"

　　我觉得自己酷毙了!

证　据

　　搬进新家后不久，他们在水世界定做了这只高一米七、长三米的鱼缸。店家赠送了二十八条红彤彤的发财鱼，唯独挂单了一条黑色的蓝鲨。大师说，这是风水。新鱼缸进屋的头一个月，必须单出一条黑色鱼类，等过了一个月，才可任意改变。

　　这群红光满面的发财鱼并没讨得沈笛多少欢心，她喜欢那条挂单的蓝鲨。沈笛认为她不应该叫做蓝鲨，她完全不是那种凶猛的鲨鱼类，相反，她比水还柔软。她全身黑得发亮，丝缎般绵柔；她紧致细长的梭形身体，拖着一条长纱裙，优雅独立。她从不搭理那群忙碌的发财鱼，她对它们避之若浼。她一来就总在鱼缸左上方那只出水小孔边转悠，只吃漂浮到小孔周围的那几粒鱼食。

　　沈笛认为蓝鲨是女性。沈笛倚在她的玻璃前，跟她讲话，她一点反应也没有，即使用手去拍玻璃，她也无动于衷。沈笛对她产生了怜惜，想，她应该找个男朋友。沈笛在那群发财鱼当中为她物色了一条。他身材魁梧，反应敏捷，抢食生猛，尾巴上有一块霸气的黑斑，特别好认。她有意用鱼食将他引向她身边，好几次，他的嘴巴都要吻上她的纱裙了，却被她果断甩开。沈笛叹了一口气，说："真是个傻妞啊，从这个小孔钻出去，你就没命啦，知道不？"她浑然听不到沈笛的话。

有一个晚上，沈笛梦到了她。她从那只小孔钻了出来，浑身伤，挂着荧光，游到沈笛的床边，她张开口，想要说话，没想到却吐出了很多水，哗啦哗啦把沈笛弄湿了一身……沈笛一个冷战，醒过来了，听到外边下起了大雨。卧室格外黑，只有墙上的电视机亮着一个小红点。大维裹得严严实实的，露出一只脑袋在枕头上，睡得很沉。沈笛披衣走到窗前，掀开窗帘一角，雨点就像一群群疾行的人，在路灯前踮着脚尖赶路。她朝暗处的桂花丛望去，差点没叫出声来—— 一个穿着黑裙子的女人站在那里，向她看过来。她惊了，扔下窗帘。隔一会儿，再掀开一点点窗帘，看向桂花丛——女人没有了。她捂着自己的胸口，仔细看那个地方，才相信是树影。沈笛又走到客厅，打开鱼缸的灯，在灯光亮起的瞬间，她看见一堆红影从那只小孔周围急速散开，那群发财鱼慌乱地躲回到假山背后。跟所有的白天没两样，她依旧附在那个地方，一动不动，任流水撩动她的黑纱裙。什么都没有发生。

"老公，我们给她再配一个同伴吧？嗯？"讲完昨晚那个梦之后，沈笛从后边抱住大维，将双乳压在他的后脑。

大维正坐在电脑前浏览当天新闻和论坛，这是大维一日之始的必修课，他总在上边觅些有价值的言论，收藏起来。

大维看得很专注，他的脑袋纹丝不动。沈笛又用乳房蹭了几下，撒起娇了。大维终于理她了："那可不行啊，得一个月后，一个月后格局才能改变，风水不能轻易破坏的。"大维的后脑勺朝后点着，一下又一下，触着她年轻的乳房。

沈笛继续磨他。大维只好转向她，如同他每一次在公共场合讲话一样，认真地说："所有真理都是经验总结出来的，是踩在前人反复失败的惨痛中获得的，所以，你要认真相信。"

关于给蓝鲨配同伴的话题，实际上他们讨论了不下五次。

"风水是真理吗？不是那些骗钱的大师乱扯出来的规矩吗？"沈笛嘟囔着。

"傻妞，这些话语能被众人相信，肯定有很强的逻辑，是不好推翻的，不然什么叫话语权？"

"你呢？你信吗？"

"我信。"

大维这副表情是很有说服力的，她屡屡被他说服。"好吧，你信我也信。"

大维温柔地亲了她一下。

大维的话就是话语权。无论在哪方面，只要他说出来，就会有人相信，必要的时候，还会被引作争议的佐证。"如同大维说的……""大维在去年的国际论坛上说过……"大维的名字通常被夹在一连串的话语当中，仿佛他就是一个证据的戳印，一旦盖上，争议就变得稀疏。这些年来，大维这只戳盖在了法律、军事、文学、国际关系，甚至婚恋的言论上。沈笛曾在一档红遍中国的婚恋交友节目中，看到过大维作为特邀嘉宾出席。主持人问他，比较看好哪一位女嘉宾？他说，从结婚的角度看，是4号，她虽然不是最漂亮的，但秀外慧中，是中国男人理性的选择；最不看好的呢，是9号，她虽然貌美，又是外企高管，但这类女性往往很难将自己嫁出去，在当下，女性有个金字塔定律，9号女性是塔尖上的，4号女性是塔中间的。一般来说，塔尖和塔基都是老大难。这是中国的现状。大维的一番分析，赢得了台下热烈的掌声。不仅如此，沈笛还在一档热门歌手比赛节目里，听到了大维的声音，他煞有介事地评价了歌手的水平和出身，还从娱乐文化角度预测了哪位歌手今晚将夺得冠军。

　　无论哪个话题，大维都不怯场，而且信心百倍，仿佛地球是被他说圆的。

　　如果你刚刚知道大维这个名字，是难以确定他的职业的。沈笛也是后来才清楚——大维是个律师。准确地说，他曾经是个律师，从为落拓的盗版书商打官司开始，发展到为房地产老板处理离异家产，二十多年后，他不再接官司，自己开了家"大维律师事务所"，手下养着七八个夹公文包到各地开庭的年轻律师，他则变身为一个人物，某个引发社会反响的案子冒出来，他的头像同时会出现在电视电话采访和网络微博上。

　　沈笛第一次是在电视录播现场见到大维。他在台上，是嘉宾，她在台下，是群众演员。那会儿，沈笛还在艺校读书。那档电视节目播出的时候，她统共有三次特写镜头，偏着脑袋，像在听，又像在想心事，感觉到镜头正对着自己的脸，刚要调整表情，电视又切换到大维的脸了。他很有镜头感，脑袋总是侧偏在四十五度位置，这可以修饰他过于浑圆的脸，五官能被镜头摄出些轮廓来。沈笛在微博上，将她那三个特写镜头截图发布。大维就在那三个镜头中，定格了她。

　　"你崇拜我什么？"第一次约见的时候，大维直接问沈笛。

　　沈笛回想起那条微博，只记得当时光顾着自己那三张照片了，她写下：第一次在电视上看到自己，竟然是跟大维老师一起做节目，他简直就是我的男神啊！！

　　是啊，她崇拜他什么？要不是他在微博上给她发私信，她差点就忘了他长什么样子，他长得实在太不深刻了，她更加不记得那次节目他讲了什么，他的话对她而言，实在太深刻了。她只记得他的名字，他有几百万的粉丝团，而她，算上那个上门灭白蚁的推销公司，勉强刚够

2500 粉。

"我崇拜你什么？……"在大维强势的目光下，沈笛脸红了，仿佛虚荣心被看穿，"你，你是名人呀。"

"哈哈哈。"大维爆发出一阵笑声……

结婚后，沈笛问大维："你喜欢我什么？"

大维想了想他们的第一次见面，很快浮现出那个白皮肤的性感美女，实际上，她当时脸一红，他就心动了。

"我喜欢你什么？你现在还不知道？"

沈笛真的不知道，即使她已经成为他的妻子——这个合情合理合法的角色，她还是满脑的不知道。沈笛，沈笛，不要去想啦，想太多会长皱纹的。这是沈笛自己对所有问题给出的答案。她今年二十六岁，衣食无忧，唯一烦恼的是，到了三十岁，该穿什么风格的衣服？

跟大维结婚后，沈笛就成了全职太太，大维说，你现在的工作就是当个好太太。沈笛点点头。在超市选围裙的时候，看到有一个牌子就叫"好太太"，沈笛差点笑出了声音。

沈笛的确是个好太太。又好又美。她会赶在大维下班的时间，精心打扮好自己，穿着漂亮的裙子，在灶台边洗菜、择菜，掀开蒸锅的那一阵烟雾，让她觉得自己是下凡的仙女。看起来，大维很满意这个"好太太"的形象，心情好的时候，他会走到厨房，从身后抱着她，脸贴着她优美的颈线，手把手地跟她一起炒菜，像跳贴面舞。沈笛的幸福感从背后升起。

不过，沈笛这个好太太又跟其他的太太有那么些不一样。他们住的这个高档小区，花园中心有个喷水池，白天，那里总会聚集着一些穿睡衣的太太，她们或者推着婴儿车，或者拉着买菜篮子，坐在长凳子上，叽叽喳喳，嘻嘻哈哈。沈笛每次都会绕过这个喷水池，穿过一条窄窄的花径，绕远路回家。说不出什么理由，沈笛不愿意与她们为伍，她宁可待在屋子里，看那些不会讲话的鱼儿。

那只用来搞风水的鱼缸，成了沈笛的万花筒。她可以很长时间地站在鱼缸前，看里边那个世界。假山上的水车一直在呼溜呼溜地转，鱼会用唇去跟它嬉戏。最有意思的是，那两条一直匍匐在缸底吮吸垃圾的清道夫，瞅着某个安全的时刻，也会升起来，嘴巴磁石般黏牢一片塑料水草，身体自由地在水中三百六十度旋转，就像两个花样游泳的美少年。她还注意到有一条双颊特别鼓的发财鱼，有一种绝活，在鱼食被统统抢光之后，它会从嘴里吐出一小撮嚼碎的渣沫，引起了鱼的新一轮抢夺，而它则得意洋洋，享受着那种众星捧月的感觉。

鱼已经习惯这个站在鱼缸前的女人了，它们有时会随着沈笛的走动而游动，一忽儿左，一忽儿右，仿佛在自觉接受训练。当然，那条蓝鲨除外——无论沈笛怎么设法引起她的注意，她都泰然若素。看久了，沈笛就有一种冲动——躺进鱼缸里去。她记起那次到澳门的威尼斯赌场，满墙做成一个海底世界，有各种叫不出名字的鱼在游，猛然，灯光一闪，水里竟游出两条美人鱼，苗条的"鱼身"丰满，裸露的胸部看起来也水分饱满，两条长腿裹在分叉的"鱼尾"里。也不知道她们如何能固定在水中的。她们长时间贴在水墙内，长发披散，面带微笑，引得游人争相合影。大维站在两条美人鱼中间，拍下一张颇有奇幻效果的照片。沈笛说，发到微博上，一定被置顶。在这方面，大维从不接纳沈笛的意见。离开赌场前，大维要求在门口留影，并一再叮嘱沈笛，拍进门口旗杆上竖着的五星红旗。几分钟之后，这个跟五星红旗一起站在威尼斯赌场门口的男人，就站在了他的微博上——"我在这里。"他的脸上，表情认真。大维总是能找到他"在这里"的位置。这张照片转发15570，评论2892，令沈笛咋舌。

　　站久了，沈笛的腰有点酸，肩膀发硬，索性，她扶着鱼缸壁，练起功来。两年不练功了，艺校的那点基本功眼看就要荒废。她挺胸收腹，时而踮脚，时而弯腰，时而后踢腿。她在鱼缸前跳起了简单的舞蹈动作，边跳边从玻璃上看自己的影子。那群发财鱼被她的一阵乱晃吓住了，集体逃逸到假山背后，有几条探出了脑袋。那条孤独的蓝鲨呢，她的唇一开一阖，追逐着从那孔里冒出来的一串水泡，眼睛仿佛斜瞅着她。沈笛觉得她比来的时候瘦了，虽然还是固执地待在那个位置，但是，身体多少有些不支，在一串水泡带来的冲击之下，有些摇摆不定。唉，这傻妞，看来是养不活了。

　　身体的活动多少排遣了一下沈笛的郁闷。书上说的，人在运动的时候，大脑会大量分泌内啡肽，也被称为快乐激素，能让人产生欢乐、幸福的感觉。如何保持年轻和欢乐，是沈笛结婚后的专业必修课。她都想要拜那群多动症的发财鱼为师了，它们或许连睡觉都不需要呢。沈笛羡慕起鱼来。当然，不包括那条忧郁的蓝鲨。

　　大维有个很奇怪的习惯，每次在外边接受采访或者出席完一次演说，回家一定要吃水煮鱼，最好能把自己的舌头辣得麻痹。娶沈笛前，大维对她提的唯一要求是：能煮一锅香辣的水煮鱼。于是，沈笛报名学烹饪，专攻川菜水煮鱼。沈笛到现在都搞不懂，大维是广东人，为何独爱这一味？大维脱下西装，穿上阔大的家居服，被一盘水煮鱼辣得感激涕零的样子，沈笛顿时滋生母性。

　　她替他擦去额头上的汗。

　　"年轻的时候，我说了很多真话，也没人相信……现在，我说一句是一句……嘿，这世界……"实在太辣了，大维把舌头伸到空气中，仿佛那东西膨胀得塞不进嘴了。

　　沈笛有点心不在焉。她不知道怎么开口跟大维提。上午，当年在艺校玩得比较好的那几个女同学，约沈笛参加她们的闺蜜会，其中一个小有名气的演员，包了一个会所，请她们过夜，吃大餐品美酒做美体 SPA，重头戏是同居卧谈——就像当年住集体宿舍一样。

　　"呃，老公，明晚同学聚会，我要在外边过一夜……"

　　"过夜吗？跟谁？"大维警惕地盯着沈笛。他的嘴唇被辣得像抹了口红，眼睛也红红的。

　　沈笛只好向大维介绍起那几个女同学，她下意识地没说起那个演员。

　　"亲爱的，我想，你还是不要去吧，倒不是怕什么，你难道不清楚，你睡着了之后……"大维停了下来。两人陷入一片安静中。

　　沈笛听到鱼缸里水循环、冒泡的声音，夹杂在增氧棒轻微的嗡嗡声中，如同客厅里建了个荒郊小水库。

　　大维说过，沈笛睡熟以后，鼾声如雷，简直，简直不可想象，这么苗条精致的年轻女孩，哪来那么大的力气？"你连矿泉水瓶盖都拧不开，可打起鼾来，就像一个疲惫的送水工人。"大维第一次半开玩笑地说这事的时候，沈笛想死的心都有，她红着脸争辩："怎么可能？简直就是诬蔑！"读书的时候，一间宿舍六人同住，从来没人提过她打鼾。

　　"那是别人包容你，不忍心告诉你，你想啊，这事发生在一个美女身上，还不等于毁容？"大维轻轻地刮一下她的鼻子。

　　沈笛不敢相信这是真的，但也再不敢在其他人面前睡着，对于她来说，睡着就是一种冒险。

　　沈笛总是会费很大力气去控制自己的睡眠，她希望自己能睡在大维之后。一旦意识开始迷离，她就用理性把自己摇醒。这是一件非常残酷的事情，就像站在悬崖边上，欲坠未坠之时，被巨力狠狠地拉了一把，清醒过来后，久久难以入睡。大维多次阻止她这么做。他拥着她，轻轻地拍她入睡。他轻声说："没关系的，没关系的，夫妻之间哪有什么隐私？夫妻之间就是要彼此包容彼此的缺点，这样才真实，才长久，知道不？"大维的话即使变成了催眠曲，还是那么有力量，不可抗拒地使沈笛彻底放弃理性，乖乖地睡着了。

某些个清晨，她睡得饱饱地醒来，伸个幸福的懒腰，大维会调侃她："睡饱了吧？鼾声都快把你老公震到床底了。"

沈笛把头深深埋在棉被里，就好像刚发现下体的经血渗漏到了白裙子上。

对于打鼾这件"怪事"，沈笛很多次严肃地问过大维，到底是不是真的？

"当然，我骗你干吗，又不是什么甜言蜜语。"

现在，看起来，大维的舌头已经恢复了些知觉，不再做出在空气里伸缩的动作了。沈笛的筷子搁在那只卧虎筷架上，她不吃了。

"老公，我睡着了真的会……？"

大维毫无保留地点了点头。"会。"

"你……有证据吗？"

"我就是你的证据。"

沈笛真想大哭一场，就好像确诊出了一种不治怪症。

沈笛没去参加那个同学聚会，她的心情很坏。她端着一杯伯爵茶，坐在阳台的摇椅上，回忆起上次她们的聚会。那应该是在她结婚不到两个月之后。她们要求她讲讲自己的名人老公，沈笛既感到虚荣，又不知道讲些什么好，只是对大维酷爱水煮鱼这件事说了好几遍。有个专门研究男人的女同学说："看来，你老公，是个喜欢刺激的人……"神情暧昧。其他女同学都起哄，要沈笛深入讲讲大维床上的事儿。沈笛从不松口。一帮子二十来岁的年轻女孩，谈性事几无障碍，甚至跟评价某种美食般自然。可是，沈笛在这方面是不能说的，是绝密，是封存的档案。大维半开玩笑地告诉过她，除非他死后，她在写回忆录的时候才允许解密，顺便赚取高价的出版税。大维比沈笛大二十一岁，这点完全可以等到。因为大维是个公众人物，目前，沈笛在微博上只能晒晒他们家阳台上的生活、花、草、躺椅，充其量加上那只硕大的鱼缸。最出格的就是一张他们在瑞士滑雪的合影，两人裹着厚厚的滑雪衫，戴着大墨镜，肩挨肩地相拥，身后是反射着刺目阳光的雪山谷。

事实上，结婚后沈笛微博上的粉丝如同洪水起涝，很快从2500粉涨到了47万，沈笛还来不及兴奋，感觉很不真实地试发了几条，就发现自己被监控起来了——那条拍下生日时大维送的浪琴表，几小时后即被后台删除。沈笛感到很纳闷，不知道是哪只手删掉了自己的微博，后来才渐渐明白，那只手就是大维，他是她的后台。久而久之，沈笛对发微博丧失了兴趣，偶尔上去浏览一下，查看那47万粉丝，整整齐齐，不多不少，就像摆在大维书房的那两只海龟标本，是死了的生物。

一个月之后，鱼缸"刑满"了。沈笛用手拍着那条蓝鲨跟前的玻璃，说："傻妞，你快解脱了，你的同伴要来了啦。"她的唇蜻蜓点水地在那块玻璃上碰了一下，黑纱裙荡了两个涟漪。她终于听懂自己的话了！沈笛高兴地给了她一个吻。

一夜春雨洗净的上午，他们开车穿过小区。沈笛看到昨天黄昏散步时经过的那棵广玉兰，花全都零落了，枝丫上只剩些坚实的花苞。"啊，这么快，花都落了。"大维不经脑地应了一句："春天嘛，万物生长。"沈笛看了看他，便不再吭声，摇下车窗，空气里湿润的水分黏上了她的脸。沈笛明白，不能要求他太多。昨天，她对大维说，再这样下去，那条鱼就要得抑郁症了。没想到大维竟然很爽快地答应明天到水世界买鱼。要知道，除了过生日和情人节，他从来没有那么干脆。

快要到水世界的时候，路面忽然变得狭窄起来，这样的路况却不让人生烦，一溜花鸟摊档霸占了道路。车开得很慢，但并不会停下来，这节奏让沈笛满意，她在车上欣赏起那些盆栽。这些花他们也买过，只是不知道为什么，进了他们家，花开一季，就再没开过了，最后，他们的储藏室里，留下了一排空花盆，扔也不是，不扔也不是。沈笛在浏览各种花，心里却盘算着买几条蓝鲨，还要再买几条清道夫，当然，还得再买多几罐鱼食，人口增多了，粮食要备足。

水世界在花鸟摊档的尽头。他们在这里买的那只鱼缸，果然是限量版，现在，它的位置已经换成了另一款。大维一下子感觉良好，跟那个递给他水喝的女服务员开起了玩笑——你是老板娘吗？

年轻的女孩吓到了，连忙说，我不是，不是。

"哦，那你是老板他娘？"

女孩被逗得不知所措，脸都红了。

上次卖鱼缸给他们的那个老板娘很快从办公室出来了。她记得大维这个 VIP，马上让女孩到办公室，拿那罐新茶沏给大维喝。

大维坐在茶桌前，惬意地品起了茶，跟那女孩聊天。

沈笛看到了不少跟那条蓝鲨长得一模一样的鱼。她们在这里，显得很活泼，没有一条像她那样忧郁。而且，她们都不在高处活动，几乎贴着鱼缸的石子游动。沈笛好奇地问老板娘："这些都是蓝鲨？跟我们家那条很不一样啊。"

"是的，都是蓝鲨，上次送你们的那条，也是从这里拿的。"老板娘陪在沈笛身边。

沈笛开始唠唠叨叨地向老板娘诉说起了她的各种毛病：清高、懒散、不好动、食欲不振、适应性差等等，仿佛在数落一个女儿。

"清高？你说蓝鲨清高？哈，不可能啊，蓝鲨是底层鱼，它们几乎不在高处活动。"

"怎么可能？她一来我家，就老是浮在鱼缸顶部那只出水孔附近，几乎没看她下来过！"

沈笛简直怀疑她们说的不是同一类。

"噢，那是因为氧气不足？"

"不可能，四根氧气棒，二十四小时不停，那些发财鱼嘴巴都舍不得闭上呢。"

老板娘响亮地笑了，大大咧咧地说："那就别理它，蓝鲨出了名的神经质，胆小怕事，所以才被喊做'鲨'嘛，就像人的名字一样，缺哪样补哪样。其实，它们只是鲶科鱼类。"

沈笛最后选了三条，跟她一起，凑够两对。大维挑了两条清道夫、两条剑尾鱼、四条地图鱼。他们各提着一只塑料鱼缸，有点像过节提灯笼。沈笛心血来潮，掏手机让老板娘拍下他们的合影。

在水世界逗留不到一小时，没料到花港路的塞车状况严重多了。来的时候，是两边店面的花盆霸占了道路，如今，不知从哪儿来了不少挑担的花农，他们不管三七二十一，箩筐放下就占自己的码头。

大维的车排在一长溜车龙的后边，进退两难。一时间，喇叭声、人声不断。大维脾气很大，朝着玻璃外边发牢骚。这通牢骚没有听众。他便扭过头对沈笛说："我上次在法制台那档一席谈上就说，如果今天取消城管，明天他们就敢挑到天安门上卖去，中国人的素质决定了中国特色。嘿，那次老钱还跟我死磕，说什么法治摊贩，没搞错吧，那是美国……"大维又说了一大篇。沈笛接不上话，也懒得费神听他唠叨，她把鞋子脱了，双脚盘在座位上，玩手机。

　　跟大维不一样，沈笛的心情不错。"我们在这里。"她把刚才拍的那张合影放上了微博。距离自己上一条微博的发布，已经快半年了。沈笛想，如果微博是一盆花，那么久没人去打理，早就成枯枝败叶了。

　　微博地图准确地定位出了花港路，可惜，这地图显示不出目前的路况。沈笛瞄了一眼正在愤怒地唠叨的大维，心里暗笑。她不怕塞车，她的时间不怕浪费在等待上，她慵懒而舒适的坐姿，就跟坐在阳台的椅子上没什么区别。

　　半小时的车程，他们走了快一个半小时才回到家。打开门，沈笛习惯性地朝鱼缸的那个小孔的位置瞄了一眼——那团黑影竟然消失了！沈笛小跑到鱼缸前——她竟然不在那里！那群发财鱼被沈笛的忽然到来惊吓得四下乱窜。沈笛找遍了假山、水草，甚至石子缝，都没有发现她！

　　"天啊，她不见了，她不见了！"沈笛冲大维喊叫。

　　他们几乎将鱼缸翻了个遍，就连底座的循环水箱、过滤网，甚至放鱼食的柜子都找遍了，她都不在那里。

　　沈笛觉得头皮发麻。怎么可能？那只孔，只有一元硬币那么大，她怎么可能钻得出去？

　　大维也觉得此事蹊跷。不过，等他们快将鱼缸翻个底朝天后，他果断地结论："她被它们吃掉了。"这是唯一的可能。

　　沈笛一听到"吃掉"这两个字，惊悚地叫出了声，身体不由自主地抖动了起来。"怎么可能？怎么可能？……"她恐惧的反应激起了大维的保护欲。他把她拖到沙发上，紧紧地搂着她，用武力摆平她的抖动，用自己的身体去摆平她的情绪。他对她只有这一招。如同她每次跟他闹别扭一样——他二话不说，将她的意识统统收齐到身体的快感中。

　　"性是一种理想的调解通道，它可以绕过头脑，抛弃理性，直接进入一个欢乐境界。"大维在一次读书沙龙上这样说过，台下的一群妇女把手掌都拍红了。

　　就像某个机关被大维扭开了，沈笛不受控制地轻声哼起来……

　　蓝鲨果然是底层鱼类。那三条新买回来的蓝鲨，一直匍匐在鱼缸的底部游行。偶尔上升，也只在中间地带往返。它们小心翼翼地跟其他鱼类保持着距离。如果不是它们丝毫对那只小孔不在意，沈笛都会产生错觉，有三个她在那里边，又像是她的三个影子在摇头摆尾。它们长得太相似了，无论个头还是体态，就连吞吃食物时四处流转的眼神都是一致的。可是，她的确跟它们又太不一样了。沈笛怀疑，那个逃跑了的她，其实并不是蓝鲨，只是外形一样而已。

　　沈笛始终认为她并不是被"吃掉"了，而是从那只小孔逃出去了。

　　"能逃到哪里去？你倒是说说看。"等沈笛从恐惧中平静下来，大维跟她辩。

　　"她在那个小孔转悠，不是一天两天了，她每天都在谋划着从那里逃跑。"

　　"亲爱的，就算它真的每天都想从那里逃跑，可现实是，它的身体怎么能通过？你要有充分的理性。事情不是想想就能实现的。"

　　"也许，也许，她每天都在练习呢。"

　　"练习什么？缩骨功？"

　　"……"

　　"好吧，就算我同意，它刻苦练就了缩骨神功，它从这小孔越狱了。那么它钻到哪里去了？这个密闭的水箱里，什么也没有。我们甚至连桌子、沙发底都翻过了……"

　　沈笛是辩不过大维的。从来都这样。

　　"可是，证据呢？她被它们吃掉的证据呢？"

大维在鱼缸前转了片刻，不知是对鱼说，还是对沈笛说："他妈的，这群发财鱼也真够狠，吃得连骨头都不剩一根。"

现在，那群发财鱼成群结队地在鱼缸里游来游去，仿佛在朝新加入的那些家伙确认自己的领地。那几条新鱼，既谨慎又新鲜，它们用尾巴一摇一摆地交谈着。有几条鱼不断用嘴去翻检缸底的小石子，觅些食物的残渣，偶尔撬动出石子挪位的声音。这些声音使沈笛的胃一阵抽搐。

沈笛的眼睛就像个摄像头，一直盯着那小孔。就像过去那样，那里间歇性地冒出一串水泡，咕嘟咕嘟，现在沈笛看来，有什么东西刚从那里遁走了。沈笛坚持认为——这就是她越狱的痕迹。

"你是说，这些水泡就是它越狱的证据？哈哈，你等于在对一个律师说，因为所有人都说人是他杀的，所以肯定就是他杀的。亲爱的，你要动动脑子……"

新鱼的加入，很奇怪的，使这只鱼缸仿佛变成了另一只鱼缸，它的改变不仅仅是里边的鱼世界，就连在大维的嘴里，这只鱼缸也变成了——这该死的鱼缸。他当然不是对那条死去的蓝鲨耿耿于怀，而是对他眼下摊上的一件烦心事感到焦虑重重。

那天傍晚，沈笛坐在沙发上，喝着一杯下午茶。这杯茶喝得有点晚了，是因为她中午补了一个长觉。自从那条蓝鲨越狱之日——她还是不能接受她被吃了，沈笛晚上总是睡不好，有几晚甚至彻夜不眠，生物钟被打乱了似的，她又不愿意吃安眠药，反正她不上班，白天可以补睡。沈笛喝着这杯茶，看着窗外混沌的夕阳，也不知道为什么，每次睡饱之后，面对这种金黄的颜色，以及这安静的环境，即使身处自己熟悉的家中，她都会感到莫名其妙的不安。她抱着茶杯，渴望的却是握着亲人的手。是的，她此刻从来没有那么想念他。她需要听到他的声音，闻到他的气息，以确认自己没有从这世界逃跑。

沈笛侧耳留意着门口的方向。当门锁转动的声音响起，她就像一只敏捷的猫咪，飞快地扑了过去，以至于门还没打开，她就已经站到了门边。

大维一进门，就被影子一般的沈笛吓了一跳。他并没有把她抱住，他的身体虚弱得不堪一扑，他差点被沈笛压倒在墙边。

沈笛好不容易才站稳。大维也站稳了，重重地呼了一口气，"怎么啦？"沈笛闻到了一股腥臭的味道，是那种消化不良的胃气。

沈笛没接话。她觉得莫大的冤屈，她不知道该怎么对他说自己的心思，她只是像只猫咪一样，无声地跟在他背后，跟着他把背包和外套挂到书房里，跟着他到书桌前拿起那只 iPad，跟着他重新走进客厅落座到沙发上。他打开那只 iPad，她也凑过头去看，他的手指熟络地在屏幕上划拉几下，一会儿工夫，蹦出了一张照片。沈笛便呆住了。她看到了自己，笑得眼睛只剩一条缝，她也看到了大维，他们头碰着头，各自手上举着两只鱼缸，里边的那几条鱼，现在正安闲地游弋在他们右侧的大鱼缸里。这些鱼顿时消灭了沈笛对这张照片的陌生感，这就是那天他们去水世界让老板娘拍的合影。

"我们在这里。"是沈笛那天发的微博。地图上的红点还没消失，花港路。

"什么时候发的？"

"就是那天，堵车的时候。"

大维呼出了一口气。跟刚才那口气的味道一样。沈笛这才意识到大维的情绪不对。

"这张照片差点把我搞死了！"

"为什么？"

"你不是不爱发微博嘛……我太久没进你那里看了。"

紧接着，大维的手划拉划拉几下，又翻出了一条微博，那上边放着两张图，一张就是沈笛那条"我们在这里"的微博截图，另一张呢，也是一张微博截图，放大了看，是大维的一张单人照，内容只有一句："我在澳洲圣安德鲁大教堂前为此刻抗争的弟兄们祈祷。"两条微博发出的时间，日期一样，前一条显示的是上午的 10 时 37 分，后一条显示的是上午的 12 时 03 分。

这条署名"跟你丫死磕"的加 V 博主，截取了沈笛和大维同一天的微博图片，写着："一个人不能同时蹚进两条河流，知名律师大维却可以同时身处越城和澳洲，缺席林照案真正的原因是什么，到底是'我们在这里'还是'我在这里'？求真相！！"

读完这一段话，沈笛全身如被冰浸，一把将摆在大维膝盖上的 iPad 夺了过去。

天！短短一天之内，这条微博竟然转发 53456，评论有 24578 条。

沈笛逐条浏览那些评论，越看心里越慌，就像闯下弥天大祸。从那些评论里，她大致知道了"林照案"的基本内容。

那个叫林照的人，因为环境污染问题，带头引发了群体事件，以林照为首的七个维权市民被抓，越城本地律师作了有罪辩护，林照等人一审被判。"林照案"在上半年被公众的质疑声推上了风口浪尖。一个"我笑世界荒唐"的人在评论中这样说："具备影响力的律师大维也曾写下长微博声援此案，抛出了著名的'九问越城市中级法院'长文，并表示将加入已经自发组成的'林照律师团'，此举大大增添了此案翻盘的力度……"4 月 12 日，就是沈笛所称的"越狱之日"，他们在水世界挑选新鱼的那个时间段，十四位全国各地自发组成的"林照律师团"齐聚越城，在政法路上的越城市中级法院，群情愤慨，死磕公权。而这位著名的大维律师，"却在玩瞬间飘移，一忽儿在越城某花鸟市场买鱼，一忽儿远渡澳洲圣安德鲁大教堂""他在这里，在那里，就是不在法院里……"网民是这么说的。

沈笛的那只红点标在与法院所在的政法路几乎平行的那条花港路上。那只红点成了大维故意缺席的一个证据。

沈笛觉得血液都停止流动了。评论里全是不堪入耳的斥责、攻击，甚至还有人骂到了自己。

她丢下 iPad，寻找着大维——他不知道什么时候已经离开了沙发。"怎么会这样？怎么办？"她从沙发上跳起，跑到几个房间去找大维，连鞋子都没穿。

大维在厨房里，东翻西看，不知在找什么。沈笛这才记起，还没做饭。那些被切得薄薄的鱼片，还摊在冰块上，还没被放进辣油锅里，几个小时了，它们已经被冻得惨白惨白的。

大维从冰箱里取了罐可乐，又走回客厅。沈笛还是像个影子一样跟着他。"怎么办？事情到底会变成什么样？"沈笛不停地问。

"大体解决了。只能这样了。"大维话音未落，"噗"，可乐罐里冒出了一股清冽的气。

"怎样？"沈笛怀疑大维是在安抚自己。

大维咽下了一大口可乐，眉头条件反射地皱了起来。

沈笛没料到大维会那么平静。平静得让她觉得——害怕。她仔细地看着大维的脸，喝下那口冰冷的可乐，不知道他是爽，还是恼。

"我帮你发了一条微博。"很快，大维打出了一个可乐的嗝。

在沈笛的微博上，在 47 万粉丝簇拥着的空旷舞台上，这条发于今天 15 时 11 分的微博是这样写的：

"致老公 @ 大维的一封信：老公，对不起，我撒谎了！ 4 月 12 号，你因要事到澳洲，没能陪我去买鱼，我在微博上发了张过去我们一起买鱼的合影，希望你在澳洲能看到，没想到竟有人质疑你有意缺席当日的林照律师团。我为自己一时无聊闯下的祸感到羞愧！”

这条微博转发33467，评论7678。是沈笛有史以来最受关注的一条。

15时11分，沈笛正睡得深沉，也许，还打着如雷的鼾声也不一定，谁知道呢？

“这样，就能解决了？”沈笛一脸茫然。心里说不出什么滋味。

大维习惯性地走到鱼缸前，看鱼。“谁知道呢？总是会有些搅事的人跑出来死磕，那件去澳洲的要事是什么？甚至会去人肉出那家买鱼的店……不过，水搅浑了，总会好一些。”说话间，大维朝鱼缸扔进了一勺鱼食，引起了一阵争抢，水底的沉淀物翻卷了起来，一片浑浊，就像马蹄在战场腾起了杀气。

这个夜晚，因为白天睡饱了，沈笛一直没有睡意，当然，还因为她心里不痛快，她没有开口问，但她心里想：他总该对自己解释一下，或者申辩一下。

大维也一直没有想睡的意思，不知道他还在烦恼白天的事，还是烦恼着沈笛的不痛快。

过了不知多久，大维开始动作起来了。如同他们过去每一次生闷气的结局，他把那些痛快的液体，注射进了沈笛的身体，治疗沈笛的不痛快。这样，那些内啡肽汁液饱满地灌满了沈笛的脑子。

结束之后，沈笛心虚地问大维，是因为，因为要去买鱼吗？大维在即将被袭来的睡意冲决之前，咕哝了一句：“这帮人，太不理性了……”

沈笛不再上网看任何消息。她不想知道自己的道歉是否有效。网络上的事，冒一阵热泡，自然就会烟消云散的。她像过去那样，把自己打扮得时髦青春，看上去如同未婚女子，一个人逛街，购物，吃美食，刷卡的时候，她脑子里的内啡肽会活泼地游来游去，就像一群鱼碰到了一勺鱼食。其实，她从大维的烦躁里，隐约知晓了事态的发展。在家的时候，大维总围着那只鱼缸转悠，频率很高，鱼跟着他的身影，游向这边，游向那边，刚开始以为他要发放鱼食，久而久之，发觉受了愚弄，就不再跟随他了。"这该死的鱼缸。我早就说过，不该轻易改变风水的。"

　　几天后，大维真的去了澳洲。是为了那件"要事"去的吗？谁知道呢？沈笛并没多问。她只是将他七天换洗的衣服整理进行李箱。大维的衣服都是沈笛包办的，外套一律是质地精良的休闲西服，裤子一律是韩版的窄腿裤，袜子一律是矮矮的船袜，刚好没入舒适的鞋子里，走路，脚踝必现，坐着，二郎腿一跷，露出几寸瘦长的小腿来。他被打扮得越发年轻了。每当他那样穿着出门，沈笛就像看到自己满意的作品公布于众。

　　一个人在家，房子那么大，沈笛有些害怕，她把所有能打开的门窗都锁上了。接完大维那通有两小时时差的电话后，她靠在床上，盯着墙上那张硕大的婚纱照看。两年前，他们在三亚拍婚照的情景她还记得很清楚——那个尽职的摄影师，端着相机，扑到地面朝上拍，据说这样会显得人高大些。他不断指挥沈笛摆造型："美女，表情不要太夸张，只要傻傻地看着老公就好了……"

　　她傻傻地看着墙上的大维。

　　她躺下去了。她不需要在意睡着，更不需要用理性来干预自己的睡着，她放任着自己的意识，直到这些意识逐渐下坠、弥散。

　　在这张大床的正前方，架着一只摄像头，正对着沈笛的身体。她只想取下这一夜，当作自己的证据。

走　甜

苏珊又迟到了。

拖延症从睡眠开始，终于拖进了白天的行为当中。夜晚，苏珊的意识每每卡在两点到三点之间，便不再问，干吗睡不着？仅问，睡着了又醒来，到底为了什么？清晨，宋谦紧了紧怀里的苏珊说："呃，这个问题嘛，已经跨入了哲学范畴，老婆，开始玩深刻啦？""中年人啦，可不该玩玩深刻吗？"最近，苏珊经常把"中年"二字挂在嘴边，可在宋谦看来，只不过是她新发明的另一种撒娇方式罢了。

苏珊最讨厌别人装深刻。要到多深才能刻下来？刻下来做什么？当记者那么多年，她最欢迎那些有话直说的采访对象，说出来，记下来，发表出来，一叠报纸，一天就过了。时代便是由这一叠叠报纸垫起来的。苏珊就是时代的搬运工。

现在，苏珊要来"搬运"的是一本书。盛大的发布会，规格之高难以想象。仅仅因为某领导在某场合，说到最近阅读了该书。第二天，这本书就疯狂加印。刚才苏珊在记者签到处拿到这本书，那领导的名字已经大大地围在了腰封上。时代，也是由一个个这些人的名字围起来的。

与此同时，苏珊也看到了他的名字。如前几次会上所见那样，忝列在领导嘉宾名单里，排名倒数。他不见得会来。他可来可不来。新闻通稿上，大方一点的版面，他的名字往往会在"等"字之前出现，金贵些的版面，他就没入"等"之后，无迹可寻。不知为什么，苏珊对他很大方，每次发稿，都把他稳稳地放在"等"的前边。这是她对他唯一能做的。只见过几面，说过几句话，苏珊就对他有好感。四十岁了，好感不容易培养，生活对她来说，像被剔剩下的鱼骨架子，横竖挑不出一块好肉来。

发布会后，照例是吃饭。

那张圆餐桌只剩一个空位了，碗筷也没被动过。苏珊一坐下来，才发现，左边是他。看起来，他也来迟了。服务生为他俩补上了汤盅。青橄榄白肺汤。苏珊顾不上跟人讲话，低头喝汤，一勺，一勺。几勺喝下去，发现身边那人，跟自己的频率几乎一样，埋着头，一勺，一勺。他和她的脑袋快要凑到一起了。那么近。苏珊有些迟疑，故意放慢了勺子，脑袋依旧低着。他的勺子竟也放慢了下来。她用余光瞄了他一眼，他喝得认真，不知道是真认真还是假认真。她认为他们的余光是相遇了的。苏珊心里生起了一阵暖意，她跟他是一伙的，是同桌的他，甚至青梅竹马，两小无猜。苏珊有了奇怪的纯真的想法。

发布会结束后，苏珊马不停蹄交当天稿，在电脑前敲下他名字那一刻，她就有了甜蜜蜜的滋味。那个人，不知道什么时候变甜的？甜的滋味，苏珊近几年便刻意躲避。她已经进入了易发福的年龄，她是个克己之人，为了保持没生育过的身材，年轻时喜欢吃的巧克力、冰淇淋、甜点……这些东西被列入了她的黑名单，想到那种浓郁的香甜，她甚至会打冷战。她一直都戒不掉咖啡，却再不敢加糖。报社楼下那家路边咖啡店，每次见苏珊来，店长便自觉地朝制作坊里喊一句——走甜！即使到任何一家茶餐厅、咖啡馆，点咖啡的时候，她也会自觉地吩咐侍者——要走甜啊！

走了甜的咖啡，喝不惯的，觉得苦涩，苏珊喝惯了，倒觉得醇香，越浓越黑，仿佛独自一人走在伸手不见五指的夜里，体会到某种神秘和美妙，那远远是光明所照不到的想象的极地，漫步在那样的途中，或许有惊慌，有志忑，呃，当然更多的时候是——什么都没有。这些多如牛毛的微微的失望灭绝了她的任何一种期许。苏珊感到自己就是沐浴在这种失望的毛毛雨中，一日日走下去。

制版车间新来的那个 90 后小美编，请苏珊下去对照图片说明，顺便评价了一下那张合影。她用鼠标扫射过那一排人，长叹一口气，说，根本没有一个能看的。最终又无奈地加上一句，也就这个大叔勉强还想搞一搞。苏珊的心暗颤，顺着她的鼠标看去，见他站在最边的位置，清瘦，与旁边那些发福者、松弛者、毛发稀疏者自然迥异。他似乎没看镜头，在发呆，无神无情的困茫。苏珊又开始多想了——那表情是什么意思？那脑袋在想什么？他在会议背后的生活会怎样？他有什么有趣的习惯？进而，她又想，他那衬衫底下的身体长什么样？喜不喜欢晚睡？嘴巴里有没有口气？有没有红颜知己？……她的疑问越来越具体。像采访一样，她准备了十万个为什么。

小美编把她的走神捅穿之后，她感到无比羞愧，太流氓了，太形而下了，太不知识分子了……她在心里嗔怒自己，像是心里边坐着一个正逢青春期的丫头，既想管着她，又不自觉要放任着她。

他自然是看到了那则新闻，他的名字在"等"的前边，还附着照片。他盯着照片里的那个自己看，徒生自恋。老了老了。在某些时刻，他还觉得自己是个男孩儿呢。他是不服从老的，不为人知地叛逆地还要囚着那个男孩儿。昨天，伏下头喝汤的时候，发现那女记者也跟自己一样，喝得忘我投入，他就想，等着她一起，一勺，一勺。他喜欢自己那样，无声地独享一些小心思，时而有趣，时而歪邪，时而沮丧，时而凄美。不过，再亲密的人，也接见不到那男孩儿了，他就是月球上的彼特·潘，孤单得像所有童话的本质。偶尔，他也任性地在自己的衣服上泄露出那样的小心思。白衬衫第二颗扣子的位置，掀出一角看，里边有只睁着左眼的小猫头鹰，是在埃沃店定制衬衫的时候，特意吩咐绣上去的。更明显一点，通常便是在衣袖口、领子上、口袋边，嵌上一条小花边，也不是随便的小花边，是费了心思选的，从不令人感到似曾相识。这些表现，足以让人们给他下了个定义——闷骚男。单位里，他是多数小女孩儿欢迎的中年大叔：有那么一点小权势，不大，所以好接近；有那么一点小沧桑，不老，可以挽手走上一段；有那么一点小情义，不乱，任谁也不去折磨的；有那么一点小讲究，不张扬，就感觉不出装来了……当然，他也是多数中年怪阿姨们不待见的人，她们眼中的他，一把年纪了，仕途不上不下的，却外貌协会得紧，与自身年龄不匹配的身材和衣着，仿佛时刻准备着要出门谈恋爱似的。她们其实也不是真不喜欢他，只是要暗暗保护自己——她们对他再好再多情，他对她们而言，也总归是个大步流星客。

　　盯着照片里的自己看了半晌，他才去看旁边那些领导。一个两个三个四个五个六个七个八个，指认着那些相识不相识的人。他老婆总说，你呀，还有多少张凳子要越过？还有多少个人头要赶超？再不下功夫就来不及了呀。现在，他的手指从自己身边出发，将那些人头琴键一样弹过去，脑子里无端端就响起了女儿考试前，时常哼的那首欢乐的《水果歌》："来来，我们都是水果，过过过过过……来来，我们都吃西瓜，挂挂挂挂挂挂……"人生啊人生，不过就挂，过过过，挂挂挂。他的手指停止了动作。

跟以往的无所谓不一样，他把那张报纸留了起来，并且，翻出苏珊的名片，手指触着屏幕，熟练地给她发了一条短信：

"报纸看到了，谢谢，找时间喝汤。童。"

仿佛是一条回复。

在他放好手指的同一时刻，苏珊 SIM 卡里那一千多个人中，猛然就跳出了他来。是头一次，却仿若老朋友了，好像昨天才搞了几个回合的短信来往，今天又续上了。

一整天，苏珊都在惦记着这条短信。下班，她把车驶到五环外，停在僻静的道边，写上一个字，待定未定的时候，取消了，又开始琢磨另一个字。车是密闭的空间，苏珊在里边捧着手机，神经病一样，时而自言自语——"童"什么"童"，你是谁呀？你以为你是大明星大人物呀？真搞笑！时而，她又看着那条短信，屏住笑，原来那天他也注意到一起喝汤的细节了，那么，他的心理活动也是跟自己一样喽……丢死人了！她的脸便红了起来。像个等待约会的女孩子，苏珊为他发出的邀请认真地纠结着呢。直到宋谦的电话铃响起，她才平复。

宋谦是要带她到一个地方吃鱼眼睛。他说，那地方，专门吃鱼眼睛，有各种做法，很刁钻的。宋谦知道苏珊喜好味蕾上的冒险，但凡在菜肴里能挑出一个亮点来的，他必带着苏珊去尝试。看着苏珊欢喜地吃新菜的样子，他觉得她还没长大。或许由于他俩选择了丁克生活，他把所有的父爱都投放到了苏珊的身上，他就把苏珊想象成了自己的女儿。

苏珊望了望窗外，这是个自己几乎不怎么到过的地方，怎么会停在这里？真是鬼使神差。她很快找了个宽敞的地方，掉了个头。

驶回市区，穿过百花隧道，车不多，里边就显得特别幽暗。为了享受这种幽暗，苏珊放慢了车速。她的目光扫见了一个小岔口，那是隧道侧边凹进去的一个横向岔口，不大，只能容一辆车停驻。每开百把米，就会凹进去这么一个横岔口。苏珊恍然，那是用作临时停车的，就像高速公路上的服务站。苏珊平时从没注意过。她开始刻意去找这些横岔口，左一个，右一个。在隧道口的光亮隐约透来之时，苏珊瞄到一个岔口里，有辆车停着，里边似乎坐着两个人。一男一女。肯定是一男一女！苏珊坚决这么认为。她很快闪出了"车震"这个词汇，这可不是一个偷情的天然好地方吗？苏珊脑子一热，好像写稿子的时候，某种灵感降临，文章出现了神来一笔。好在，没过几秒，连人带车地，她就弹出了这条幽暗的百花隧道，迅速被一整个光明拥抱。

现实这个亲切的主人，隔着明亮的车窗朝苏珊打招呼——你好，苏珊。苏珊莫名地感到有点失望。

晚上，临睡前关机，苏珊平静地给那个"童"回复："不客气的。"她把自己装得很大牌。

说"不客气"，他倒也真的跟苏珊不客气起来了，邀请喝汤的事情便再没了下文。

记者这个行当，苏珊干十多年了，如今在每个采访的场合中，放眼望去，全是十多年前的那些自己。她不得不承认，应该从这个战线上撤下来了。然而，正如她对饮食的态度一样，但凡有一个亮点，她都想着要去尝试，对工作也如此，她拖拉着自己残余的一点好奇心，抱着虚假的热情写出故弄玄虚的一篇篇报道，偶尔也会被自己炮制的那些故弄玄虚所蒙蔽，能高兴个几天。现在，她不愿意也得承认，他成了她工作的一个新亮点。每次去开新闻发布会，她都隐隐地期待他露面。这些期待从一点点的潜意识的亮光，逐渐浮现成一种种行为，比方说，出门前对服装挑来拣去，在耳背藏一些知性的暗香，在微笑的脸肌部位染上一抹橘红，把几乎要耷拉下来的眼睫毛重新卷翘起来——是要为他刷新心灵的窗户么？她跟他遇见的次数比从前多了起来，在很多她认为他不会出现的场合，他竟也会不期而至。她从他不时瞟来的余光里，读出"这不是偶然"的信息。于是，她将这样的信息，按照职业思维惯性，故弄玄虚成一篇篇美文，只是，这美文只发表在自己内心深处，是内参。

在一次会议的茶歇，她注意到他并没有离开自己的位置——她早已经发现，他总会做出些不随大流的举动。她倒了两杯咖啡，一杯惯常的走甜，另一杯呢，她犹豫了一下，没加糖，只是把糖包放在碟子上。她小心地端着两杯咖啡重新走进会场，远远地，就看到了他的背影。他举着手机正对着空无一人的主席台，似乎在拍照，他是那样专注，以至于她走近了他，他都没有察觉。她起了顽意，蹑手蹑脚地走到他背后偷看，只见他的手机屏幕上，正尝试着将自己的桌签和整个主席台背景都装进去，由于他的桌签摆在主席台的偏僻处，所以取景特别困难。放大、缩小、左侧、右偏，煞是苦恼。她"扑哧"笑了出声。他回头，看是她，竟也不觉得尴尬，默契地回以一笑。这一笑，使她找到了那次喝汤时的感觉。她放下手中的咖啡，一路小跑过去。上主席台的阶梯有那么五六级，她像少年般，两步就跃了上去。她拎起他的桌签，重重地顿在了正中的主席位上，朝台下的他示意，拍！他果然大方地用手机嚓嚓地拍下了几张，拍毕，朝她做了个 OK 的手势，她则调皮地伸伸舌头，乖乖把他的桌签重新归位。

做完这一切，他才想到要环顾四周，确认会场上除他俩再无旁人，他才放下心来。

不出苏珊所料，他把那包糖撕开了倒进咖啡里。一杯甜咖啡，一杯走甜咖啡，二人边喝边轻声聊着。话题是没什么意思的，只不过二人一直单独待到茶歇结束就是了。

　　在很多可去可不去的会议，他最近都频频出席。他老婆命令他，这段时间，大会小会必须场场到，混个脸熟，找适当机会争取发言，露露锋芒。宝剑不出鞘，焉知它是块宝还是废铁？他老婆是个理科生，没什么文学修养，用的比喻也通俗，原本也没什么资格命令他，只是最近她掌握了话语权——她七拐八拐，搭上了一位贵人，这位贵人用她的话来说会"带领着老童进步"，这位新调来的组织部长，被他老婆攀成了远房堂哥。在她的数学头脑考证和梳理之下，这位部长的确跟她祖上有过那么一枝交叉的亲戚关系，只是仅仅交叉了那么一枝，人家又远远地蔓延出去了。不过，"关系不够礼来凑"，无论如何，这位跟老婆同姓的部长已经认下了这房突如其来的亲戚。于是，老婆的命令就代表了组织部的命令，每每他露出懈怠的时候，她就软硬兼施，命他重整斗志。

　　说到底，他是个相当自恋的人，对于一个自恋的人，你要他拉下自己的面子去求官当，还不如叫他涎着颜面去追求一个红颜女子呢。在他的经历当中，无数次证明了这一点——遇见好女子比碰上好位置的机会多得多，在各个年龄段中，朝他暗示好感的女子，他几乎都能敏锐地捕捉得到，他得意地认为，只要他稍微迈出一步，那些女子都会被自己一个个拿下。只是，他终究注定不是个做大事的人，即使对那些自己亦心动的女子，他也只不过跟别人搞搞暧昧，无疾而终——也许总落不到实处，她们纷纷失去耐心，断了这种隔靴搔痒的游戏。要知道，如今满大街都是现实主义之人，要钱要权要快感，此外一概不要。像他这样的人，你可以说他过时，也可以说他不现实，不过，知夫莫如妻，他老婆对他们的朋友总是大大咧咧地说："我们家老童啊，别看那么爱臭美，其实是个胆小鬼，有贼心没贼胆的！"仔细琢磨一下，老婆说的也不是没有道理，每每有越雷池半步的念头，他心里总会敲出一句长鸣警钟——纸嘛，肯定是包不住火的！这句恶俗的话虽然讨厌，却让他免遭了很多麻烦。这些麻烦，打开报纸和网络几乎无处不见——中国式的腐败必带着情色。他心惊肉跳地认定，情色即是一种腐败的开始，就算如初恋般美好的两情相悦，最终也不免落入俗套。

然而，胆小归胆小，却阻挡不了他一颗爱人的心。他是这么想的，横竖是自己在心里爱爱，心嘛，总是比纸要厚实得多，总是能包得住自己的火的。比方说，最近，他总能在会场上看到的那个女记者，他觉得他在爱着她了。怎么说呢，以他的目测看来，她已经不年轻了，但也不觉得老，还能从她的身段和表情中，看到若即若离的青青，他喜欢这样年龄中的女子，既不青涩，也不凶猛，既成熟，又不乏女儿态，她们懂得欣赏自己，也懂得别人在欣赏自己，更重要的是，她们能接收到别人的好感，并且能及时地对别人回应出好感。于无声处，不需任何证据，他就爱上了那样的她，并且，也感受到了她对他的爱。这些没有证据的爱，让他感到无比安全，无比轻松，他甚至认为自己可以放肆一爱了。

像被某人做了恶作剧，苏珊的人生里被投进了一颗糖，那些甜分如细胞一样游泳，在苏珊的身体里畅游。她不再讨厌失眠，意识不再在滴答的闹钟上卡壳，她轻易地拉起那些细胞，跟它们一起畅游，畅游在他的容貌上，在他讲究的鬓角边，在他细致地卷起的袖口，在他用心装饰的花边……她甜滋滋地想，他跟她心思一致，他知道她会出现，于是，他也会出席，于是，她便能经常在公众场合上邂逅，这种有意的邂逅，感觉不异于约会。她在黑夜中一想到"约会"这个字眼，就浮现出一条如眼前夜一样漆黑的隧道，那隧道里，细胞一般分布着一个个小岔口，停车暂做爱，如此刺激，如此销魂，如此绝望……像一部小众的法国文艺片。她想得很多，想得脸红心跳，已无力去追逐睡意了。趁天还没亮的时候，她理性地认证了一下对他的爱。她爱他，是纯粹的，不怕被人笑话地说，是纯真的。不像那些迟暮女人，重新试爱，是为了证明自己魅力犹存，还具有爱的能力，也不像那些无知妇女，因为不满意家庭关系，纯属打发无聊的生活，更不像单位里那些来势凶猛的年轻女孩儿，为了缩短奋斗历程，以青春交换权势。苏珊认为，对他的爱，如果说有功利目的的话，她自认是一种很文艺的目的——绽放她的中年肉欲。她看过不少新浪潮的文艺片，整片仅有一个主题：打开生命的禁锢，让人欲出入自由。她往往会被那些背负惩罚甚至付出生命代价的男女主角感动得热泪盈眶。怎么会这样呢？她不是个性欲很强的女人，她不封建，但也不开放，她是个知识女性，她不需要在男人的身体上认知自我或者实现自我。她唯一能解释的是，她会被这样的男人吸引，逐渐稀少的荷尔蒙还会为他汗毛般竖起。她在暗中期许，跟这个得体的男人来一场艳遇，直白一点说，来一场性爱，将会是她人生中的又一次阳光普照，将她中年路上那毛毛细雨般的失望暂时驱走。这种期许，成为一种持续的亮光，让她即使拖着失眠的身躯迎接清晨的时候，也不至于懈怠甚至厌世。

当她双脚踏下床，整理自己，开始迎接新一天，虽然内心激情饱满，但肉体却扛不过一夜失眠，她的脑袋感到很沉重，并且开始疼痛。不过，她并没有被肉体的疲倦所击垮，她像个斗士，明知不可为而为之。对付肉身的这种疲倦，她自然有自己的法宝，她将宋谦从香港带回来的正版斧标驱风油揣到随身包包里，疲倦不支的时候，就在太阳穴和耳根的下关穴处涂抹几滴，那些刺激的凉，可暂时麻痹困倦这个敌人，振作精神。她只认这种正版牌子的驱风油，味道是她喜欢的，效果也是她多年验证过的，果然如瓶子上那行繁体字所写："居家旅行　常備良藥"。她介绍给单位里几个要好的同事，用过都觉得好，每当丈夫宋谦到香港出差，这些同事便纷纷要求搭买，买回来后，苏珊便大方地免费分送，这些人得了优惠，每每在苏珊面前夸她丈夫是"一等一的好丈夫"，更有风趣的人，称她丈夫就是一瓶斧标驱风油，是"居家旅行的常备良药"。苏珊对这些赞美，都一一笑纳。在女人面前夸赞自己丈夫的好，往往是不存一点私心杂念的，也可以说是一句礼貌的话了，跟那个丈夫其实关系并不大的。就像她，断然不会跑到他的老婆面前去夸起他来，她甚至歹毒地认为，他跟她老婆关系极差。越差，她越心疼他，就越想要爱他。

　　那天下午，苏珊收到了他的短信："28 号的迎春酒会，去的吧？童。"在苏珊看来，这有别于那条喝汤的短信，如一首藏头诗，隐含了时间、地点，她还读出了幽会的信息。她又迅速享到了一股甜的滋味。

　　文化厅的迎春酒会年年搞，苏珊是从不参加的，嫌累。通常是某个晚上 8 点开始，近乎一个小时的官员讲话，剩余的时间自由交谈、跳舞唱歌，近几年听说还增加了个"挥毫"的环节。老干部们闲下来喜欢玩书画，那些拍马屁的年轻人，懂或不懂，都围拥在画桌前，装腔作势，抢着要墨宝，抢得越激烈，老干部们越尽兴，在他们眼里，这些小年轻，就像一群孩童追着闹着大人们分糖吃，给谁不给谁，给谁多给谁少，他们可从不会老糊涂。苏珊并不是不懂得官场那一套，只是这些事情与她无关，当个旁观者，看多听多了，也觉得其实当官这件事情，既无趣又无聊，还不如跟着娱乐记者听听娱乐圈的情爱八卦来得人间烟火。

　　可以说，2013 年剩下的那几天，苏珊是以一种春天般的喜悦度过的，有赖于他的那条短信，她的年末忧郁症并没有如往年那样发作，她既没有因为又要向中年挺进一步而感到忧伤，也没有因为一年的碌碌无为而感到虚妄。相反，她在自己的 QQ 空间里，诗兴大发，写下了很多美好的、比喻的句子，以表达她那些不可与他人言说的心绪。她把自己比喻成一杯加了糖的咖啡，甜分适中，温度恰好，她想象着，他素净而暖和的双手，将她端起，放到唇边，并不急着去尝，只是微笑着，低头端详，仿佛要在那幽黑的水面上寻找自己的倒影，直到那水面上也泛起了微笑的波纹，最终，唇才挨下去，一亲芳泽。她写道："喜欢一杯咖啡，带着香甜和温暖，进入一个人的体内，末日即使真的如期降临，再生之门依旧为爱敞开。"她这句话，被同事们在 QQ 空间看到了，被拿来取笑，故意说："苏老湿，最近好抒情哦，开始作诗啦！"有个正在谈恋爱的男同事，正儿八经地征求她的意见："苏老师，你把这话授权给我吧，我把'一杯咖啡'换成'一个女人'，写给我的女朋友。"苏珊听了这话，一阵发虚，仿佛被人揭发。

　　28 号那天，苏珊过得忙不迭脚，上午到社区采访完一个送温暖活动之后，中午回报社赶稿，下午，开个简单的报题会，空下来已经是 3 点多了，本来还有一份年终总结要交，苏珊顾不上那么多了，她把那张表格锁在抽屉里，果断地结束掉一切庸俗事务。按照自己的计划，她先到美容院去做脸，再到美发店去做头，最后到商场去挑一套漂亮衣服，最最后，约会去……

　　在商场，她做了一件至今想来仍觉得羞愧的事情：她挑选了一套质地精良的裙子，整体流畅有品位，小立领，用一粒小盘扣紧致地将她修长的脖子圈起来，遮住了岁月附送给她的那两道隐约可见的颈纹，谁知道，设计师在胸口处恶作剧似的挖了个小椭圆形的口子。如果说整袭墨蓝色的裙子像一条密实的蜿蜒的隧道，那么，胸前的这一块椭圆形，就像隧道中一个临时停车用的岔口，故意留给人停驻喘气的。苏珊在这块椭圆上犹豫很久，她觉得这个地方有点卖弄风骚了。专卖店的小姐不断说服她："这个地方是设计师的得意之处，是整套裙子的亮点，姐姐你皮肤那么白，胸部那么丰满，来我们店的很多女人喜欢这套裙子，试了之后，这个地方都撑不起来，都不敢买，人家羡慕姐姐都来不及呢……"店员们围着苏珊七嘴八舌一阵强攻，苏珊对着穿衣镜前后左右照来照去，也奇怪，她的眼睛无论如何总会停留在那个小椭圆上，看起来的确是个亮点！她果断买下。为了更好地撑起这个亮点，她还到隔壁内衣专柜去，买了一只新的乳罩，乳罩有个好听的名字——水盈风。在杯罩内侧嵌有两只水袋，导购小姐说，是新开发的产品，具有侧拢、挺拔、按摩、调整等作用。苏珊一穿上，果然胸部高耸，关键是，那椭圆形的亮点处，随着人体的活动，便增了一道时张时闭的阴影，就像一只丹凤眼的眼睑上涂了生动的眼影，连自己都看着很美。

酒会当然是没多大意思的，不过，多了他不时投来的带有赞美意味的目光，她就觉得摇曳生姿了。她暗自觉得买下这套裙子真是一个英明的决定，在他鼓励的注视之下，她竟然飘飘然起来了，端着酒杯，优雅地朝他坐的那一桌走去。她单独向他敬酒，像两个老熟人。他也站起来，嘴角带着笑意，张口客套地夸了她一句，她听了脸一红。随后，他拉拉她的袖角，示意她到一侧说话。她听明白了，他是要她等他，等到自由交流的时间，"我们散步去。"他是这么说的。她眼中的他，今夜比任何一次会议见到的都清俊，而且，她还从他的身上闻到了一股清香。

接下来，一个领导，又一个领导走到话筒前，都讲了些什么，苏珊脑子一片空白。也许由于一整天神经都绷得太紧了，也许这套裙子将她的身体收束得太紧了，她坐在椅子上，沉重的疲乏逐渐压低了她孔雀开屏般撑起来的精神，很快，那种熟悉的头痛就升上来了。她从自己的包包里，熟练地找到了那瓶"居家旅行　常备良药"，分别在自己的太阳穴、下关穴涂抹了几下，稍微缓解了一下疼痛。不过，没多久，她又感到难受了，不得不又用斧标驱风油多涂了好几下，直感到自己的脑袋和耳根都热辣辣地刺痛了，那股欲裂的头痛感才被打压下去。

领导的讲话终于结束了。人们从座位上站起来，开始互相走动。她也站起来，在人群里寻找着他。一度，他在跟几个相熟的人说话，她远远地看他，觉得他是那么与众不同。一度，又有几个人拉他去拍照，当然是年轻女孩子居多，她看到她们活泼可爱地挽着他的手臂合影，心里觉得很自豪。

后来，他在不远处给她发了个短信，："先到楼下等，我就来。"这次，没有落款"童"。

她乖乖离开了会场，下了楼。南方，岁末的气温是凉的，她穿着那裙子，竟然也不觉得冷。

她不知道，今夜他将会带她到哪里去？此刻，她的心里充满了浪漫情怀，她一路踱步一路想，即使带她去私奔，她恐怕也愿意跟他去的。

没过一会儿，他就从宾馆门口出来了。他们并肩地朝前方走去。他用手不时地扶扶她的后背，她并不知道他要走到哪里，只是默契地跟着他脚步的意思。他们边走，边轻声地聊着那场没意思的酒会，却也没说起一句带感情的话。走到一个路边小花园，路灯暧昧地照着一丛丛竹子，他自然地带她走了进去。

竹林里是暗的，暗得让人紧张。苏珊的紧张不是没有理由的，他的手已经搭在了她的肩膀上，越往里走，他的手越往下滑。最后，他们并肩站定了，相对着。先是她害羞了，撒娇着把头扑进了他的怀里，便没再动弹。他几乎是颤抖着，低下头，用手端起她的脑袋，捧着她的脸，他似乎在试图看清楚，也看不出什么名堂来，接着，他的唇凑近了去，慢慢地，凑近她的脸颊，再往下，凑近她的耳根。苏珊觉得一切太顺其自然不过了。她在黑暗中等待他的到来。

可是，不知道为什么，正当他的唇挨近了她的耳根，她感到了他的迟疑，就像一支秒针在钟面上忽然卡壳，再不蹦跶着往下走了。沉默了一会儿，突然听到他在黑暗中，"唉"地长出一口气，说："要是，要是能早点遇到，我一定不会错过你！"说完，他放开了她。

她呆若木鸡，身心如被冰浸。

苏珊独自走回家的一路上，各种情绪如飞镖打到她身上，她根本看不清它们，疑惑、不解、不忿、羞耻、气恼……她躲闪都来不及。在十字路口等绿灯的时候，她试图用几秒平静下来。绿灯亮起，她大步走过马路，迎面过来一个老头儿，大概有六七十岁的样子，他一直盯着苏珊胸前那个椭圆形的亮点，眼睛一眨不眨地，几乎要跟旁人撞上了，还是不肯眨眼。

苏珊的愤怒瞬间如火燃烧。尽管她刚刚才发誓，此后死也不再相信任何比喻、任何想象，她还是不得不对那两只依靠水袋的帮助高耸起的乳房作了最后一次比喻，她觉得它们完全就像一对笨蛋，是这个世界上最愚蠢的笨蛋！

从竹林里出来，他折返了酒会。如他所料，正是酒会的高潮环节，那些平日里基本见不上的老领导们，此刻亲民得很，在众人的簇拥之下，笔墨丹青，一气呵成，俨然大师。他老婆临出门的时候，吩咐他注意要跟某个领导套近乎，他很容易就找到了那个领导的桌子，挤了进去，边看边激赏。他自知，说的全是违心话，却也不觉得肉麻，横竖今天晚上，他对那个女记者已经说出了他这一生最为肉麻的违心话。他本不想说那句话的，他想凑到她的耳根下，告诉她她今夜很美丽动人，他喜欢这样的女人……然而，他的话还没开口，就闻到了她耳根散发出一股药油的味道，这股味道就像他的老朋友，捉迷藏似的，促狭地对他说了声"嗨!"要知道，几乎每次开会，他都要靠这位老朋友来提神。就是这股味道停止了他的动作，这味道对他而言，散发着衰老、不支、无奈……

　　他卷着那个领导送他的一幅字回家了。他老婆展开一看："厚德载物"，字圆头圆脑的，倒有几分像主人。老婆乐了，表扬他："做得好，我堂哥说了，过段时间就开始运作，这个人管辖的部门正好退了个副职，你今天晚上等于向这个人表了态度，取得良好印象，将来就好说话了。"

　　他苦笑了一下，陷入沙发中，久久说不出一句话来。

　　这一夜，苏珊竟然睡得很沉，像一个长途跋涉的旅行者回到自己熟悉的床上。清晨，睁开眼睛，见她的丈夫宋谦趴在她的枕边，像做了一个成功的实验般开心。

　　"嘿，你别说，这宝贝还真管用!把你的失眠治好了，你整晚睡得像猪。"

　　顺着宋谦的手望过去，就看到床边多了只小斗柜，样式古旧笨重，可以称得上丑了。苏珊皱了皱眉，正要开口，宋谦抢先又说："你别看这东西丑，老贵了，我托朋友在海南千辛万苦收来的，真正的老紫檀木，你闻闻，是不是有股异香?"

　　苏珊将信将疑，把头凑近了去，果然闻到一股异香，的确有点像紫檀的味道。

　　宋谦又得意地说："昨天你回来得晚，我故意不告诉你，谁想到你果然没失眠，真是物有所值，你知道吗，真正的老紫檀里散发着一种木氧，可以起到镇静安神的作用，帮助睡眠……"

　　宋谦还在表功，叨叨个不停。

　　这个时候，苏珊仿佛灵魂出窍，她回忆起了自己少女初潮的那一次，又惊又喜着跑去找妈妈。她发现，原来中年的征兆是跟初潮一样，来了，自然有着其难以言状的表现。苏珊切实地感受到——中年，来了！

墙

　　陆老师终于在阳台上看到了新租客。大楼的保安一个多月前就告诉他，隔壁那个做推销的女人终于搬走了。过了半个月，又告诉他，隔壁租出去了，好像是在阿里巴巴上班的。陆老师心宽了。不管来的是谁，只要不是那个来敲门的女人。陆老师和他的老伴，都不希望隔壁住着一个随时会来敲门的邻居。

　　在这栋大楼里，201 和 202 挨得最近。当初决定买这套房，陆老师唯一觉得遗憾的就是跟隔壁挨得太近。只要轻松地翻过阳台栏杆，穿过那条一米多的廊道，就可以坐到别人家阳台上喝茶，如果那里的阳台门没关，就可以走进去，坐到别人的沙发上，甚至坐到别人的马桶上。三楼以上的房子，一梯四户，东南西北，楚河汉界，分割得很自然。二楼因为是最低层，考虑到难以出售，建筑设计师为了惠利买家，整层只隔出了三套，一套东南朝向的大房，两套西北朝向的小房，这两套小房可以共享大楼一个五十平方米的露台。他们挑了 201。202 不知道后来被谁买走了，租客换了一个又一个。

　　新租客还像个大学生的模样。陆老师看到他在阳台出现的时候，他其实已经搬进来快一个月了。

"是个孩子。"陆老师对老伴描述这个阳台上看到的新租客。两人都松了一口气。"他是不会来敲门的。他连阳台都不怎么去。"陆老师让老伴看隔壁的阳台。除了晒着几条内裤、几双袜子，阳台上冷清清的，唯一热闹的是地面那几串脚印，盖在厚厚的灰尘上。

这样，陆老师和老伴可以舒适地坐在阳台上对饮茶，可以面朝露台上他们用各种植物搭起来的"绿地"，安静地做一套完整的八段锦。而在做这些的时候，不会冷不防地传来那个女人的声音——爷爷奶奶，你们可以试一下我们公司新研制的养生茶。爷爷奶奶，明天我给你们送一套拉筋凳，对颈椎腰椎很有效，免费试用三个月哦……

相反的，因为隔壁太安静了，陆老师对那个阳台反而起了好奇。他会很长时间坐在阳台的藤椅上，或者爬下自己加装的那几级铁梯子，走到露台上去，给"绿地"里的植物浇水、捉虫子，他的耳朵和余光都在等待那里有点动静。

一个午后，陆老师坐在藤椅上，喝他午睡之后第一口醒神茶。他又看到了他。他手长脚长，站在阳台上伸懒腰，扭动了几下身体，并发出些咿呀声，就像清晨还在被窝里开蒙的孩子。陆老师心里长出了一双手，去轻轻拍打那孩子的脸。

"爷爷，你好啊！"

那孩子好像心情很好，突然开口，陆老师被骇了一下。

"爷爷，那些是你种的？"还没等陆老师回答，那孩子又问，"那是南瓜？南瓜爬上的杆子边，那几棵高高的树是什么？"

"那不是树，是秋葵。可以吃。"陆老师咧开嘴笑了，认定这是个急躁的孩子。

"噢，那就是秋葵啊，没见过。"那孩子认真地看着那几棵高高瘦瘦的"树"。

"孩子，你今天不上班？"陆老师不想就此结束他们的对话。他好不
容易才等到他。

"我靠，周末欸，只有门卫才上班。"

"噢，今天是周末。我都不记日子的。我们每一天都是周末。"

"唉，真羡慕，不知道什么时候才能退休。"那孩子的脸现在正对着
陆老师了。

他们都站到了阳台的栏杆边。这是他们最近的距离了。

哈，退休？

陆老师顺着跟那孩子谈起了他的工作。

"我在阿里巴巴上班。"那孩子隐藏不住得意又加了一句，"我的老
板是马云。"

"哦，哦，阿里巴巴。"陆老师其实并不很清楚他的工作状态，他尽
量很肯定地点了几下头。

聊天快结束的时候，陆老师客套两句："有空来玩啊。"

那孩子瞄了瞄陆老师阳台上那两张藤椅，调皮地眨了眨眼睛。"很
简单，翻一下栏杆就过去了。像过马路一样。"

"这小徐蛮好玩的，说话像炒黄豆。"跟那孩子在阳台上的每一次聊
天，陆老师都会向老伴汇报。

跟陆老师不一样，老伴不常到阳台去，她最喜欢坐在卧室那间向
阳的窗台下，低着头绣十字绣。家里每一面墙上都挂着老伴的杰作，山
水、花鸟、书法，类型不一，复杂程度也不一。眼下，她在绣一张桌
布，图案是天女散花，看得陆老师眼晕。陆老师从不去干涉她，就像十
字绣是她的信仰，她在某种坚信里获得了暮年的强力支撑。

他们对这个新邻居很满意。他从没麻烦过他们，既没有让他们帮签收快递，也没有进门来翻过阳台回家找钥匙。他真的从来没敲过他们的门，一次都没有。

陆老师有一次说起，竟然有点失落了："这个小徐工作太忙了，他看起来只懂得叫，芝麻，开门。"失落的感觉，是伴随着隐隐的希望而生的。那么，陆老师的希望是什么？

过去的多少年来，陆老师和老伴都希望能听到敲门声响起。最早的时候，他们希望他们的儿子敲门。那个清瘦得稍微有点驼背的儿子，背着行李站在家门口，连拍门带喊叫——爸，爸，妈，妈。这个情景一度成为幻觉、幻听，后来变成了梦境，噩梦般拍醒他们。不记得有多少次了，他们从梦里醒来，觉得现实比梦残酷得太多。渐渐地，他们希望能听到邮差的敲门声，好让他们能从字里行间找到那个清瘦得稍微有点驼背的儿子。最后，他们希望能有谁来敲门，是的，不管是谁，来跟他们说说，有关儿子在那个夏天的一些事情。可是，二十五年过去了，他们的儿子，留在了他二十四岁的那个夏天里，他的模样、声音、呼吸，都不曾有半点改变。"爸，暑假不回去了，我跟同学留在这里。"儿子就真的留在那个暑假了。

没有人来敲他们的门。现在，陆老师和他的老伴，最害怕听到敲门声。他们之所以卖掉老房子，搬到近郊，与其说是为了躲清静，不如说是为了躲那些希望中的敲门声，或者说躲那些幻觉里的敲门声。二十五年过去了，他们现在最需要肃静。他们经历了震惊、哀恸、疑惑、绝望，如同已经经历了生、老、病、死，他们在已经毫无意义的生活里摸索到了与儿子最近的距离——肃静。肃静里能看到儿子的脸，肃静里能听到儿子的声音，肃静里能知道儿子的方向，甚至，在这绵长的肃静里，他们能背出儿子曾经写下的从未给他们读过的诗句。

"你看，那朵睡莲在发光。"陆老师躺在蚊帐里，指着墙上那张十字绣。

"黑咕隆咚的，你看到那花了？"老伴也盯着墙上的那个位置。

那个位置，天亮的时候，的确是有一朵洁白的睡莲，但现在什么也看不见。

要不是那个爷爷跟徐梦龙说，他有个跟他一样大的儿子，徐梦龙不会想到阳台上去站站，那里连一张板凳都没放。

"我有个儿子，就是你这个年纪，二十四岁。"

徐梦龙看着这个白头翁爷爷。跟自己老爸相比，他老得不是一点多。"那么爷爷，我该喊你叔叔还是什么？反正好像不能喊爷爷吧……"

陆老师一时不知怎么回答。他从没想过这个问题。留在记忆中的儿子不会长大。事实上，他跟眼前这个孩子的确整整差了一辈，可是，他又该怎样去跟这个孩子说说中间那消失了的一辈？

"我姓陆，你可以叫我……"

"老陆？"徐梦龙没等陆老师说出口。工作之后，他总是喜欢"老徐老徐"地喊他老爸。

"呃，你可以叫我陆老师。退休前，我教数学。"他只是个小学老师，教简单的加减乘除和应用题。认识的人这么叫他，只是出于他的职业，而不是别的。儿子出事之后，老伴一直鄙视他，自己的儿子都没教好，还算什么老师？这是陆老师身上的一颗子弹，藏于此，伤于此，痛于此。他只是个教基础数学的小学老师，负责任地把儿子的功课辅导得工工整整，直到把他送上清华大学。他从没告诉过任何人，对儿子他早就看不懂了。他也看不懂这个世界，因为儿子消失在了这个世界里。

等到徐梦龙下一次再问起儿子的时候，陆老师就郑重其事地吩咐徐梦龙，关于儿子的事，"别跟任何人说"。他还让他明白，这个任何人也包括自己的老伴。

徐梦龙很懂事，的确没再提，过几天，他忍不住给他老爸打电话："老徐，告诉你一个八卦啊，我隔壁住的那个老爷爷，牛逼大了，有个跟我一般大的儿子，私生子欸，把老奶奶都蒙在鼓里。""瞎讲。你怎么知道人家的私生活？"听得出来，老徐其实很感兴趣，不过，关于那个私生子，徐梦龙知道得没有更多了。"老徐，很羡慕吧？你啥时也给我整个弟弟出来，我一定负责好好虐待他哈。""什么乱七八糟的，我警告你，自己一个人在外边住，可别乱来啊……""老徐，你是想说乱搞吧？"于是，老徐在电话那边，开始了他漫长的训话。徐梦龙故意惹他，因为只有这样，老徐的话才会多起来。不知道是不是距离的缘故，徐梦龙现在开始有点舍不得老徐挂断电话。

从小到大，徐梦龙就被老徐像教训员工一样教训，也不管他是否能听进去。在整个训话过程中，只要徐梦龙中途提出一句异议，都会让老徐气急败坏，仿佛他讲的那些大道理，是用纸皮糊起来的墙，一戳就担心破。徐梦龙自认长大成人的一个明显标志是——他开始在心里嘲笑老徐那一套套，不仅嘲笑，还觉得那个气急败坏的老徐，实在像个可爱的大傻逼。

第一次徐梦龙跟着陆老师爬下那几级自装的铁楼梯，到露台的"绿地"上摘秋葵。他们聊了很多，都是关于老徐。

"老爸去年刚做了五十大寿，那时我还在见习期，头一回领工资，几乎把所有积蓄都花光，给老爸买了台苹果一体机。"徐梦龙得意地向陆老师炫耀。看得出来，陆老师并不太了解什么苹果一体机。"一万三千多呢。"徐梦龙及时地补上了一句。

"喔，这么贵啊。"

陆老师的反应让徐梦龙很满意。他兴致很高地给陆老师详细解说了一下那台苹果一体机的好处。陆老师听不太懂。他只知道，电脑是用来上网的，而网上什么东西都有。他只在手机上上过网，是那年在电信局缴手机费的时候，年轻的营业员捣鼓半天教会了他，还负责任地把上网方法写在一张小纸片上。那张小纸片一直夹在那本薄薄的电话本里，好几次老伴搞卫生，从沙发的缝隙里捡到了它，又把它夹回去。

"小徐，你爸爸是做什么的？"

"很早以前是公务员，后来做小老板，没多少钱。我老爸赚不了大钱，胆子太小。"

"做什么生意呢？"

"开打印店，兼设计招牌、海报之类的，好在他做得比较早，在我们老家几所大学的附近，开了五家分店。你知道的，做学生生意比较保险。"

"那他应该很忙吧？都没空来看看你。"

"每天发微信，烦都烦死了。他其实也没那么忙，都有店长在管理。他有空就上网，看论坛，嘿嘿。"徐梦龙忽然凑到陆老师跟前，低声说，"告诉你啊，我老爸最喜欢翻墙出去看论坛，化名跟帖，在上面骂这个骂那个，他以为我不知道。连我老妈都知道。往事如烟，起个这么恶心的网名，笑死我了，呵呵呵……"徐梦龙高声爆发出一阵狂笑。

"翻墙是什么？"陆老师觉得这个老徐的确有点好笑。

"翻墙你不懂？"

看起来，上网是徐梦龙的兴奋点，就像有谁朝他喊了一声——芝麻，开门！他的大门朝任何一个人敞开了，即使面朝着一个快八十岁的老爷爷。

本着一个小学数学老师的逻辑功底，陆老师从小徐啰里啰嗦并夹杂着很多听不懂的词语中，迅速理出了一条关于翻墙的应用题——

问：你要寄信给某人，地址、门牌、收件人都写清楚了，但是邮差告诉你，此地址无法投递，原因有多种，地址出错、查无此人，甚至邮差休假……总之邮差就是不帮你送达。那么，你该怎么重寄这封信？

答：翻墙。就是从围墙翻出去，绕过通常路径，走一条少有人走的羊肠小道，目的在于绕开邮差官道。

"正确，加十分！"徐梦龙没想到陆老师这么容易就听明白了。

"可是我从家里寄信，为什么要翻自己的墙出去？难道不是翻进对方的墙里送信？"

"呃……"徐梦龙被问住了，他的眼睛转了好几下，也没搜索出答案，"嗨，也就是打个比方嘛，说白了，翻墙就等于不从划好的斑马线上过马路，而是抄近道跨栏杆，被交警逮到是要罚款的。"

"违法？"

"总之是被禁止的。因为翻墙出去，能看到很多我们不能看到的东西。"徐梦龙暧昧地朝陆老师眨眨眼睛。

"能看到什么？"陆老师心里跳了一下。

"呃，很多福利。福利，你懂吗？"

陆老师从他的神情里猜出十之八九。

"不过，老爸说，还能看到很多不为我们所知的事情。"

陆老师点点头，转过身去，在那片"绿地"的瓜棚下，走过来走过去，就好像在检查他的劳动成果。

徐梦龙跟在他身后，还在无休止地唠叨着关于翻墙和他那个爱在网上骂人的老爸。在一株秋葵前停下那一刻，陆老师听到徐梦龙最后说了一句："老爸其实还是个愤青，一个愤青大傻逼。"

大傻逼？陆老师忍不住笑出了声，又赞同地点了点头，仿佛他见过并且认识老徐。

陆老师一笑，徐梦龙显得很兴奋，一下将一颗成熟的秋葵拧断了，两只手上顿时沾了些黏黏的汁液。陆老师赶紧让他用肥皂冲洗，他知道，那些迫不及待流淌出来的汁液很快会产生奇痒无比的后果。那种难受的滋味，他尝过。

是不是这个年纪的孩子，都会那么急躁？因为急躁所以才显得胆子大？陆老师想起了自己的儿子。记忆中的那个孩子，一点都不急躁，似乎还遗传了自己的慢条斯理。每晚临睡前，会自己将书包和衣服理得整整齐齐，每天放学回家，会自觉地写好作业，然后捧起一本比他脑袋还大的书，慢慢地一页页翻看。读大学之后，放假回家还懂得安安静静地帮老伴择豆芽、剥毛豆。儿子一点都不急躁。可就是这样一个安静的孩子，竟然会闯祸。

陆老师戴着手套，用剪刀，慢慢将那些饱满的秋葵剪下来，并将它们整齐地排在篮子里。

"网上说，秋葵能壮阳呢。你看，它们像不像一颗颗子弹？"徐梦龙使劲挠着那几根已经发红的手指。那些汁液终究还是弄痒了他。

陆老师的心情变得有点糟糕，没再接话，任那孩子蹲在他身边自言自语。

"陆老师，我有一个问题。为什么秋葵不是秋天生的？"这个多话的孩子并没觉察到陆老师的心情，没头没脑还在问。

"是啊是啊，秋葵为什么会在夏天生？"陆老师抬眼望了望天空，六月的太阳烈得像一坛刺鼻的劣酒，危险，还比任何季节都接近人，"这他妈该死的夏天！"

陆老师这两天没坐到阳台去。国庆黄金周，隔壁的阳台上挂出了一件胸罩，以及一条比巴掌宽一点的小短裤。陆老师还听到了他们在阳台上嬉闹。那女孩的声音很尖，可以钻到陆老师的卧室里去。

"徐梦龙，那些是什么树？"

"壮阳树。"

"神经病！"

女孩笑得一点不含蓄。陆老师猜她很年轻，也许还很瘦，因为只有瘦的人，声音才会那么透亮，仿佛从鼻腔到口腔到胸腔是三间空荡荡的房间。陆老师一直听着他们的嬉闹声渐渐远去，直到消失。他并没有出去跟他们打招呼。现在，在自己和那孩子之间，出现了一个外人，陆老师感到有点不适应，就像他不愿意自己的那片"绿地"有谁闯入。上一次，住在楼上的一个胖女人，从大楼的消防通道爬上了露台，像个观光客，对陆老师问这问那，甚至指出了他种的那些西葫芦和洋葱，要施点"大肥"，因为"大肥"是还魂土，可以把奄奄一息的植物救活。她最终被陆老师无礼地"送客"了。

后来，阳台上的嬉闹声没了。如果没猜错，那孩子一定是跟女朋友出门旅行去了。那只鼓鼓的胸罩和那条薄薄的小短裤一直晾在那儿没人管，即使在一个傍晚，狂风大作，也没有人出来收下。

无端端地，陆老师对那个出门的孩子有了些记挂。普陀山刮起了几十年难遇的台风，那孩子会不会被困在岛上了？张家界发生了山体滑坡，那孩子在不在山上？内蒙古机场被沙尘暴袭击，乘客被迫滞留，那孩子是不是乘客当中的一员？电视上每一条不好的新闻，陆老师都担心跟那孩子有关。

"你最近怎么啦？"老伴邀请他到阳台上喝茶。

"大概出门旅行去了。第四天了。"陆老师指指对面，对老伴说。

老伴背对太阳坐。只有在绣十字绣的时候，她才会坐在太阳的眼皮底下。她的脸陷在一种含混的暗光里，而满头的白发却完全暴露在阳光中，那里几乎找不到一根黑的。

老伴好久都没说一句话，但陆老师知道她肯定要说的。这么多年来，他们的上一句和下一句总会隔着相对长一点的时间，先是出于谨慎，现在，陆老师觉得他们是因为迟钝。

"想儿子了？"老伴脸上细密的皱纹堆起了那些熟悉的忧伤。

"儿子？跟他一点不像，他是个外向的人。"陆老师仿佛看到儿子，高瘦得略带驼背，头发几乎要披到肩上了。

"说不准。儿子其实也有外向的一面，你不记得了？幼儿园那个秦老师说，我们儿子在小朋友中间很有号召力。"老伴抿着嘴笑了笑。

陆老师也想跟着笑一笑，但他没能做到。这个时刻他特别想哭。

"我们要不要也出门，去旅游？"陆老师不想再提儿子。

老伴沉默一小会儿，回房间了。

陆老师其实只是随口说说，旅游这个念头他此前一直没有。退休之后，他和老伴只出门旅游过一次，跟着旅行团，港澳台七天六夜游。第一站是香港。第一个晚上是看维多利亚港夜景。码头上人山人海，都是来排队看夜景的。他们两个一度被人群冲散，好不容易在导游旗子的认领下才会合。游船久等不来，他们被挤在人群中间，变得很烦躁。那些跟他们一样来看夜景的游客，不是拖儿带女，就是携父拉母。也许是这些人刺激了老伴，她哭出了声。陆老师腾出一只手，轻轻拍打着她的背。渐渐地，她控制不住了。她开始放声大哭，一边哭一边朝陆老师大喊着："我们儿子真的死了，我们儿子真的死了……"陆老师劝都劝不住，试图抱着她的头，试图让她的头靠在自己的肩膀上。可是，老伴挣脱了他。她朝着围观的游客声嘶力竭地吼叫："我们儿子真的死了……"陆老师从没见过老伴这个样子——像个疯子。

老伴一闹,他们的身边变得宽敞了许多。她坐到了地上,哭得像个刚刚收到某个噩耗的母亲,随时有昏厥过去的可能。

那个举着他们团队旗子的导游看起来被吓住了。她用蹩脚的普通话问陆老师:"要不要 Call 白车?"陆老师从她的神情里,猜到了她要叫救护车的意思,顿时紧张起来。他拼命向导游解释。"被迫害妄想症。"这是陆老师急中生智给老伴诊断出的一种"老毛病"。"只要回家,见到儿子,病立即就好了。"陆老师以此请求导游立即终止他们的行程,并安排车把他们送回家。在匆忙的协商中,他们缴纳的参团费折成了机票费。

当他们的团友在游船上,拍下维多利亚港两岸那些巨幅的霓虹图案,并且张大嘴巴观赏了天空中长达十分钟的烟火时,陆老师和他的老伴,已经坐上了通往深圳罗湖关口的地铁。

回到家,老伴终于完全平静了。此后,她那个第一次发作的老毛病"被迫害妄想症",再也没有发作过。她在十字绣的信仰里,得到了恒定的平静。

这平静也普照着陆老师。他在露台建起了他的"绿地"。有花卉,有蔬菜,有瓜果,一派繁荣富强。春天的时候百花争艳,夏天的时候瓜果累累,秋天的时候金桂飘香,冬天的时候,一场大雪像剧终的幕布掩盖了过往,仿佛那些繁华不过是一场闹剧。

他们把自己关在了这平静里,没有人来敲他们的门。

茶凉了,陆老师为自己换了一泡新的铁观音。茶叶稍微放多了,有点涩,但香味扑鼻。他朝隔壁那个空空的阳台望过去。在那个空无一人的地方,他看到了儿子,二十四岁,血气方刚,轻松地跨过那个形同虚设的栏杆,走向了自己。

"爸,我们喝一杯?"这是陆老师每次端起酒杯都会在耳边响起的一句话。印象中,他是没跟儿子喝过酒的,就连啤酒也没喝过。

"小徐，什么时候教我翻墙？"陆老师每次见到徐梦龙，几乎都要这么问。他不见得很想学，但是他觉得这是跟那孩子的一种约定，有了这种约定，他们的关系就不仅仅是在阳台上邂逅那么偶然。

"没问题，不过得先买电脑。"徐梦龙每次都答应得很爽快。他开始是很当真的，但问得多了，他的回答变成了一种礼貌，他认为陆老师只是说说而已。对于一个老爷爷，无论他再时髦，电脑又能提供他些什么？电脑又不是保健品。

陆老师倒是真的考虑过买电脑。苹果一体机，不就是一万三千多嘛。这个世界上，他和老伴唯一的财产就是这套房子，他们死后，这套房子无人继承，所以，陆老师的习惯性思维就是把这套房子折算成钱，花销在各种用途上，比如进养老院的费用，比如生病进 ICU 的费用，比如买公墓的费用。现在，他算了一下，这房子能买下至少一百台苹果一体机，用一百台苹果一体机翻墙，按照小徐的说法，他一个八十老汉，就能一下翻到一百个人们难以去到的地方，那感觉像不像孙悟空？或许，还能看到一百个人们看不到的福利，一百个人们看不到的事情。然后呢？然后他们就可以心满意足地躺进坟墓里了吧？真好啊，真好啊。"为官的，家业凋零；富贵的，金银散尽；有恩的，死里逃生；无情的，分明报应。欠命的，命已还；欠泪的，泪已尽。冤冤相报实非轻，分离聚合皆前定。欲知命短问前生，老来富贵也真侥幸。看破的，遁入空门；痴迷的，枉送了性命。好一似食尽鸟投林，落了片白茫茫大地真干净！"这是陆老师的心经。总是在不知道什么时候，他的心里就会念起来。往往这段经一念完，他的很多念头也就绝掉了。那一百台苹果一体机也是被这段心经绝掉的。他不知道怎么跟小徐解释这些，也不可能念这段心经给他听，他跟他，隔着整整一辈人，等于隔着一道难以翻越的厚墙。

有一天，徐梦龙告诉陆老师，他的老爸将要杀过来了。

"哦，爸爸来看儿子了，应当的。"

"是来查房。"徐梦龙的表情既像烦恼，又像是在笑。

除了阳台之外，陆老师没看过小徐的房间。他想象过。凌乱的单人床，凌乱的书桌，墙上贴着一些画和人像，也许还在那面紧靠着床的墙上，用铅笔抄着一些诗句。他是按照儿子从前的房间去想象的。

"老爸就是想来看看我女朋友，跟他解释多少遍了，我们才刚认识几个月，他非要那么当真，切，真是的……"

"那姑娘人不错吧？"

"你见过？"徐梦龙感兴趣地问。

"我猜的……总是不会错吧。"陆老师有点窘。他只听到过她，并且看到过——那鼓鼓的胸罩和薄薄的短裤。

"嗯，还不算很了解，早着呢。"徐梦龙似乎真的拿不准。自从老爸知道他跟一个女孩子结伴旅游，每次打电话都会问起那女孩。他甚至还对他上起了伦理教育课。择偶的要素、婚姻的准则、伴侣对事业的影响等等，绕来绕去，他知道，老爸无非是怕自己年轻无知，做出了男人要负责的事情来。

徐梦龙一贯认为，老爸之所以成就不了大事业，不能成为他老板这样的人物，最致命的弱点就在于胆小怕事。从徐梦龙有记忆开始，他们家但凡有窗户的地方都装上了铁栏杆，栏杆之间的缝隙，仅仅比拳头大一点，总之，谁的脑袋都伸不出去，当然也伸不进来。记得小时候有一次家里没人，他搬张小凳子站到窗边，东蹭西蹭，试图把脑袋从铁栏杆伸出去，结果被卡在铁条中间，疼得嗷嗷大哭。老爸和老妈想了很多办法，准备报警请消防队员来撬栏杆，正好邻居过来帮忙，在他的脸上涂了很多肥皂水，才一点点地把他的脑袋弄回来。

很久以后，徐梦龙跟老爸聊起这件印象深刻的童年轶事。"又没有恐高症，为什么总要装那些难看的铁栏杆。"老爸理直气壮地说："开玩笑，如果没有这些，你迟早会从窗户掉到楼下。小孩子总是喜欢爬窗户的，他们总是迫不及待地要到外面的世界去。"不过，徐梦龙并不相信，事实上，直到他长大成人，那些难看的铁栏杆都没拆掉，他只是判断出，老爸是个强烈缺乏安全感的男人。无论徐梦龙做什么，只要没跟他商量过，他就会狠狠地抛出一句话："你要想清楚，做稳妥，不然，后果自负。"仿佛这个世界上，后果是人人都会吃到的毒果子，而他就是曾经中毒的那个人。

徐梦龙很多次用语言甚至行动反驳过老爸，后果并不可怕，因为后果的前面还有很多——如果。他想过建一个"逆袭网"，专门替那些失败者寻找逆袭的路径和机会，既然这个世界上有那么多吃了"后果"的失败者，那么就必须有个生产"如果"的"逆袭网"，就像世界上因为有那么多购物狂，淘宝网才得以壮大，芝麻是因为欲望而开门的，阿里巴巴并不是神话。他并不是在空想，这是他青年时期的理想和目标，他要积攒资源，好比积攒第一桶金。他设想过很多，他还想到，等到自己的"逆袭网"做大做强，他会带着多多的钱去感谢老爸，感谢他那些关于后果的话给了他灵感与动力，嘿嘿，到那个时候，老爸不知道是会气急败坏，还是会恼羞成怒？想到老爸那时的表情，他有一种报仇般的快意，他甚至笑了出来，仿佛这事已经做成了。

那幅宽大的天女散花图在阳台上晾起的时候，老伴宣布完工了。

洗掉画图的痕迹之后，布面上只剩下老伴一针一线绣上去的色彩。身材曼妙的天女端着锦簇的花篮，她的裙子上、头发上都是花，而她的身边、脚下，还是花。"正好五十朵，不多不少。"老伴观赏着自己的作品，有点满足的感觉。阳光正穿过那些密密的针脚，五十朵花就在布面上浮突了出来。

"比我种的花鲜艳多了。"陆老师不知道老伴怎么能绣出这么复杂的东西。

"假的花当然要鲜艳才好看。"老伴对陆老师种的花从来并不怎么上心，她似乎喜欢假花多一些，"假的花永远不会凋谢。"老伴提醒陆老师，"还记得我们以前一起看过的电影？《永不凋谢的玫瑰》。"

陆老师不记得那部电影的内容了，但他记得这个名字。多么遥远又多么浪漫的名字啊，如果有一朵玫瑰真的能永不凋谢该多好啊。可是现在老伴告诉他，只有假的玫瑰才能永不凋谢。他们相继活到快八十岁的时候，真话能变成真理。

"我想到那个地方看看，儿子消失的那个地方。"老伴突如其来又一个宣布，陆老师有点看不懂，就像看不懂那幅天女散花好看在哪里。"再过三天，就是我们儿子五十岁生日了。"老伴伤感地低声说。

老伴是计划好的。陆老师明白过来了。老伴是在完成一个仪式。十字绣完工的仪式，儿子五十岁生日的仪式，或许，也是他们生命中最后一次出门远行的仪式。

"三天之后，我们的儿子就五十岁了。他来到这个世界上，竟然有半个世纪了，我的天啊……"老伴默默地流着泪，但她说起话来，竟然一点不受影响。她的语调依旧那么平静，连一丝哽咽的音调都捕捉不到，仿佛那些眼泪仅仅是屋檐的滴漏。

陆老师不会忘记儿子的生日。在过去的每一年，要是老伴不提，他就在心里给儿子过生日。"爸，我们喝一杯。"这些声音就是他给儿子唱起的生日歌。相反的，他们从不会去纪念那个该死的日子，他们买回新日历的第一件事，就是把那一页撕掉。

陆老师陪着老伴流泪。事实上，这几天，他在阳台的藤椅上，背着老伴已经抹过几次眼泪，每一次，他都害怕隔壁那个男孩子会突然出现。

"去那个地方看看。"陆老师是被老伴催促着上路的，他几乎一点都没插手，一切就准备好了。这个平日里行动迟缓的老太婆，忽然变得敏捷、利索。到银行取钱，到菜市场旁边的售票点买飞机票，收拾行李包，安眠药、救心丹、降压药、降糖药、藿香正气丸这些药品被她打包到一个药袋里。她准备得那么充分，好像是去赴约。

18 号，是个不用上班的周六。陆老师照着机票日期翻到了那天的日历。他给露台上的"绿地"浇了很充分的水，在阳台上站了好一会儿，他期待能碰到隔壁的那个孩子。可是他一直没出现，或许还在睡懒觉。后来，他又坐在藤椅上，磨蹭地重新泡了一壶铁观音，直到他的老伴在卧室里喊他。

老伴从早上开始就在翻自己的衣柜。她似乎找不到合适的衣服出门。陆老师走进卧室的时候，她正裸着上半身，奇怪地向前倾斜着，陆老师都害怕她会闪了腰。很快，陆老师就明白了，那样做是为了能让那两只干瘪的乳房完整地垂挂下来，然后再将它们装起来。陆老师不记得上一次看到它们是在什么时候了。

"帮我扣上。扣很久都没扣上。"

陆老师接过那只软塌塌的胸罩，帮老伴穿进去。一左一右，正好兜起了那两只乳房。

老伴已经很多年没穿胸罩了。刚开始，她借口说自己肩周炎发作，双手无法绕到后背，后来，她干脆说那些胸罩使她白天就开始做噩梦了。平日里，隔着衣服，陆老师能看到那两只乳房垂挂下来的形状。他觉得这些形状是很残酷的。可是，当陆老师艰难地找到胸罩上那些扣子，眯着眼睛，艰难地将那几个扣子搭上的时候，他觉得那简直就是一种酷刑。

"是不是太紧了，还能呼吸吗？"

老伴站直身体，做了个深呼吸。"可以吧，就是这种感觉。"她实在已经不适应这些束缚了。她在衣柜里翻半天才翻出这只胸罩，试图自己给自己穿上，可是，她已经失去了手感，背后那几个扣眼，对她来说，比十字绣的针眼小多了。但她却执拗地要戴上它。

"你这个架势，好像是在穿一件战袍。"陆老师掂了掂老伴的乳房，试图戏弄她一下，就像年轻时候他们做过的。没料到，老伴猛地转过身，紧紧抱住了他。

"老头子，我现在很害怕。"

"怕什么？"陆老师快喘不过气来了。

"万一在那个地方，遇到我们儿子，怎么办？要是，他认不出我们了，怎么办？"老伴的身体开始战栗。

陆老师被她的战栗弄得有点紧张。他不知道怎么回答她，他甚至有点生气了，很想推开她。但他最终没那么做。他用手一点一点地揉着那皮包骨的背和肩膀，就当是那些地方的旧患导致了她的战栗。

二十五年来，陆老师已经接受了儿子的死亡，即使他们并没有亲自送走他。儿子留给他和老伴的最后一面，是他们把他送到火车站入口的时候，儿子回头朝他们微笑着挥挥手。这一幕，儿子是活着的。

"儿子在那个地方的确已经死了。"

"你亲眼看到了？你确定他们给的那个罐子里是他？"老伴颤抖得更厉害了。

"你绣花的时候难道都在想这么愚蠢的问题？"陆老师终于抑制不住自己，丢下这句话之后，愤愤然离开了卧室。

陆老师开始后悔这次出门。这个主意本来就不是他的。他懊恼地看了看隔壁，人影都没一个。他寻思着，是不是要翻过阳台，或者去敲敲隔壁的门，至少要告诉那孩子一下，他们出门去了，要过几天才回来。

11 点的时候，老伴将行李包拎到门边，提示他现在必须要出发了。

在转身离开阳台的时候，陆老师听到"哒"的一声响。他回头望向隔壁，只见一个男人，腆着大大的肚皮，站在栏杆前，正低下头点一根香烟。陆老师被这个突然出现的男人吓了一大跳，他几乎是条件反射地往房间里钻进去。站在阳台与房间的交接处，他屏起了呼吸。

"确实距离太近啦，明天我们去搬几盆金钱树来隔一下，徐梦龙，这里的花卉市场有多远？

"徐梦龙，徐梦龙，你在干什么？

"徐梦龙，你网瘾又发作啦……"

男人扯着沙哑的嗓子大呼小叫。很快，那种气急败坏的声音跟着脚步声走远了。

陆老师站在原地，一动不动。

老伴走过去，听了听，什么也没有。"谁在那里？"

"大傻逼！"陆老师呼出一口气，嘴角浮现出一种奇怪的笑，仿佛终于听出了一个熟人的声音。

表弟

表弟背着沉沉的双肩书包，那书包最里边的一层，有几张他昨天晚上偷偷从床底摸出来的游戏光碟。表弟要去上学了。表弟急匆匆地穿过小院子，就从我们家族消失了，连同他一起消失的，还有"表弟"这个词汇。

将来，如果我有孩子的话，我的孩子会指着识字卡片问我：妈咪，表弟是什么东西？我该怎么回答我的孩子呢？是啊，表弟是什么呢？表弟是最后的一个弟弟。我的孩子，既不会有兄弟姐妹，更不会有表弟表妹。我只好对我将来的孩子描画那个消失了的表弟……

表弟十六岁。他有一间贴满了海贼王和DOTA人物以及散发着正在发育气味的房间，他长得不是很帅，但也不能确定，他的喉结还在蠢蠢欲动，未来还没有结出他想要的形状。表弟心里有个英雄，他不止一次跟我说，表姐，雷克萨是个了不起的斗士耶。DOTA勇士雷克萨的漫画就挂他的床头，他日夜都想拥有他的技能。可是我从心里认为表弟不可能成为英雄。我清楚地记得，小时候他的手被割破了一个口，他就举着那只包扎得很漂亮的手指，到我们家每个人面前说，爷爷，疼！奶奶，疼！姑妈，疼！姑父，疼！……等所有的人都疼完他了，他才坐到小板凳上，看书，那只包扎得很漂亮的手指一直高高翘起，骄傲得像个穿裙子的公主。

这么多年来，表弟就是我们家的公主，万千宠爱在一身。就连我，也以与他争宠为耻。

说起来，我也是宠表弟的，我唯一的弟弟，没有他，我孤单得想发疯。暑假，我躺在床上看蜡笔小新，表弟趁外婆打盹的时候，一路扶着墙壁，笨笨地推开我的房门，跌跌撞撞地攀到我的床沿，嘴巴里吐出几个单词，口水就顺着嘴角流到了床单上。我把他当成一只小宠物狗，一下子把他从床下提了上来，抱他，亲他，揉他，搔他。我把磕好的瓜子仁放到我的舌尖上，让他像只小狗一样用舌头舔走。他那个时候真的好好玩呀。他不到两岁，我快八岁了。外婆听到从我房间里传出来的笑声，生怕我把公主弄坏了，扯着嗓子边喊边跑过来——妹妹，不要碰表弟啊，他脑笋还没长全哪……话音未落，表弟已经从我的怀里被夺走了。被夺走的表弟开始不服气地哭闹。表弟哪里知道，对付小孩的哭闹是大人的才艺，他们将孩子的哭和闹一贯地视为撒娇，他们最喜欢看到孩子撒娇，孩子一撒娇，他们就觉得自己是个强者，他们可以开出任何条件来满足孩子。就像一次次阔绰地付钱，并响亮地说道——说出来吧，你想要什么？那么，表弟想要什么？他想要跟孩子待在一起，不想待在大人的怀里。即使他在我这里得不到呵护和溺爱，可他依然想要跟我在一起，我们是两姐弟。事实证明，他很多次逃离外婆的监管，艰难地一路扶着墙，艰难地推开我的房门，直走到我的床边，嘴巴里那几个单词说多几遍后，我终于听明白了——别关门先！

在我们前后脚地长大的过程中，我先朝表弟关上了门。

我在终日紧闭的卧室门里，慢火煎鱼般难过地完成了我的青春期。那段日子，我看到家里的谁都嫌烦，最向往的就是自由，盼着早日离开家。表弟放学回来，总是欢乐得像只小公鸡："奶奶，奶奶，奶奶奶奶奶奶，奶奶……"他喜欢用各种歌曲来喊门，有的时候是周杰伦，有的时候是张韶涵，有的时候还是升旗国歌。我听到他那样叫门，总会觉得他很可怜，同时也很鄙视他——这个还没断奶的小屁孩，竟然那么恋家，可悲啊！后来，我考上大学，彻底自由了，偶尔回家住，有几回，碰到表弟放学回家。他一声不吭地开了门，像个幽灵般踅进自己房间，逢到大人撞见他，并扯起嗓子喊："阿弟，出来喝橙汁啊，奶奶刚榨好的！"他就瓮声瓮气不耐烦地应了一声，大人又喊，喊不应，干脆跑到他的房间里去找，他烦躁地嚷了一句——过会儿！随即表弟的房门"砰"地关上了。我从心里偷笑，表弟终于在长了。他把自己关在房间里，像条蛇一样，慢慢地独自蜕变。就跟我那些年一样。

我舅妈忧心忡忡地对我妈说，小亮是不是长得太快了？总是关着房门，也不爱跟我们交流，十几岁就有秘密了，我都不晓得他现在心里到底在想什么了。

事实上，表弟有什么秘密？他整副心思都在抓紧时间享受自己的欢乐时光。玩游戏，跟女同学网上聊天，并装得很内行地跟男同学谈生理问题。这些，只要我进到他的 QQ 空间或者上他的微博，不消一会儿就能全掌握到了。不过我对表弟那些秘密一点兴趣都没有，那个年纪的我，只谈隐私。我想表弟是没有隐私的，他只有秘密。有一次，他很神秘地打开门让我进他房间，让我看他手机上的照片——那上边有一群穿校服的女同学，有说有笑。我问他，是哪一个？他腼腆地用手指点了一下那个侧着脸的女同学。表弟的眼光确实不错，虽然看不到整张脸，但就凭她高高的鼻子和白白的皮肤，我就认定这个女同学能配得上我表弟，因为我一贯认为表弟其实长得真不怎么样，至少他不是我心中的那盘菜。

你要是告诉别人，我就跟你绝交！表弟严肃地告诫我。然后又小声地说，她还没同意当他老婆。

你猜我看着他那张脸的时候，我在想什么？我几乎忍不住要笑出来了。我在想，表弟已经发育了吗？表弟懂得怎么做爱吗？小屁孩而已！

我那时已经二十岁了，我已经尝到了性的快乐。想到性，我的脸会立即红。我强忍住笑，装作很负责任地对他说，放心吧，这是我们之间的秘密。

要是表弟当时知道我这些心理活动，他肯定会被气哭的。我太有数了。表弟受不得半点的屈辱，从小到大都会被些芝麻大的屈辱气哭。眼泪几乎就是表弟的绝招和武器。

随手拈个例子说明吧。

表弟读小学四年级那年，有一天放学回家，外婆开门看到表弟眼睛红红的，后边跟着一个女人。那女人一见外婆就开口了："是杜亮的家长吧？我是他的英语老师。"外婆心下想，肯定表弟在学校犯错误了，赶忙给老师赔罪。了解后才知道，表弟把英语作业忘在家了，英语老师不相信，质疑他几句，他当场就哭了，英语老师为了息事宁人，只好说算了，下次改正就是了。谁知道表弟的哭还是没止住，硬说英语老师冤枉好人，非要她跟他回家拿作业以证明自己的清白。英语老师被表弟的哭闹缠得很没办法，只好口头答应。放学后表弟真的拦截住英语老师，硬把她领回家。作业确实是忘在家里了。英语老师坐在我家沙发上，郑重向表弟道歉，顺便向外婆投诉起表弟来。表弟太爱哭了，班上的男孩子都不太敢也不太愿意惹他。英语老师建议家长，让表弟适当参加一些竞技类的兴趣班，比如跆拳道什么的，培养坚强和勇气。后来，舅舅真的给表弟报了少年跆拳道班。看表弟穿着白色的道服，腰带一扎，嘿，顿时雄了起来。

表弟的跆拳道一招一式像模像样地练了下来。在家里，叫他表演给我们看。表弟便把一块木板拿出来，让舅舅和我爸爸两人各执一边，他穿着道服，向我们这些观众谦逊地一鞠躬，然后摆足架势，调匀呼吸。开始！只见眼前白影一晃，只听得咔嚓一声响，结束。那木板被表弟踢裂成两半。观众掌声起。我用手量了一下那木板，也有个几厘米的厚度。厉害！待我们围着表弟夸奖的时候，舅妈果然有知子之心，摸了摸表弟的头说："哇，小亮力气竟然那么大了啊，我看看，脚疼不疼啊？"几秒钟，我们便看到表弟的眼睛里噙着汪汪的泪花。"不疼，不疼，不疼……"表弟叫嚷着用手霸道地推开舅妈。我们见此情景，大气都不敢出，心想着，又一次哭闹的风暴开始了。可是，出乎意料地，表弟的眼泪竟然没有跌出眼眶，表弟这次把门守好了。舅舅为了转移话题，拍拍表弟的肩膀，对表弟说，男子汉！除了武力之外，告诉他们这帮无知之徒，还学到了什么知识呀？于是，表弟从宽宽的道服里伸出瘦小的脑袋，摇晃着给我们讲跆拳道的书面知识，就像背书一样——礼、义、廉耻、克己、忍耐……表弟一套套的还讲得不错，我们顿时觉得学费没有白交。

表弟学跆拳道那段时间，在他的房门上，用彩笔写了一句话：忍就是德，忍者睡眠中，请勿打扰……我于是给他起了个绰号：神龟。因为那个时候特别流行动漫《忍者神龟》。

跆拳道馆举行家长汇报日那天，我跟着舅舅舅妈一道去观看。我很好奇，那个踢木板都掉眼泪的表弟会表现如何？我们坐在台下找表弟。表弟混在清一色道服的队伍里，很难辨认，不过，表弟看到我们，朝我们扬扬手，我们就发现他了。表弟几乎排在最后一个，因为个子不算高，也比较瘦弱。当然，我想，还因为表弟学得不太好吧。先是群体表演，一招一式，也还蛮有气势。最后是对打表演。我们等了好久，才等到表弟出场。天啊，我的心紧张得扑通扑通跳呢，不过，看到表弟的对手是个同他体格差不多的"小豆芽"，我顿时放下了心。表弟跟对手相互鞠躬之后，前进、后退、跳换、格挡，甚至还很漂亮地来了个侧踢，小腿的弧度看着还蛮有点架势。我跟舅舅舅妈一看到表弟出招，就使劲地拍手。表弟跟他的对手配合得相当默契，就像跳双人舞一样，动作看起来有一些专业，但又感觉不到打斗的危险。可是，就在表演就快要结束的时候，谁都没料到，表弟的步伐忽然出现了凌乱，只见对手的脚往表弟的裤裆下一伸，双手不知怎么竟能将表弟整个翻到了地上。"咕咚"一声，就算我们坐在第四排的观众席上都听得相当清楚。表弟一摔，舅妈跟我都喊了出来。表弟躺在地上，大约十多秒后，便干净利索地几乎是弹跳着起了身，眼睛盯着对手，腰一弯，鞠躬。对手见状，也朝表弟鞠躬。两人下台了。

我想，表弟下台的时候，肯定眼中又噙着两包泪了，那么响，摔得该有多疼啊。

我们在后台找到了换好衣服的表弟。舅妈紧张地去察看表弟有没有摔伤。其实，不用刻意去看，我们已经看到表弟的脑门上，有一个逐渐隆起的小青包了。没想到，表弟出乎意料地平静，压根就没有提被摔的事。回家的路上，舅妈一个劲地问他疼不疼，表弟只是摇头不吭声，情绪低落。

到家之后，我们在客厅里吃水果，表弟喝可乐。舅舅坐在沙发上，放松地跟表弟聊起刚才的表演。

"呃，我觉得，你们对打得很流畅啊，够默契的啊。"

"那当然，我俩已经配合了一个月了。"表弟终于开口说话了。

"哦，难怪。那么，那些对打的动作是设计好了的？"

"是呀，按照设计好的动作去练的。"

"那为什么你被他摔了，他没被你摔呢？这也太不公平了吧！"我很不忿地插了一句。

这句话简直就像一把火，把表弟的愤怒和委屈点着了。没一会儿工夫，他的眼泪就夺眶而出。

表弟哭得好伤心啊。一家人于是围着表弟，"救火"。

我像个犯了罪的人，呆在一边。

肉体的疼痛，再加上精神的屈辱，使表弟大哭了一场。他泣不成声地控诉起那个"小豆芽"。原来，那几个动作不是设计练习好的，而是那"小豆芽"为了炫耀自己的功夫，临时加上去的，表弟被打个措手不及。

不带那么欺负人的啊，这个小龟孙！我愤怒地大骂起那个不知道姓名的"小豆芽"来！那时候，我已经念高中了，路见不平，拔刀相助的血气已经开始聚集在我体内，逐渐形成我自己的小宇宙，无论是班级上还是社会上的不公平事，我都喜欢干预。当然，干预的方式无非就是骂人，凶恶地骂人，直骂得自己感觉舒服了才完事。回想起来，那时候的火气跟血气就像隔三岔五地爆出来的青春痘般寻常。我甚至用粗口骂起了那个"小豆芽"。

表弟终于平息下来了，也不再抗拒舅妈用红花油去搽脑门上那个淤青的小包了。

最终，舅舅用一番具有理性的话结束了这场风波。他说："小亮，你已经十岁了，应该知道，这个社会上并不是人人都会像家里人那样对你好，更多的人是为了达到目的而不惜一切手段向你出狠招，对于这些不按照牌理出牌的人呢，你只有敬而远之，不跟他们玩了。所以嘛，我觉得你今天在台上表现得非常优秀，摔倒了，迅速爬起来，向对方鞠

躬，不跟你玩了！你不是说过嘛，你们跆拳道精神强调忍，忍是什么
来着？"

"忍就是德。"表弟认真地接了上去。

"对啊，小亮今天真是很有绅士风度啊！"舅妈也趁机附和。

我们也跟着附和。最后，我爸爸为了祝贺表弟演出成功，并且成为
一个真正的绅士，请全家出去吃表弟最喜欢的必胜客。

看起来，表弟似乎已经忘记了刚才的屈辱，又欢天喜地了。

跆拳道是没再继续练下去了，那根曾经使表弟很雄的腰带，早被我
外婆拿去改装成一件猫咪穿的小衣服了。而那件白得发光的道服变成了
一件纪念品：多年后，我舅妈从箱子里忽然翻到它，哭了又哭，我的表
弟曾经那么小，他真的来过这个世界上啊。那件道服跟表弟那些玩具一
起，又构成了表弟的整个世界，只是，表弟待在这个世界里，比表弟待
在他的游戏世界里还要——虚幻。

表弟像所有那个年龄的孩子一样，喜欢玩游戏。他坐在电脑桌前，
头戴耳机，目光像雷达一样敏捷，手按键盘则像个专注的钢琴大师。我
现在还坚持地认为，表弟玩游戏的时候是最酷的，隔着屏幕朝那些看不
见的联机对手发号施令吹响集结号的时候，表弟简直就像个大人物了。

DOTA 里的人物有很多个，他们远比表弟现实中的朋友还多，我
永远都搞不清楚他们谁是谁，谁跟谁是什么关系，表弟却了如指掌，仿
佛他们就是表弟的亲戚好友，有的，还是表弟的仆人下属。据表弟自己
说，他在 DOTA 里级别已经很高了，手下也有那么几个喽啰，比方说
屠夫、黑暗游侠、炼金术士、法师那几个，我见过他们，他们其实就是
表弟同校不同班的几个学生，周末一大清早，他们就轮番打电话给我表
弟，定时请安似的，其实是在催促表弟早点上线开战。可是，表弟什

么时候得以开战却完全不以他们的意志所决定，也不由表弟的意志所决定，而在于舅舅舅妈。为了限制表弟的上网时间，周末的网络交通管制时间向来是很严格的。所以，一伺"限行"结束，网络信号刚开始冒出那么几格，表弟便一溜烟窜进自己房间，联机，开战。一分钟前还是一片深渊的屏幕马上变成了一个杀气腾腾的江湖，表弟在里边笑傲。

我不明白表弟为什么玩得那么带劲，顶着被舅舅舅妈骂得狗血淋头的屈辱也不足惜。再大的江湖，不过就是几个手指的摁来拨去，不过就是几个键盘格子的跳来跃去？还没有跆拳道看得过瘾呢。

有几次，表弟允许我在他旁边观战，我看得索然无味，这是表弟主宰的世界，我一点也融入不进去。不过，表弟在我无心观战准备离开的时候，说了一句话，让我对表弟的世界有了些理解。他用鼠标点着屏幕上一个丑陋的怪人说，表姐，你看，这是黑暗游侠，他把双臂弯成了弓，他的血液就是箭，他为了你，背叛了世界和信仰，才成为黑暗游侠，他愿意为你颠覆整个世界，只为了摆正你的倒影！

天，我顿时对这个丑陋的黑暗游侠好感得不得了，要知道，他这句话，把我多愁善感的心肝都揉碎了，要是，要是，我喜欢的那个人，也会如此霸气侧漏地对我来上这么一句，我，我，我，死了都愿意啊！

原来游戏里也藏着揪心的爱恨情仇呢！

离开表弟，掩上表弟的房门，看到表弟赤着瘦瘦的尚未发育的上半身，坐在电脑前，台灯兀自将表弟的影子拉到了墙角落，我觉得，表弟多么寂寞啊，电脑里的热闹，跟他半点关系都没有。现实如此乏味，不如归去……

表弟好歹在游戏里获得了些能量，这些能量有的时候比荷尔蒙更加旺盛。

有一天，表弟竟然自以为是地以他心目中的雷克萨英雄的身份，把屠夫、混沌骑士、法师几个人，约到了学校后边的街心花园里。他们都把这次格斗看成英雄会。

对手还没出现之前，他们互相检查了一下自己的武器，说起来有些失望，不过是几件常用的皮带、棍子、小刀……不过，他们却对即将到来的战斗雄心勃勃，仿佛他们相信自身的能量，可以使这些平常的武器舞动起来，都能像哈利·波特骑的扫帚一样，充满了魔力。

那个娃娃胖还没有完全消退的屠夫，从头到尾都在念着 DOTA 里的那句台词——Fresh Meat！嘴里还不时地打着可口可乐呛人的嗝。混沌骑士在里边是最内向的一个，也是最英俊的一个，他正在扯条的身材已经让人想见，他有一米八五的前途。他几乎不跟其他人说话，似乎完全沉浸在自己的世界里，所经历的一切光荣和失败，只能换得他在心里冷冷的一句——Perfect！最没有特点的就是那个法师了，他简直败坏了这个充满幻想和法力的称呼，他平常得就像个品学兼优的班长，他是最让我表弟担忧的一个，既无特点也无特长。不过，人多力量大，作为召集人表弟，他对即将到来的决斗，其实挺没底的。这些兄弟听到老大的老婆被人撬了，游戏打得肾上腺激素狂飙之际，约好到这儿给老大出口恶气，表弟的万丈激情便被撩拨了起来。

老婆，其实是表弟自己一厢情愿喊喊罢了。他的确喜欢那女同学很长时间了，可人家只当他普通朋友。最近，隔壁班的秦子文跟那女同学走得特别密切，好几次还约着放学一起乘车回家。表弟认为，秦子文人品太差了，表弟最痛恨人品差的人，他觉得那女同学肯定会被他骗走。为什么？因为秦子文家里有钱，勉强属于富二代，他平时上学放学都打出租，因为要追那女同学才故意乘公交的。表弟反复地说，许茵肯定会被秦子文骗走。

以上这些情况，是在那场失败的决斗过后我才了解到的。要是早知道，我一定会挺身而出，果断阻挠表弟。这是一场还没开始就注定失败的斗争。表弟既没有武力也没有财力，就凭他在 DOTA 里的地位有个屁用？

事实证明，表弟他们被秦子文用钱雇来的三个彪悍打手吓都吓傻了，还没到一个回合，纷纷缴械投降。作为惩罚，表弟他们被几个打手小小地揍了一顿，没造成流血事件。可是，表弟他们挨揍的视频却在同学的微博之间到处流传。有图有真相——那个下午，街心花园里，屠夫、混沌骑士、法师以及我表弟，被打得无力招架，像几只瘟头鸡。刚开始，屠夫还扬着一张不服的脸迎接拳头，没几下，就只有用手臂格挡住头脸的份了；那个帅帅的混沌骑士简直徒有其表，被扇了一耳光之后，耷拉着脑袋任由他人推搡；表弟似乎因为肚子挨了一个重拳，脸色苍白，弯腰抱肚，仔细看，眼中似乎隐着泪光了……

简直惨不忍睹！当我看到这段时长达七分钟的视频时，我才深刻体会到鲁迅在书本上说的那句"哀其不幸，怒其不争"的伤心。哪个女生看到了这段视频，都不会去爱上其中的任何一个的！绝不！

表弟恨死了那个秦子文，并不完全因为他们被打败了，更重要的是，他们根本不知道，在他们遭受凌辱的时候，这个秦子文竟然用手机全程拍了下来，并且放到了网上。太丢人啦！表弟的自尊严重受伤。

这起发生在街心花园的七分钟事件，升格为学校里的一起恶性事件。"严重败坏了我们二十三中学的名誉，后果非常恶劣！"校长在高音喇叭里愤怒地喊。

表弟一伙人连同秦子文都被学校记过处分。彻底打败表弟的是，那个女同学见了表弟，连一眼都不愿看他了，即使有时候目光不小心碰到了，也转瞬便放出了蔑视的内容。

唉，现实如此烂摊子，表弟不如归去，归往哪里？还有哪里？表弟从此将爱恨情仇统统放进了 DOTA 里，变本加厉地 DOTA。

看着表弟日益沉溺于网游，我们一大家子都深深地感到担忧。舅舅有一次还动用了暴力。从小到大，表弟挨揍不多，主要是因为，往往舅舅的拳头还没有砸下来，表弟的哭声就已经响起来了。哭便是知罪，知罪了就饶。实际上，这么个柔软的小家伙，谁忍心揍他？那天舅舅实在气得不行了，从表弟房间里，搜缴了他所有的游戏光碟、耳机、路由器，乒乒乓乓一阵闹腾，表弟都没吭气，直到舅舅最后将表弟的电脑显示屏拆下来，准备拖走的时候，表弟飞身而起，跟舅舅扭抢了起来——显示屏可是表弟世界的藏身之处啊。舅舅终于被表弟这个反抗激怒了，他放下显示屏，开始对表弟拳脚相加。

表弟这次却没有哭，一滴眼泪也没有。仿佛雷克萨的能量发挥了作用，附身于表弟。表弟绷住脸，任凭舅舅打，一点也不知道疼痛。他那一脸坚毅的样子，猛然让人想起了他练跆拳道时总挂在嘴边的那句话——忍就是德。没错，表弟终于练成了忍德，我对表弟的敬意油然而生，瞬间觉得他长成男人了，虽然其时表弟也就刚满十六岁。

可是，面对表弟此种忍德，全家人逐渐感到了可怕。游戏这个魔鬼终于把我们家的小公主也变成了一个魔鬼，他不怕疼痛不怕惩罚，对什么都无所谓，烈士般大义凛然。实际上，表弟并非成为烈士，也并未修炼到了什么忍德，骨子里支撑他的是游戏里那股子杀人不眨眼的冷血，是逃到河对岸与现实遥遥相厌的冷漠。太可怕了。你只要看到被收缴了电脑显示屏后表弟看我们的那种目光，你就会知道，雷克萨的负能量压倒了正能量，厌恶和冷漠是表弟射向我们的每颗子弹。

我投降了。跟大人的宠爱不同的是，我对表弟有着友谊和理解。我会偷偷塞钱给表弟，让他在放学回家的路上，到网吧去过把瘾，我甚至会让表弟到我男朋友家的电脑玩。只有在电脑前，表弟才会跟我们、跟这个世界和解，表弟才有血有肉。

"表姐，你知道吗，我现在唯一的渴望就是——快点成年，成年了就可以玩通宵 DOTA，可以联机七七四十九天也没人管了。"

表弟恨不得明天成年。

在他这个年纪，我也渴望成年，渴望早点可以自己挣钱买漂亮衣服和包包，渴望跟男朋友过二人世界。我清晰地体会到，成长必定带着渴望的尾巴，就像希望必定带着绝望，爱必定带着美和伤害。这些，都需要我们有足够的耐心、克己、忍德，像乌龟爬山坡一样，游戏里那样的一刻千里、一键夺命的速度，绝对不适用于成长。

表弟去上学的那天清晨运气很好，一上 261 路公交车，就逮到了一个空位，简直百年难遇，顿时心下一阵窃喜。他一落座，就把沉甸甸的书包解放在大腿上，头枕着车窗。春天的朝阳透过玻璃抚摸着表弟的脑袋，表弟少有地感受到了现实生活给予他的新鲜和喜悦，他看着窗外晃动的树木和楼房，没一刻工夫，眼皮就耷拉下来了。表弟半睡半醒，一直坐到了解放路站，才迷糊地站起来，下车。

这个清晨，除了表弟的运气之外，跟过去的那些上学的清晨一点区别都没有。直到课间休息，表弟才感受到了这个清晨原来如此异常，充满了煞气。在 10 点钟的微博热帖上，一张标题为"装睡哥竟对七十岁阿婆无动于衷"的照片在各网站上转热了，"装睡哥"一时红遍网络。那张照片上，表弟穿着绿色的二十三中校服，头靠在玻璃窗上，眼皮闭合着，他的椅子旁站着一位满头白发的阿婆，一手扶着椅子，一手拎着一个包，背上还背着一个包。表弟青翠的绿校服和阿婆满头银色的白发，形成了极其鲜明的一老一少的对比。

"装睡哥"几乎遭到全民辱骂。你知道的，网络上的辱骂经常像咬人的野兽般凶猛。要是骂别人，我会觉得太痛快了，甚至也加入到里边骂骂，发泄发泄。可是，那人是我的表弟，我到现在连复述给你们听的勇气都没有。

表弟在自己的手机上看见了自己。没错，是自己，他当时还在心底里庆祝过自己的好运。怎么会变成这样子？好运怎么会变成厄运？

那么，表弟看到了这个满头白发的阿婆了么？当校长这样问他的时候，表弟心虚了。他看到了么？依稀仿佛好像……表弟说违心话了。

你真的睡着了？

呃，好像是睡着了。

那么你坐过站了？

没，没有。

那么说明你脑子还清醒？

……

表弟辩无可辩了，不知道道理怎么说，只能心虚地忍耐着校长的痛斥，最后被校长骂得连抬头的勇气也没有。

实际上，那阿婆刚一上车，他就用余光瞄到了她。她是在白仙湖站上的车。这个站，可以称为老人站。表弟每天早上乘车到这个站，势必会拥上来一大群精神矍铄的老头儿老太，他们晨运结束之后，一顺脚，跨上公交，随即一声声"老人免费卡"的电子音此起彼伏，接着就会机械地响起："请您为有需要的老、幼、病、残、孕妇以及怀抱婴儿者让座"……他们心安理得地坐在年轻人为他们让出来的座位上，相互交谈着该坐到哪站下车，该到哪个菜场买菜比较便宜，该到哪个医院做针灸人又少做得又好……他们跟我的外公外婆一样，享受着老的待遇和生命剩余下来的无聊时光。而那些站在他们身边赶上班或上学的人，满腹心事，面对新一天的新任务正踌躇不已，他们要站十多站甚至二十站路，他们将以疲倦的站姿迎接新一天的战斗。

我的表弟实在太想坐这个位置了，或许他的书包太沉，或许他昨晚没睡好，他喜欢的那个女孩在梦里遗作一摊冰凉弄醒了表弟后又无情地消失了，让表弟从后半夜懊恼到了天明，或许表弟认为阿婆根本不需要让座，因为她跟我那七十二岁的外婆一样，筋骨活络，气血畅通，没事补钙补肾腿好腰好，她背上那把漂亮的剑可以做证：红红的缨子精神地流露出来，仿佛在宣告世人——她一点都不输给年轻人，她一点都不少于雷克萨的能量呢……这些，表弟该怎么跟校长说起？

校长审问表弟时，他答案只有：A.不是故意不让座；B.是故意不让座。

表弟的表情，选的是 B。

"八荣八耻，回去给我抄一千遍。"校长对表弟上次那七分钟视频还耿耿于怀，这次又闹出这么有损校格的事情来，并且比上次还恶劣，造成了很不良的社会影响。校长终于对表弟失去了耐心，他把表弟赶出了校长室。

表弟从校长办公室出来，一路回到自己的教室。走廊的夹道上，站满了欢迎"装睡哥"的学生。

欢迎，装睡哥归来！

表弟的脸皮再厚，也能感到沾着耻毒的箭直射向自己，躲避之不及。

有一个人，朝表弟迎面走来，竟是那个女孩子，那个在梦里把自己折腾得疲惫不堪的女孩子。表弟一阵烘热，像被燃烧了脸皮。这一次，那女孩并没有躲避他的目光，而是逼视着他，那眼神，白痴都能看出，是嫌恶。

　　表弟在这样的眼神底下走完了自己人生的最后几步。他连自己也嫌恶自己了。他热血一涌，小跑至走廊尽头，一手撑栏杆，轻身一跃，毫不费力地，模仿雷克萨扑敌的那一次跃动，表弟从没学得那么像，从没如此果断勇敢，从没如此王者风范……

　　现实如此糟糕，不如归去……

　　表弟离开人世，他在我们生活的一摊死水里，只剩下了一个逐渐模糊的倒影。我们如在游戏般虚幻。外婆常常在梦里捉到了表弟的手，外婆说，小亮的手比我的还暖和，健康得像头小牛牯；已经开始老年痴呆的外公，但凡在大街上遇见乡下人用箩筐卖鸡，总是要问：阉过的吗？阉过的吗？要是人家告诉他，没阉过的，还小呢，他一定会买回来，吩咐外婆好好去炖，他说，小亮还没变声，多吃小公鸡，嗓子变得响亮响亮的；我那可怜的舅舅，一夜掉光了头发，再长出新的头发来，竟全是白的，仿佛悲伤顷刻结成了无法解冻的冰山；舅妈呢？她已经搬到表弟的房间里住下来了，她常常坐在表弟的电脑桌前，对着黑黑的显示屏发呆，眼睛一眨不眨，生怕错过表弟出现在显示屏里。我一步也不敢踏进表弟的房间了，在那一米二的儿童床上，那张卡通的被单上，躺着一个仿佛时刻准备跑出来吓人的雷克萨……

　　在我的电脑上，依旧保留着表弟最后那天的照片。他靠在玻璃窗上，闭着眼睛，春天的阳光那么新鲜地照在他的脸上。他的心情是那么好。我不断地放大表弟的脸。那个陌生的拍照者手机像素不是很高，才放大了两倍，表弟的脸就有点虚了。不过，我还是能隐约认出表弟嘴巴上那一圈细细的绒毛，它们还没有变粗变黑，它们还没有变得茂盛而执拗，它们跟表弟的人生观一样，细小得让人无法觉察。

　　我时常回想起跟表弟小时候一起玩的那些游戏，不是电脑上的那些，是那些幼稚的生活游戏。表弟奶声奶气地说，表姐，我们来玩反义词游戏。

"我不是杜亮——的反义词。"我就接上"的反义词"，表弟再接上"的反义词"……必须一口气接下去，谁都不许换气，谁先断谁先输。表弟总是输给我，"的反义词"这句话，一直牢牢地掌握在我的口中。只有这样，任何次反义词都失去了意义，最终整个句子总会归为"我不是杜亮——的反义词——的反义词"，最终输得气喘吁吁的表弟一声怪叫，跑开了，边跑边笑着，直笑得筋疲力尽游戏才算玩完。每次都是这样，表弟这个笨蛋，从来不晓得修改题目，不晓得一开始就开出"我是杜亮——的反义词"。

不过，表弟也有赢我的时候。

"表姐，我们来玩争上游！"于是，表弟认真地发牌，理牌。因为手太小了，表弟理牌通常都很慢。我一手好牌，先出。一只大鬼，要不要？一个炸弹，要不要？一只小鬼，要不要？三个皮蛋带一双四，要不要……稀哩哗啦，表弟还没反应过来，我手上的牌就出光了。表弟很不解，眼睛眨巴两下，看看我，再看看自己手上歪歪斜斜的牌，眼睛再眨巴两下，嘴巴一扁，嘹亮的哭声就像军号，把正在外屋忙碌的大人们集结了过来。我落荒而逃。隔着房门，我还能听到表弟杀猪一般的哭嚎——表姐欺负我，呜呜呜，我的牌都还没理好啊，啊啊啊……大人便是一阵息事宁人地安慰：表姐那么坏啊，我等下拿鞋板来拍她……

我顿时从赢者变成输家。表弟自有爱护他的人主持公道。

可是现在，表弟不玩了。表弟的牌还没理好，就离开生活这个大赌局了。这是个由无数对互为反义词的词组构成的无数次赌局：胜利和失败、强者和弱者、笑和哭、富裕与贫穷、光荣和耻辱、忍耐和爆发、对和错、开始和结束……表弟说——我不跟你玩了！

勾肩搭背

刘嘉诚一连好多天都在白马转悠，三十出头的男人了，还像个害春的馋猫一样，急吼吼地找一个女人。白马的熟客也没问他干吗找樊花那么急，还能有什么事情？不用问都知道，樊花欠人刘嘉诚了，欠多少？他们猜肯定不会少于五位数。

一个女人欠了一个男人的钱，后果大概不会那么严重，女人嘛，嗲一嗲，电一电，男人半推半就着，也就宽限了。所以白马里的熟客也不打紧，眼看着刘嘉诚猴急的样子，还不时撩他说话，搬把椅子在档口前让刘嘉诚坐下来，更熟一些的，掏出包烟给刘嘉诚定定神，也不去问刘嘉诚到底樊花欠他多少钱，都是做生意的人，知道什么都可以谈，就是不能彼此谈钱，就算谈了，数目也不可能是真的。

刘嘉诚沉默地坐在那里，各种拿着大包小包货版的衣贩擦过他，挤过他，撞过他，他好像都没有感觉的，眼光只是扫描着人群里，男人女人，长发短发，污七八糟的各种颜色的头发在他的眼里就好像一块块抹布一样，擦着他死命睁大的眼睛，他躲都躲不过。他要找那把火红的头发，短的头发。这把头发，化成灰刘嘉诚都能认得出来。

当初刘嘉诚第一眼看到樊花的时候，不仅对那头火红的乱发反感，而且更对那头发散出来的刺鼻的洗发水味道反感，可是很快，刘嘉诚就被樊花收服了，不为什么，就因为樊花有一张甜美的嘴巴，小的嘴巴，白的牙齿，糯糯的话，如果刘嘉诚没有记错的话，生平第一次有人喊他"靓仔"，不是谁，就是这个他在人群里拼命要找的樊花。

"靓仔！"

刘嘉诚仿佛打了个激灵，是樊花？他猛然回过头，人群里一个女孩辛苦地扯着两个大蛇皮袋子，一边朝他微笑，一边逆着人流向他游过来。是那个河南女孩，他和樊花的一个老熟客，拿货的时候在白马认识的。自从樊花第一次喊开刘嘉诚"靓仔"后，就开始有人经常这样喊他了。仿佛是刘嘉诚遇到樊花后就立刻长好了，变得靓起来了。当然不是啦，刘嘉诚来广州以后，除了学会穿衣服之外，既没化妆也没整容，还是跟过去在小县城晃悠时的样子一样，眼睛小小，眉毛粗粗，鼻子挺挺，嘴巴大大，一笑，五官全都向两边散开。去年刘嘉诚回老家过年，也没有人说他长好了，只是说他——洋气了！

洋气就会靓起来啊。

樊花经常拎着衣服的货版，对那些从各个小地方来进货的衣贩说，这个款式现在香港最流行啦，穿在身上，很摩登的，洋气啊，洋气就会靓啊！你这么有眼光的人，绝对没问题的啦！

那个河南女孩好不容易挨近了他的身边，将两大袋鼓鼓囊囊的衣服一股脑顿在地上，就站着等待刘嘉诚的反应。刘嘉诚一贯的反应应该是这样的——

一边伸出长长的一只手圈住女孩的肩膀，一边咧开大大的嘴巴，让五官迅速地扩散到两边，然后说，亲爱的靓女，辛苦了！哟，怎么几天没见你又漂亮了那么多，是不是想我想的？我可想死你了，都想瘦了，这不，你看你看。接着拿起女孩的手放在自己的胳膊上、脸上掂一掂。最后，女孩肯定会很受用地笑眯眯了。

这就是"刘嘉诚式"的寒暄。

河南女孩俯下身像看个怪物似的看着坐在那里的矮矮的刘嘉诚。刘嘉诚只是朝上翻眼看了看她。女孩注意到刘嘉诚，这回是真瘦了，五官在瘦长的脸上，挤挤对对，怎么看怎么别扭。原来，不笑的刘嘉诚是这么，这么——丑的。

看了一会儿，她纳闷地重新拎起两个蛇皮袋，艰难地又从人群中游走了。她想，兴许这个"靓仔"折了钱，这折了钱的事情谁也帮不了谁，任他平时怎么亲爱的、心肝宝贝地喊别人也帮不了的，只有自己认倒霉。等下次来的时候，事情过去了，"靓仔"的心情自然就会好了，好了又会让她吃吃"豆腐"，跟她腻一腻了。干他们这些行当的，来来往往，见面时见，分手时分，已经没有什么感觉的了，除了因为交易的缘故，套套近乎，男男女女勾个肩搭个背假假调戏一番，至于其他事情，尤其是在这幢熙熙攘攘的白马大楼之外的事情，各自都抱着"自扫门前雪"的态度，明白着呢。

河南女孩就走了，但刘嘉诚对她在离开他眼皮后的程序了如指掌。首先，将那两大包衣服打好包，寄存到火车站，然后就在白马斜对面的"四海"快餐店吃个快餐，剩余的时间，就到北京路或者上下九路逛一逛，给自己买些便宜又新鲜的小东西或者帮朋友完成些购物的任务，熬到晚上，在超市买瓶水两盒泡面，从存包处取出两大包衣服，硬卧上哐当哐当地睡上一天一夜，到了，回到自己的服装小店开始转手卖。资金周转得快的话，十天半月后又哐当哐当地来白马了。

刘嘉诚前两年就是这么哐当哐当过来的，其中的颠簸辛苦，他当然比谁都体会深刻。可辛苦归辛苦，这白马大楼一年到头，还是那么拥挤，南来北往的。冲着每件衣服的赢利，再辛苦也有人干。樊花说过，实际上这些服装一件成本不过几十块钱，一倒两倒，等到体体面面地挂在服装店里就标了个几百块了，这年头谁也舍得买漂亮衣服穿了，粮食不重要了，衣服就重要了，为什么？人都爱美啊，尤其爱面子啊，有面子办事容易啊。你看你，靓仔，穿件洋气的衣服，跟人套个近乎也容易多了，就算不看你的脸也要看你这一身打扮啊，正儿八经地穿衣服，人也不会乱来到哪去。

樊花是刘嘉诚的生意搭档。

刚开始的时候，樊花归樊花，刘嘉诚归刘嘉诚，大家都围着这白马大楼生活，樊花是主，在白马开一档批发店批发给衣贩；刘嘉诚是客，每次来樊花的店里批发服装回湖北的老家卖。一来二往之后，樊花和刘嘉诚就成了搭档，刘嘉诚入股扩充了樊花的档，樊花负责入货，刘嘉诚负责发货。快一年了，两个人合作愉快，赚得不少，但凡南来北往拿货的衣贩都知道白马里的这对"黄金搭档"。

对于刘嘉诚来说，樊花还是本广州地理，里边不仅有公交路线图，还有饮食介绍，好吃的便宜的，她一概掌握。说起来樊花也不是地道的广州人，她老爸老妈都是东北人，因为年轻时工作调动到了广州，就在这里开枝散叶，他们家这棵广州大树的根是很浅的，仿佛只要有个什么风吹草动的，就立马会想着往东北投靠，这些年想法就更加强烈了，老两口儿退了休，每年都回东北，后来因为嫌火车站太混乱，索性就常住东北。

樊花就是这样的"混凝土儿"，血脉是外来人的血脉，水土却是广州人的水土。樊花跟那些客人说笑，人家问，樊花，樊花，你是哪儿的人？樊花就反问人家，你看我这样子，像哪儿的人？人家就对着樊花的小脸左看右看，从脸看到耳朵，上看下看，从胸部看到小腿，更有的还会凑到樊花的脸边像馋猫一样嗅着嗅着，这个时候，樊花就会咯咯地笑着将人家一把推开，推又推得拖泥带水的，推开的距离又是在双方都伸手能及的范围，那样人家就会很兴奋地说，我看出来了，你啊，是——我的人！樊花笑得更欢了，哦，才看出来啊？我以为哥哥你发财了，连你的人也不认了呢！

可以说，刘嘉诚就是这样被这个广州的樊花套上的，他当然知道樊花跟人套近乎的话，再甜再腻，也是些场面上的话，但在自己的老家却从来没人跟他说过这样好听的话，所以他头回听着就很舒服，听多了就觉得自己变得魅力无穷、高大威猛了起来，这样顺带着对白马、对广州这个城市也有了一种自尊感。于是刘嘉诚湖北和广州两个地方就跑得不亦乐乎。他不再有以前那些颠簸的心烦和无奈，每次的出发和到达都变得那么自然，甚至，每次上火车还很有心思地备了一双拖鞋，吧嗒吧嗒地串到别的旅客铺上聊天、打扑克，心安理得地把时间耗在这哐当哐当的生活里。

是的，刘嘉诚自从跟樊花成了"黄金搭档"后，生活顿时好了起来，经济上的好是最基本的收获，他已经在老家又开了一间小服装分店，正张罗着把父母住的祖屋加高两层。额外的收获就是他变得讨人喜欢了。这收获当然是很重要的，过去在家里，刘嘉诚的父亲经常就是这样告诫他，做生意跟干农活不一样，干农活手脚勤快就丰衣足食了，做生意必须嘴巴勤快才能周转灵活。父亲是个有见识的人，曾经跟爷爷到城市里做过一阵粮食生意，只是后来因为农村包围城市越来越厉害，出城市做生意的农村人越来越多，竞争不过就回了家吃谷种，打本钱给刘嘉诚开了个服装店。刘嘉诚过去的嘴巴可不像现在那么勤快，全凭自己心里的一杆闷秤拿捏自己那点小生意，做是做得过去，但是终究不那么红火。看着刘嘉诚明显的变化，父亲知道刘嘉诚遇到贵人了，闲的时候，出到档口，会问问刘嘉诚，广州那个姑娘还好哇？刘嘉诚就会滔滔不绝地跟父亲讲樊花，刚开始是讲樊花的生意，后来就讲樊花的父母，再后来就讲樊花的红头发。反正，那个姑娘在父亲听起来就好像自己人一样，特熟、特亲。

那当然，樊花跟我，谁跟谁啊？刘嘉诚在父亲面前夸张地炫耀。他现在对谁都十分习惯用这种夸张的语气说话了。父亲很高兴，男人啊，就是要夸张啊，夸张就是底气足啊。

到底谁跟谁啊？实际上，樊花跟刘嘉诚，还不就是樊花跟刘嘉诚呗！这一点，樊花和刘嘉诚心里都跟他们那本破旧潦草的入货出货账本一样。

旁边档的那个"口臭李"，暧昧地对刘嘉诚说："大概是她大姨妈来啦！"刘嘉诚可纳了闷了，就算是亲戚来了，樊花也犯不着不做生意啊？对面的阿娟听到这话马上吃吃地笑起来，一边笑一边说，口臭李，叫你做口臭李就没有错，说话可真臭啊。然后两个人都在那儿坏坏地笑。

看着这两个人，刘嘉诚虽然猜不出"大姨妈来了"是什么意思，但他感到那绝对是一句猥琐的话。别看刘嘉诚平日里喜欢跟那些姑娘打情骂俏，说些风流的话，但是猥琐的话他是从来不说的。樊花说，一个大老爷们儿，穿得周周正正的样子，说那些话就好比烂芋头——好头好脸生沙虱。一段时间里，樊花几乎是一口一口地教刘嘉诚说那些腻味的话。但凡是女客户来电话订货，樊花就在刘嘉诚的对面，逐个字地用夸张的口型提示他，樊花提示一个亲爱的，刘嘉诚就懂得对对方说，亲爱的，又在干什么坏事了？我在干什么？啥都不干，就是在想你啊；樊花嘴型动动说句你想我吗，刘嘉诚就懂得对对方说，你这个人啊，当然不会想我的啦，整天有那么多靓仔围着；如果遇到对方是个够分量的大客户，樊花就会说礼物，然后刘嘉诚就懂得对对方说，哎呀，我一直都惦记着你啊，还给你买了份礼物留着，你不来啊，我可就要亲自送过去了啊……类似这样的套话，好像都有公式似的，刘嘉诚都基本上照说，说着说着，自己就开始即兴创作了。

说到底甜言蜜语这玩意儿，基本上是给男人玩的，刘嘉诚没多久就玩得顺顺溜溜了。

记得有一次，正好刘嘉诚在广州这边，晚上要收档了，樊花的父母打电话祝她生日快乐，又问樊花今晚有什么节目。樊花说没有啊，收档了吃个甜品回家睡觉，明天要到虎门。听那边说话时，樊花用眼睛瞟了一眼对面的刘嘉诚，一点不正经地回答那边，我有我有的，只是太多了不知道找谁来陪过生日，这么老了，男人还会没有？

樊花挂了电话后，刘嘉诚对樊花说那我就帮你庆祝生日吧。樊花说，有什么好庆祝的？巴不得我老吧？刘嘉诚嘻嘻笑着过去揽住樊花的肩，为什么？难道你老了就肯嫁给我？樊花死命地推开刘嘉诚，推得老远，呸，还没喊到你的号吧？小小年纪就懂得捐队？

也就是在那个晚上，刘嘉诚才知道樊花真实的年龄，二十八岁，比自己还小四岁呢。他们在白马对面的一间西餐厅里吃点心，还要了啤酒。当小姐点上蜡烛的时候，刘嘉诚好像忽然换了个人似的，一本正经地盯着樊花的眼睛，那双亮亮的眼睛，说，你知道吗？在我四岁的时候，有一天傍晚，我在山坡上放牛，忽然看到天边有一个金色的小人飘过，就那么一下子，一下子就消失了，我傻了老半天以为什么神仙来找我了，到今天我才终于知道了，原来那就是——你出生了啊。

穿过蜡烛，樊花被刘嘉诚深情的眼光直直地盯着，同时好像也被他那席话钉在了位置上。停了几十秒钟，刘嘉诚忽然扑哧一声笑了出来，蜡烛被他的笑声笑歪了，樊花的目光也在瞬间荡开了。

怎么样？够情圣的吧？刘嘉诚恢复了以往的嘻笑。

就你这小把式就能叫情圣了？老姐我可是见滥了，一边待着去吧。樊花在烛光的那边重新捻起点心顶部那颗小小的樱桃，大口大口夸张地跟她的话一起咀嚼了起来。

后来很多次刘嘉诚见了女孩就喜欢用这个招式。樊花每次都在旁边看着女孩被哄得几乎笑倒在他怀里。刘嘉诚说这是他的原创，有版权的。

刘嘉诚是"青出于蓝胜于蓝"，这一点樊花自己嘴上不说，心里是承认的，她很快把一些重要的大客，当然主要是女的，"移交"给了刘嘉诚。拿刘嘉诚的话来说就是"交叉感染"，男的感染女的，女的感染男的。樊花经常对他又好笑又气。

或许是一连几个晚上睡得不好的缘故，刘嘉诚觉得很憋闷，白马的铺位满满当当的，只靠一个中央空调帮助几百号人呼吸，现在是秋天，冷气暖气都不开放，只是开了抽风，抽来抽去，还不都是自己刚才呼吸过的废气循环？这里边的人，那么辛苦就为一堆衣服、几张钞票在这里呼吸废气，真是自作自受。好像整个白马都欠了他刘嘉诚一样，他愤愤地走出了这座五层的大楼。白马对面就是广州的火车站，那里一年四季，一天二十四小时，好像都堆满了人，既有正儿八经的乘客，也有很多不怀好意寻找"机会"的歹人。依靠在天桥的护栏上，对着那个大钟，刘嘉诚还是难以呼吸掉自己的忿忿，操！更好像整个广州都欠了他似的。

站了半天他也不知道应该到哪儿去，只好回到杨未来的档口。二楼的杨未来是白马里跟樊花玩得最好的一个，其实说杨未来跟樊花玩得好，不外乎就是平时一起约着到虎门进进货，晚饭约着到快餐店一起吃吃快餐，甚至是歇档的时候约着到街上逛逛什么的，可要杨未来帮忙找到樊花，她也不知道上哪儿找，她连她家在哪儿都不清楚呢。樊花的手机一直是关闭状态，秘书留言台也停掉了，这样，在这个世界上，也许就只有樊花的爹娘才能找到她了。

"刘嘉诚，你是不是做了什么对不起樊花的事？"杨未来终于眨巴着眼睛问刘嘉诚。那眼睛眨巴着，仿佛是知道一些什么事情。

刘嘉诚好像听出了些苗头，立刻用双手圈住杨未来的肩膀，眼睛死死地盯着她的眼睛，装作像往常一样热情地说，未来，我的心肝宝贝，你就不要折磨我了，樊花她人呢？你知道我有多么急吗？

杨未来像打了个冷战的样子，做出一个呕吐的表情，将刘嘉诚的手拍开了。

只是杨未来比别人知道的事情确实多一些。

那个笑靥如花、妙语连珠的樊花，个头不高力气却很大，到虎门进货，就数她拎的货最大包，她说，来一趟是一趟，不好浪费了。

杨未来觉得整栋白马里，樊花最有品位，不管是进的衣服还是她自己穿的衣服都很有风格。白马这里的女人，做的服装生意基本都是些大路货，自己也就胡乱地从货版里拿起一件就套在身上，把自己也套成了大路货。可樊花却不一样。樊花的衣服虽然不多，但一件一件都是名牌。樊花曾经在跟杨未来逛街的时候说过，穷死也不要穿那么廉价的货呢，穿上便宜货自己不也就变得便宜起来了？男人啊，就是不要便宜的。

樊花曾经就这么便宜过给一个男人。

两年前，樊花死心塌地地爱上过一个"体制内"的职员。要知道，像白马这里边的女人，能找得上个捧着"铁饭碗"生活的男人，实在是幸运，即便男人在小单位里小职位上拿的薪水远远比自己挣的低，但是她们当然愿意依靠个稳当的后方，说不好哪天这白马倒了，没人爱穿这里的衣服了，也好有个靠停的地方啊。所以，这里的年轻女人除了积极攒钱以外就是积极找个"体制内"的男人。

樊花花了很多钱在那小职员身上，除了买很好看很体面的衣服打扮他之外，还经常拿着好东西上门讨好未来公婆，"倒贴，他也不要啊！"这是樊花的原话。樊花跟那个小职员睡了，每次睡都是樊花带上进口的避孕套去的。眼看着两人到谈婚论嫁的阶段了，有一天中午，没有客人，樊花下杨未来的档口聊天，无意间瞅到杨未来用来垫盒饭的当天报纸，中缝的地方，有个没有被菜汁淹没的一小块，特别干净，看了看，樊花就没声息了，愣了半天，杨未来走过去拿那小块来看，那上面登着一则征婚启事：

陈某，男，31岁，某机关职员，相貌端正，品行正派，有单位房三室一厅，欲觅品貌双修，有固定收入的温柔女性为伴。有意者请联系手机：138×××××××，面谈。

像核对六合彩号码一样，樊花拿起那个手机号码，对了一遍又一遍。最后，实在不肯相信，就求杨未来帮她打这个电话号码。

杨未来没有帮樊花打那个电话，不知道为什么，她就是害怕，也说不上害怕些什么，反正是没有打电话。

结果，樊花就一个人，除了到虎门进货，其他时间都一个人晚上待在铺里吃盒饭，喝送上门卖的海带绿豆糖水。生意倒做得特别火热。杨未来调侃说她是情场失意，商场得意，她笑了笑说，谁说的，钱就是我老公啊，天天抱着我睡！

"刘嘉诚，你老实说，是不是跟樊花那个那个什么了？"杨未来认真问。

刘嘉诚忽然觉得从来没有的尴尬，"那个那个什么"，这些调戏的话，要当起真来问问，却是那么难应付。三十二岁了，要让人家相信自己不会跟女人"那个那个什么"，死都不能够的，这好比是做生意的场一样，必须撑起来的，都是男人的场。他们经常拿刘嘉诚说笑话，说刘嘉诚只要不是在白马就是在石牌村，不是在石牌村就是在去石牌村的路上。刘嘉诚总笑着不说话，任由他们讲，不否认也不承认。三十二岁的男人，纯洁就等于谦虚，谦虚就等于虚伪，这些事情虚伪了，就不好玩了。

再说了，石牌村他当然去过的了。认识樊花之前去过，认识樊花之后也去过。只是有一次他没事又到石牌村逛，旅馆附近的那些女人不断向他暗示，当他准备去跟一个长得还不错的女人搭讪的时候，忽然看到一个男人在前边揽着一个女人的肩膀，有说有笑，那女的半真半假地生气着拿手肘去撞那男人的肋骨，从后面看那女人的身材和背影，像极了樊花。刘嘉诚心里一惊，顾不上旁边那个要来拉他的女人，跟在他们后头走了几步，才发现那女人根本不像樊花。虽然确认了但是他的心里还老觉得不舒服，从此才就再不去石牌村那种地方了。

老实讲刘嘉诚从外型上并不会喜欢樊花这款，他在家乡看上过一个女孩，是他的一个亲戚，长得很美，文静中透露一些距离出来，女孩找了个大学毕业分配回来的政府职员，每年刘嘉诚去亲戚家拜年，她都很规矩地坐在客厅里，喊刘嘉诚堂姑父，实际上女孩大概也就小刘嘉诚那么七八岁，因为是亲戚，反倒应了那句笑话——太熟，不好下手。刘嘉诚只是每年到她家看看，从她父亲那里听到些关于她结婚生小孩的消息。

当然啦，樊花也不会喜欢刘嘉诚这个型。樊花喜欢看小白脸，确切地说是喜欢比自己小的小男人。刘嘉诚很不明白樊花的这种喜好从何而来。她说，小白脸，白白嫩嫩的，多爽啊。樊花对一个经常来拿货的湖南小青年特别喜欢，每次他来，她都主动给最低的入货价给他，目不转睛地逗他，直逗得那小白脸变成了小红脸。刘嘉诚觉得那个男人根本不能叫男人，可是樊花看到他却像看到自己养的小孩一样欢喜。

至于刘嘉诚和樊花有没有"那个那个什么"，这应该是一个秘密，是他们各自要带到棺材去的一个秘密。为什么？因为那在刘嘉诚和樊花的生命里，太不应该了。

真的。

事情发生了他们俩就没有再提，但是，只要两个人守档，没生意的时候，相对着，总会觉得整个白马大楼特别狭窄，狭窄得没有任何转身的可能了，连呼吸都必须节省着用了。

其实刘嘉诚跟樊花那天到虎门入货，根本没有打算要在虎门过夜的，想着就跟平时一样，早出晚归。可是那天虎门不是举行服装节吗？举行服装节他们不就买不到票回广州吗？回不了广州不是就要在虎门过夜吗？在虎门过夜不就是要在虎门睡吗？这些问题提到这里，刘嘉诚敢打包票樊花跟他的答案是绝对一致的，可是再往下问，刘嘉诚觉得可就难说了。

那么，在虎门睡为什么要跟樊花睡呢？

是啊，为什么呢？难道因为不想再和樊花搭档做生意了么？

那天他们看了服装节的露天晚会，找了车站旁边的一间旅馆，胡乱吃些夜宵，就应该各自潦草睡去了，那样就不会有那次刻骨铭心的睡了。可是吃夜宵的时候，两人还是管不住要耍嘴皮。

刘嘉诚，你肯定经常到石牌村玩。樊花说。

石牌村那种地方？只有你才会去啊。刘嘉诚心里一虚，想起那天下午在石牌村，看到的那个女人，可那的确不是樊花啊。

紧张什么？到石牌村玩有什么稀奇的，难道你不是男人？

是男人都要到石牌村玩啊？低级！

那么说，你高级？樊花邪邪地笑着看他，满嘴是炒牛河的油星，在灯光下反着红光。

你低级？满街找小鸭？小白鸭？不知道为什么，刘嘉诚有一种挑衅。

接着两张满是油的嘴巴都停住了，只有眼睛对着眼睛。

半晌，还是刘嘉诚跟往日那样，伸过长长的手臂去圈樊花的肩膀，说，好了好了，心肝，是我满街找你，现在我终于找到你了，我们回家睡觉好不好？

不知道什么时候，那些看晚会的人全都散光了，整个车站到处扔满了广告传单，那条写着"欢迎参观虎门国际服装节"的横幅，在一天的张扬之下，闹腾累了，终于耷拉在初秋的晚风里。这个他们一周几乎出没一次的车站广场，黑黢黢、孤单单的，令他们都感到一阵寒意。

换季了！樊花随便说了一句，用手从刘嘉诚的腋窝下穿过，够不到刘嘉诚的腰，只好紧紧地扯到了刘嘉诚背上的衣服。

两个人，像情侣一样走回了旅馆。

没有喝酒，大家都很清醒，清醒着钻进了同一张被窝。钻进被窝以后，他们就一直沉默。好像都在等待一双手，摘掉他们身上多余的东西。可是那双手，只是在彼此眼睁睁地看着的天花板上吊着，怎么伸也伸不到他们的平躺的身上。

原来，做比说要难得多了。

最后，还是刘嘉诚的手笨拙地打破了沉默。

似乎刘嘉诚所有的经验在樊花身上都是无效的，无论是石牌村的，还是他湖北老家的，甚至是那些 A 片里的，统统无效。

樊花与其说是被动的，不如说是矜持，任由刘嘉诚摆布，像一个无知少女。

我其实，不太懂。刘嘉诚不知道自己为什么要这么讲，好像要掩饰着一些什么，就好像要在赤裸的身上拼命擦掉那些裸露出来泛青的文身，多糟糕的图案啊，在接近右胸的地方还刺着一个"忍"字，那是他刚出社会混的时候，贪好玩刺上去的，那时候多年轻啊，看别人都刺个"忍"字自己也就刺个"忍"字了。实际上，忍啥他也不清楚。这是刘嘉诚在樊花面前感到窘迫的地方。

也许喝了酒会做得不那么糟糕。过后刘嘉诚一直是这样反省的。

但是刘嘉诚就是想死也想不明白自己为什么要说自己不太懂，更加想不明白樊花为什么装得像个无知少女一样。

他觉得真他妈的莫名其妙。所以第二天一大早，他们两个就拎着几大包衣服回广州了。樊花坐靠窗口的位置，刘嘉诚坐外边，她的脸一直朝向窗外的公路，他几乎看不到她的脸，只是当窗子上有阴影的时候，才能从玻璃上看到樊花。

你来广州的目的不是我，我在广州的目的也不是你。不知对自己说还是对刘嘉诚说，车子一颠一颠的，可这句话却那么平稳地从玻璃上的樊花的嘴里说出来。

刘嘉诚跟樊花"那个那个什么"了不久后，樊花就谈恋爱了，对方是 518 路车的司机，樊花上下班都乘这趟车，听说以前就认识了，只是没有好上，现在好上了。

那个 518 刘嘉诚也见过，干瘦干瘦的，脸尖额窄，从第一眼开始刘嘉诚就对他没有什么好感，虽然也说不上什么，总觉得这个男人不健康，身体不健康，甚至心理也不健康。大概因为每天重复那条永远不变的线路，开门关门，关门开门，乘客从他的前门上来又从后门下去了，可他还得坐在那两平方米不到的驾驶位置上，所以养得脾气大、嗓门大。518偶尔来白马的档口坐坐，跟旁边的"口臭李"聊得特别欢，因为两个人都是广州本地的，用白话聊天，在这里是比较稀少的。每次518一见"口臭李"，就开始"丢那妈"个不停，这句脏话是他们的语气助词，无论说些开心事还是家常事，都要"丢"个不停。

518经常会带些好听的事情来听听，要不是在车上发生的，就是他在车头玻璃看出街市看到的，要不是交通车祸惨案，就是马路抢劫追杀，他的嗓门大，一讲，整条白马C区基本都能听到。他讲那天开到广园路的时候，亲眼看到那些保安狂追三个"摩托党"，眼看着就追不上了，后来保安拿出一根像水浒里梁山好汉破连环甲马阵时用的那种钩镰枪，往摩托车的轮子一甩，就钩住了车轮，"摩托党"连人带车就摔出了好几米远。厉害啊，听说后来那些"摩托党"一直就没饭开了，很多都跑回老家或者到别的省去了，广州人，就是厉害啊。后来人家就反驳518，关什么广州人的事啊？那些保安还不是从外地来打工的？广州人谁还在这里做保安？518就傻了眼了。樊花在旁边就更加起劲地嘲笑他，掐掐他的脸说，你以为就你广州人厉害啊？518就趁机去回掐樊花的屁股，耍赖地说，你厉害，就你厉害，你的屁股更厉害！于是左右都哄笑了起来，看这小两口儿"耍花枪"，像很般配的一对。

樊花对518跟对那些男客户的态度也差不了多少，照样嘻笑怒嗔，推推拉拉。当然也有不同的地方，那就是518会在轮休那天，带上两个盒饭，到档口来坐，陪樊花吃饭，边吃还边翻看着樊花放在抽屉里的那本破烂的出入货账本。只有这个时候，518才显得跟那些人不一样，是个自己人。"米饭班主"，口臭李在樊花面前都这样称呼518，樊花也总是笑嘻嘻地说，什么"米饭班主"，八字还没一撇呢，再说了，他又有什么本事养我？赚那点湿碎钱。口臭李就会讨好地说，不要在这里"晒命"了，怎么讲也是有份固定收入，三餐不用挨啊。樊花就会笑着扬扬那两根拔得很细的眉毛。

刘嘉诚最不舒服518的地方就是他喜欢翻看那本账本，陷在一堆衣服里边，舒服地靠在那里，像看小人书一样有味道地看那本账本。虽然说，这本账本根本不能说明什么，既算不出刘嘉诚和樊花的支出，也算不出刘嘉诚和樊花的收入，只是登记了衣服的型号、颜色、数量，但是，刘嘉诚就是不舒服，总觉得这个518老在那儿算计着他和樊花，当然了，主要是算计樊花。可是因为樊花从不介意518翻账本，他刘嘉诚也就没理由不给518看了。所以，几乎是518到档口坐久一些，他就要找个抽烟的借口到别的档口串门。

樊花一边跟518谈恋爱，一边还跟刘嘉诚搭档，当然还继续跟刘嘉诚耍嘴皮。至于那个晚上的事情，彼此都像失忆了一样，有的时候，刘嘉诚都会佩服起这个比自己小四岁的女人来，高手，她还是有很多值得学习的地方啊。他想起那天晚上，樊花跟他在同一张被窝里，像个少女一样矜持的样子，真是觉得很虚伪。他有时候也会想，不知道她跟518一起睡的时候，也是那个无知少女的样子么？难道她认为男人都喜欢女人在被窝里这个样子么？无论是什么样的女人？这样想着想着，他就会产生一种懊恼的情绪，还不如去石牌村。

然而，樊花跟518的恋爱，持续了大概不到四个月，518就不再出现在白马了，当然，主要是因为518也不再出现在518路车上了。

那是一个夏天的中午，广州出奇的热，地面温度接近四十度，518照样开着他的518在各个站点停停靠靠。由于乘客稀少，518懒得去摁报站的键，一个男乘客错过了自己要下的站，站在驾驶位置后，用很脏的话骂 518。刚开始 518 没有吭气，因为自己实在理亏，就由得他骂，谁知男人越骂越过瘾，骂得大汗淋漓，当然主要是骂 518 的父母祖宗辈。男人要下站的时候，518 实在忍不住也回骂了起来，车停在路中间，两个人脸红了，脖子粗了。别看 518 瘦精精，凶起来的样子也够吓人，乘客们沉默地看着他们，偶尔有些息事宁人的声音，也是几个老太太们低声的埋怨。眼看着就要动手，刚好另外一辆 518 经过，两辆 518 平行停在六车道的马路上，后边一下子就积蓄了一连串的车辆，排头几辆知情的拼命摁喇叭，吵嚷声几乎遮盖了 518 和那个男人的争吵。518 的同事冲到窗口喝停了 518，518 才把后门打开，让男人骂骂咧咧地下了车。窝着一肚子热火的 518 必须继续完成他的站点，把车开得异常凶猛，乘客把心都提到了嗓子眼上，抓紧扶手，期待着自己的目的地早早到达。可是，偏偏就在还剩下三站到达终点的时候，一个男青年兴冲冲地上车了，一上车就用屁股对准收票的电子眼蹭来蹭去，往上蹭，听不到验票的响声，接着往下一点蹭，还是听不到，往左往右，蹭了好一会儿，就是舍不得用手把放在牛仔裤屁股口袋里的磁卡拿出来照"电子眼"。男青年大概不到三十岁的模样，脸上暴满了红红的暗疮，牛仔裤把他有肉的屁股绷得紧紧的，在电子眼上蹭来蹭去的样子，十分滑稽，甚至还觉得暧昧。518 看着他在门边上蹭来蹭去，屁股的方向朝着自己，本来就窝着的火随着这个扭摆的屁股无限燃烧，二话不说"咻"地站起来，迅速冲出座位，用脚朝那个男青年的屁股狠狠地踹了一脚。

　　一个男司机和一个男乘客，在炎热的夏天的中午，在密实的 518 公共汽车上，殴打起来，无人劝架，就跟无人售票一样。等到交警赶到的时候，518 的头已经破了，而那个男乘客已开始昏厥，伤得比 518 重多了。

　　处理 518 的时候，问他为什么打乘客，他没说什么，只是反复强调说，这个男人用屁股糟蹋自己吃饭的家伙。警察说，这根本不是打架的理由嘛。没有人理会 518，判了一年。

518 不再有开公车的资格，当然也不再有来找樊花的资格。当樊花知道 518 已经下岗，她几乎是迅速地离开了他，她这辆公共汽车又被迫离开了 518 这个站点，被迫地往前开，开着开着，就觉得路越来越窄，越来越窄，她不知道哪一天，又能在哪个站点停靠一会儿。

离开 518 的樊花看上去没有什么改变，旁边档的人都说，那么短命的一场恋爱能有什么？于是还照旧在樊花面前搬回过去 518 的话来说笑，就好像 518 只是这里曾经的一个熟客，现在不做了，而樊花每到这种时候，好像也没有什么，随他们取笑随他们不断地回想说 518 怎样怎样，518 说过什么什么之类的。

只是，樊花留在档口的时间开始减少，拼了命地到虎门，颠颠簸簸地每次扛回几大包，拼了命地找客户推销，还到处钻来钻去开拓新的客源，最近还跟广州的一些宾馆、演出公司等接洽上了批发服装。反正，樊花眼下、手上、心里最重要的就是钱。她曾经对刘嘉诚说她现在比较喜欢收现金，如果可能的话，她想把一叠一叠的钱铺成席梦思，睡在上面，一定会发美梦。刘嘉诚笑她是个守财奴，哪天失火了他不知道是救钱还是救她。樊花就说，谁要你救啊，就睡在上面跟钱一块烧死拉倒吧。

如果樊花再找不着，刘嘉诚是不是要报到公安局？

倒不是刘嘉诚觉得樊花会有什么意外，半个月了，樊花失踪了半个月了，可是刘嘉诚压根就没想过樊花会遭到什么不测，比如被强奸、被劫杀之类的，刘嘉诚统统没有去设想，他更多地想到，樊花大概被人骗光了钱，没法回来跟他交代，也不知道用什么退股给刘嘉诚。

刘嘉诚倒是经常地回忆跟樊花的最末一次见面的情况，以给自己提供些寻找的端倪。

他和樊花吵架了。

那天刘嘉诚跟樊花从虎门进货回来，天色已接近黄昏，走到一半路程的时候，樊花的手机响了，一接电话，原本疲惫得昏昏欲睡的樊花就忽然来了劲。

啊，哪位？哦，李总啊，怎样？有什么关照吗？想我？是不是啊？你们这些大人物还能想到小妹？我？想啊，想有什么用啊？难道我们这些小人物还敢去找你吗？

刘嘉诚坐在樊花的身边，听着樊花一贯腻味的甜言蜜语，不知道这一次为什么，心里就冒出了一股气，没名没分的气，在这辆坐满了乘客的中巴上，这股气越来越升腾。中巴上的电视机演一部港片，是刘嘉诚在中巴上看了好多次的，叫什么千王之王的，小屏幕上的那个香港笑星周星驰夸张的动作和语气在刘嘉诚看来简直就是个小丑，这些语气和动作更增加了他心里的气压。

什么？要找女接待？开张剪彩？我行吗？樊花还在那里跟那个什么李总腻味，红色的短发下，一张脸蛋，眉飞色舞的样子。

三围？我的三围是……

樊花的话还没说完，手机就被身边的刘嘉诚一把抢了过去。

去你妈个逼！你个傻逼！刘嘉诚对着手机那边狂吼了几句，接着把手机往车窗外一扔了事。

樊花被刘嘉诚突然的举动吓呆了，没吭声，只是那眼睛大大的，近近地瞪着刘嘉诚。

你他妈给我放老实点！刘嘉诚只朝樊花莫名其妙地交代了这句话，就把头靠在靠椅上，闭上了眼睛，睡觉，任由樊花在他的眼睑外边，由她闹。

可是樊花没有闹，就一直安静地坐在刘嘉诚旁边的座位上，一直等到中巴到中途一个惯例要去的加油站加油，乘客小便的时候，樊花扯起自己随身带的包就跑了。

中巴等了好一会儿，樊花还是没有回来。一车的乘客已经等得不耐烦了，七嘴八舌地朝司机抗议，司机无奈发动了引擎，还回头来问刘嘉诚，那个女的是不是不走了？

刘嘉诚不知道怎么回答。就连他自己也不知道樊花在搞什么鬼，究竟她会去哪儿。他不担心她会迷路或者说出什么事，只是觉得她不应该什么也不说就走掉了，害他一个人在这里被乘客集体抗议。

她不走了，开车吧。刘嘉诚只好顺应着司机的提问回答。

刘嘉诚蹲在白马的档口，像这些天那样在人群里等待樊花。

忽然看到一个女的，背向着他，红色的短发，瘦瘦的弹力花裤，紧身的黑色Ｔ恤，她的旁边是一个大胖男人，大胖男人不时用手去扶她的脊背，脊背上的两块肩骨随着女人的笑，明显而夸张地上下耸动，耸动。那两块骨好像是朝刘嘉诚耸动地笑着。

——樊花！

刘嘉诚觉得自己喊了出来。

没有人应答。那两块骨头还在跟刘嘉诚套近乎。

刘嘉诚要找的那个樊花，就好像他刚才喊出来的那一声一样，一出口，就掉落在了白马熙熙攘攘的人群里，找不着了。

金　石

1

　　婚礼进行得有点慢。不是有点，而是太。母亲赵佳露和女儿蔡文静站在台上，不时交换着眼神，这眼神里都有着一致的焦灼和无奈。

　　母女俩，一个喜欢穿袒胸露背的性感白婚纱，一个看上一条淡青色的洋装裙子，所以，她们最终决定了采用西式婚礼。

　　为了这场婚礼，母亲赵佳露赞助了一万块，洋装是她自己挑的，菜谱也是她自己订的，连老蔡的西装领结都是她指定的。她私下想，就当弥补自己这辈子从来没捞着举办的婚礼吧。

　　可是，这西式婚礼也太繁文缛节了。观赏新郎新娘生活的VCD，证婚人发言，新娘新郎宣读各自的结婚感言、交换戒指……一系列麻烦事。每一个步骤结束，下边二十八桌三百多位客人都报以热烈的掌声。要不是在一个喜宴上，还蛮像开大会。台上站着的老蔡，听到几百人的掌声，心情紧张。他从矿产局退休下来，好些年没开过大会了。

　　终于到司仪请老蔡代表家长感言了。蔡文静和赵佳露顿时松了口

气，她们问过了，等老蔡一讲完话，就会开香槟切蛋糕，台上的部分就
算是结束了。

老蔡说，他"简单讲几句"。可没想到，老蔡是这个婚礼闯出来的
一匹"黑马"。他一讲，就讲了快二十分钟。

老蔡讲什么呢？讲人生。讲女儿女婿未来的人生。刚开始，还讲得
情真意切，完全是一个做父亲嫁女儿的复杂情感的流露，听得台下人不
时动情鼓掌。可是，讲着讲着，老蔡完全脱离了自己的腹稿，语无伦次
地啰嗦起来。他希望女儿结婚以后，好好做家务，努力上班，认真学习
科学发展观，构建和谐家庭；他又希望女儿勤俭持家，少购物，可买可
不买的东西还是不要买，多研究菜谱，慢慢过日子……老蔡想到什么说
什么，几次词穷，却又紧紧抓住话筒不舍得放。

司仪好几次试图打断老蔡，又被老蔡抢了回去，弄得台下的人看闹
剧般哗然。赵佳露和蔡文静，干着急，恨不得不顾一切礼仪将老蔡的话
筒抢走，并且一把将老蔡整个人都攥走。

只有那个很早就失去了双亲的新郎屠庆民，站在新娘身边，认真听
老蔡讲。屠庆民的心情也很复杂。今天是他成家的日子，结束吊儿郎当
的单身生活了，蔡文静说，男人结婚之后，就要有责任感了，要把整个
家都担当起来。责任感，三个字，把屠庆民对婚礼的情绪搞得怪怪的。
他不明白为什么老蔡也表现得怪怪的，但正是他那复杂的情绪能使自己
静下来，把老蔡的每句话都听得十分有道理。

"人生啊——很像拉大便，好多时候，你尽管很用力，结果出来的
却是一只屁……"老蔡这一神来的幽默，终于把满堂都惹得不顾一切爆
笑了起来。

蔡文静眼看就要哭出来了。赵佳露终于露出了平日生活的一贯本
色，拎起那条及踝的美丽长裙，恶狠狠地走到老蔡身边，一把将话筒抢

了过去，并且目露凶光，深深地剜了老蔡一眼。

"对不起，对不起大家啊，我们老蔡喝多了，话多了，话多了……"赵佳露堆着笑容朝台下道歉的同时，司仪在一边配合地开起了香槟——"砰"……

婚礼上的不合拍，使老蔡彻底成为一个与母女俩格格不入的人。现在，她们很多活动都不带老蔡玩了，她们觉得老蔡"煞风景"。其实，这么多年来，相比起母女俩对生活风风火火的态度、对物质扑面而来的盎然兴致，老蔡那慢悠悠的生活脚步，以及他对有关消费和享受一切物事的消极，本来就不协调。老蔡的这种不协调，赵佳露认为，是他三十多年前在地质队工作期间，在广西河池矿井巷道里，脑筋被炸药爆炸震少了一根。

那次炸药爆炸，倒没死人，就是让包括老蔡在内的二十来个人，在井下生生关了一天半。在井下漫长等待的过程，老蔡每每跟人说起来，都有如死过一次——整个人只剩下一副轻飘飘的魂，最难受的是，在黑暗中，脑子总被一道刺眼的白光照着，从没被照得那么清清醒醒的，他感到这个世界不要他了，把他放在一个孤独的月球上。那是 20 世纪 70 年代，老蔡挖金矿却挖出了登月的感觉，可是，谁也理解不了他的这些感受啊，所以，他跟人说那场惊险的事故时，听者都不知道如何回答他，只好说，万幸啊，万幸啊，人活着。

人是活着，可活下来的老蔡跟换了个人似的。事故发生后的那年春节回家，赵佳露头一回感到，在他们长达八年的两地分居生活里，她等回了一个陌生人。不仅是赵佳露，当时四岁的蔡文静，从幼儿园回家，一见老蔡，就往邻居家溜，还跟人家说，妈妈床上坐着一个奇怪的叔叔。要说，这个奇怪的"叔叔"还真是奇怪，他在家里没住几天，就感到浑身不舒服,他对赵佳露说,他想搬到离家不远的那个华安旅店去住,每天可以步行回来看看她们母女俩,吃吃饭什么的。赵佳露一听这话,顿时感到天崩地裂,以为老蔡要抛弃她们娘儿俩了,想到一个寡妇拖着一个四岁女儿的艰难时世,她一哭二闹三上吊,吵得左邻右舍都跑过来,人人谴责老蔡。最终才平息了这事情。

当然,炸药爆炸也给老蔡一家带来了好处——终于结束了漫长的两地分居生活。老蔡从地质队调回千江市矿产局当质检,坐在实验室,在从十万大山的各个矿井采集到的矿物样本里,找出有价值的矿物质。一年一年过去,越来越多的人夹着包包跑他的实验室,摸出条香烟或者捞出瓶好酒,很私密地小声问,老蔡,这批样本里,有没有金石?那架势,似乎有没有金石根本不重要,重要的是老蔡的态度。不过,老蔡坚持实事求是的作风,就算到最后,那些人从包包里摸出一沓钱来,他也不合作。他知道,那些来找他的人,凭借他作出的检测报告,就可以让政府招标挖矿,含量越高,用的金钱力度就越大,至于到底最后挖出来的结果是怎样,是一堆烂石头还是一堆狗屎,他们才不管呢。开玩笑,金石啊,哪里有那么容易就采到的?有的人冒着生命危险去找都没找到!

"你可以跟老婆不合作,跟女儿不合作,跟全世界人都不合作,就是不能跟钱不合作啊,老蔡你这样的人,对于整个家庭来说,太没有责任感了!"

赵佳露这样的话,在老蔡一辈子人生道路上,就像雨后的春笋般,不时地冒出来。

老蔡再明白不过了,赵佳露眼里嘴巴里的"责任感",其实所指的仅仅是这个世界上流通最广泛最迅速的东西——钱。只有能挣钱的人,责任感才强。哼,老蔡心想,钱算老几?钱不过是金石的孙子的孙子的孙子的孙子……金石早在二十多亿年前就已经存在了,那个时候,钱跟人一样，还没开始第一步的进化呢，唉，真没想到，老蔡眼见的这几十年间，钱跟人一起，进化得麻溜快，快到要超越那二十亿年了！不过，人活在世，老蔡又怎能不知道钱的好处？只是他除了检测矿石，其他来钱的门路也一概不会啊，所以，老蔡只好选择了鸵鸟政策，把头深深地埋在自己的世界里，就好比自己压根就没从当年那个不见天日的巷道里逃脱出来。

直到若干年以后的某一天，赵佳露才似乎明白，老蔡之所以对那些急吼吼地来找他鉴定金矿的人总是抱着排斥和鄙夷的态度，还是因为那场爆炸事故。

那个当年跟老蔡一起被关在井下的老地质队长，有一天摸到千江市来，找到老蔡。就像生死之交的一次重逢一样，老蔡把老队长请到了家里来，喝酒，并且坚持像过去在野外作业一样，用口盅喝。回首往事，在半醒半醉之间，总算让旁边的赵佳露听出了个秘密：当年的那次爆炸，实际上是地质队长带领二十来个地质队员的一次违规操作，目的就是为了深入一个被他们鉴定出有金矿的地方，挖金石，谁知道，出事故了，金石没捞着，那支地质小分队被组织遣散到各个地方去了。这事表面上是没有再追究，实际上，老地质队长神秘地告诉老蔡——都被记录在案了。老地质队长退休之后，到各个城市试图找回当年那批参与的队员，目的就是为了印证一个事实——他们都接受了秋后算账的命运，几乎没有一个在矿产单位里升官。当然，老蔡的命运也有力地支持了老地质队长的判断。

"奶奶个熊，这回死也能死个明白了，居然是这样搞法的！"老地质队长比老蔡年长个四五岁，却满头银发，老得厉害。似乎他花了半辈子的脑筋来研究这件事情。

赵佳露了解到这个秘密之后，很奇怪的，心里历来对老蔡的抱怨竟然减轻了些，她顶多把老蔡对金钱和物质的轻慢，视为老蔡一朝被蛇咬，十年怕井绳的胆小。她只好认下了这个宿命。

照道理，赵佳露既然认下了不能大富大贵的宿命，就应该顺应老蔡的生活宗旨"安心过小日子，慢慢过，好好过"。可赵佳露偏不能那样，她是个急性子的人，恨不能一天当两天使。退了休，她更是把节目安排得满满的，锻炼、采购、弄保健品、自制滋补膳食……女儿结婚之后，她还热衷起旅游，跟着旅行团，当然有时也跟女儿结伴，在祖国的名山大川前，留影。她说，这个时候不出去走走看看，等老了走不动了，就来不及喽。老蔡却并没从她的旅游中感受到多少对祖国山河的热爱，只是感到她对某地特产和旅游纪念品的狂热，以及她对照片里的那个自己的欣赏，仿佛只有在照片里，她才能感觉到时间的停留。

如果说，老蔡是墙上那只老钟的一根分针，那么赵佳露就是那根每每超越他，并且只肯在他身上停留一秒钟的秒针。秒针滴答滴答地过日子，分针滴……答……滴……答地过日子，日子长了，也就习惯为一种不搭调的存在了。

老蔡偶尔也会劝劝赵佳露，有话慢慢说，有事慢慢做，甚至，有饭慢慢吃，人不能急，人一着急就容易上火容易患心脑血管病。这些话每每遭到赵佳露严厉批判，而且，她最喜欢拿对面楼阳台上那个胖婆婆来当武器。她说，老蔡，你难道没看到，万爷爷死了之后，胖婆婆就把客厅里那张双人皮沙发摆到阳台上来了，为什么？就是因为她一个人哪儿都去不了啦，待在客厅又难受，只好把沙发搬到阳台上，天天坐在沙发上看风景、看人，顺便等万爷爷哪天把自己也接了去！人啊，只有在等死的时候，才会慢慢等，才会嫌一生太长……

一讲到死，老蔡往往没了声音。对于一个得以从矿难逃生的人来说，死的滋味就如悬在鼻尖的异味，哪里会忘记得掉？只不过，在如今的老蔡看来，那滋味绝对没有被抛弃在一个孤独星球上难过。

2

女婿屠庆民一加盟到蔡家来，老蔡作为男人这种物种，更是彻底丧失了其性别的魅力。

女婿是千江市电力局的办公室主任。赵佳露给女婿的工作职务这样定了个位——办公室主任啊，就好比过去宫廷里的大内总管，管花钱，管公关。然而，这个大内总管在蔡家却不管花钱，只管往家里扒钱。每次，女婿从外边应酬回来，上缴一个小信封的钱，一沓购物券，一袋礼品，或者搬回公家请客时喝剩下的洋酒、鲍鱼、燕窝之类的好东西，有的时候还将举办活动时用不完的礼物纪念品大包小包拎回家。七七八八的，都让赵佳露母女高兴得合不拢嘴。要知道，这些额外的进账，几乎是蔡家几十年来，吭哧吭哧正常收入以外唯一得到的"不义之财"。

说到底，人对"不义之财"有着永远无法熄灭的热爱。女婿对这个家庭做出的贡献，迅速使他这个孤儿成了蔡家的掌中宝。他们对女婿照顾有加。女儿负责在网上找一些成功男士养生的食补方子——补肝的养肾的去血脂的消疲劳的……应有尽有；母亲则负责将这些方子实现为一罐罐精心熬好的汤或者一碗碗内容考究的中药。老蔡的任务呢？就是在女婿应酬到深夜回家的时候，将这些好东西，放到微波炉里加热，监督女婿喝。反正老蔡进入六十五岁以后，从来只会晚睡早起，黑夜成了他的半个老伴。

每当屠庆民满身酒气地回家，看到老蔡打开那盏佛手形状的小顶灯，坐在饭桌前，边读晚报边等自己，他的心头就发热，无论再累，都会在老蔡的身边停留一会儿，跟老蔡说说话，邀请老蔡一起分享桌上留给自己的那些"好东西"。

八岁时，屠庆民的父亲就去世了，直到三十五岁才又有了老蔡这个父亲，所以，"爸爸"这简单发音，在他嘴巴里，曲折了起来，他总是"阿，阿爸"地叫老蔡。

跟"阿，阿爸"老蔡聊天的时间不是很多。一来屠庆民日常工作繁忙，二来屠庆民觉得老蔡不爱跟人交流，除了婚礼上那一番失态的啰唆之外，他再没听到过老蔡说那么大篇的话了。

两个男人，在寂静的深夜，趴在饭桌上，喝"好东西"的时光，很长时间以来，带给屠庆民一种特殊的幸福感。这些时光，老蔡会安静地聆听女婿应酬回来，乘着酒兴，对工作对这个社会大发牢骚，对某个领导或者某种做法义愤填膺，甚至还会沮丧地大而化之谈到人生的无奈和无意义。

老蔡从女婿的话里频繁地听到"累"这个关键词。与其说女婿在跟自己诉苦，还不如说女婿向自己"诉累"。老蔡心想，哎呀，还得了，年纪轻轻，就感到人生负累了！再一仔细看女婿那通红的脸膛，那随着喘气起伏不休的"啤酒肚"，以及躺靠在椅子上完全散架的整个身体。嗯，看起来，这孩子是累得不轻。心下自然是对女婿产生了一种爱惜——唉，怎么说都比自己上班那会儿累啊，要这要那，还真不是一般累啊！

当然，女婿的牢骚话，说过就过了，也不会再从老蔡的记忆里搬运出去。对面的老蔡是个空空的老矿井，将屠庆民一番番痛快淋漓的话全都收纳了进去。

老蔡也会跟女婿讲讲自己，讲遥远的过去，似乎从一潭黝黑的深水里，随手能摸出些闪亮的石头来，有趣极了。屠庆民在外头结交五湖四海的人，也听不到这样有意思的事情。尤其是老蔡从前辗转十万大山的地质队生活。这也是屠庆民最感兴趣的部分。

　　还没跟蔡文静结婚的时候，屠庆民就知道自己的未来岳父，是矿产局一个经验丰富的检测师傅，不仅经验丰富，而且还是一种"稀有金属"——又臭又硬，怎样都不受腐蚀。这是蔡文静说的原话，她说她老爸一辈子，除了懂看看矿石之外，屁都不懂，除了按部就班挣那点可怜的工资之外，多一分钱的进账都捞不着。蔡文静还说，她老妈说她老爸是在那次矿难事故里，脑袋给震坏啦，嘿嘿嘿！蔡文静笑得诡异，再也没对那次矿难多说什么。搞得屠庆民心里充满了好奇。直到结婚之后，蔡文静与屠庆民身心终于合二为一，屠庆民终于成为蔡文静在这个世界同穿一条裤子、比自己亲老爸还亲的人之后，有一次，床笫之事结束了，两口子躺在床上闲聊，屠庆民才知道，岳父在三十多年前经历的那次矿难，是由于他跟着一班地质队员私采金矿，操作不当引发的。按照今天的话来讲，就是——腐败不着折把米。

　　了解这个原因后，屠庆民再看这个木乎乎甚至小心谨慎的岳父，顿时感情丰富了许多。就好像对一个参加过一场失败革命的老兵一样，内心充满了同情。可是，对这个才相处不到两年的"阿，阿爸"表达这种同情，无疑跟这个结巴的称呼一样不容易。屠庆民只会在某个应酬回家的夜晚，仗着酒的豪情，从口袋里，掏出个刚在饭桌上人家偷塞过来打点他的红包，一千的八百的，装作很随意地塞到老蔡裤兜里，无所谓地说："阿，阿爸，这是我今天得的一笔劳务费，拿去当零花。"

　　刚开始，老蔡很是被这样的举动惊吓到。他不明白女婿为什么要给自己钱，从来，他都是上缴给蔡文静或者赵佳露的呀。为了这些红包，老蔡还跟女婿"打太极"，推来让去的。几次推让无效，想到这些钱是自己女婿给的，是一片孝心，也就不再客气了。

　　老蔡的这些额外收入，照女婿的话来说，是老蔡的"私房钱"，天知地知你知我知。这是两个男人之间的秘密。秘密守久了，彼此就会加深信任，即便是两个相处了不到两年且年龄相差了三十岁的男人，又即便这两个男人在平日里，只有不多的一些深夜独处和交流。

有天晚上，边喝着鸡骨草老火汤，老蔡边跟女婿谈起了那场该死的爆炸。

那是1978年的夏天，第八地质队三分队检出了广西河池地区一个含矿金石的山矿，三分队有二十二名队员在队长九叔的带领下，在一个深夜入井，试图将最近的一处矿井打通，采集金矿。没想到，由于专门填炮泥的老六并没参与这次行动，改由另外一人来操作，在填炮泥的过程中，因为用力过大，压爆了雷管，导致了一场意外的爆炸。

阿，阿爸，当时，爆炸之后，很恐怖吧？屠庆民在新闻上看到很多矿难报道，幸存者回忆起当时的情景，啃泥巴、喝自己的尿等等这些遭遇，虽不能亲身体会，但想想都觉得可怕。

你说恐怖不恐怖？几十年过去了，我都没从这个阴影里走出来，年轻时候的我，大碗喝酒大口吃肉，身体强壮，胆子又大，在巷道里，可以干活几天几夜不睡觉，现在，你看，我这个样子，唉，人胆子一小，什么都小了！老蔡连连叹息，依旧唏嘘不止。

的确，老蔡所描述的那个年轻时的自己，跟眼前这个瘦弱、寡淡的老头儿，一点点都连接不上。屠庆民不忍再问下去，只好安慰老蔡，说，现在这个样子也不差啊，平平安安的。

唉，要不是当年的失败，哪会是今天这个样子？

老蔡的弦外之音，让屠庆民很迟疑，他想着，是否要跟老蔡聊聊过去那次私采金矿的行动策划什么的？但是，他有点怵。只好运用起了他办公室主任一贯稳重的行事方式，采取了迂回战术。

"我就弄不明白了，要说当年，你们也是一支专业队伍，怎么就会失手呢？"

老蔡眯着眼睛，朝阳台外边的黑暗深处望过去。似乎到了那黑暗里，就能抵达他的记忆，那里就是他风餐露宿的深山老林，钻过的巷道，扒过的矿井。

半晌，老蔡才把目光收回来，停留在女婿的脸上，语气里充满着迟疑，说："一切部署都没问题，你信不信？问题就出在那该死的炮眼上！"

屠庆民一脸疑惑，疑惑得很真诚。

"老六当时没听我们劝，所以没参加，填炮泥的人，换了我！"老蔡似乎费了好大劲，才从自己那口记忆的深矿里，捞出了一个连自己都不愿意面对的事实。

天！肇事者竟然是老蔡！这真是一个惊天的大秘密！不，这已经不再是一个秘密那么简单了，这是一个隐私。屠庆民可以肯定，整个蔡家，除了自己和老蔡，绝对没有第三人知道了。

显然，这个隐私比屠庆民从蔡文静嘴里得知的那个秘密，更令人感到不安。老蔡那至今仍然不肯放过自己的表情，被屠庆民一看之下，心里竟隐隐作痛。于是，他赶紧伏下头喝汤。

那晚，老蔡干脆讲起了他当时填炮泥的情况。听得出来，这是一种从未经整理的，等同于即兴的，完全脱离了腹稿的，想到哪儿说到哪儿的讲述。有很多地方，说到结果，又跳回去说前边的原因，仿佛老蔡捡起的，是当年被炮弹炸飞的记忆的碎片。

"往炮眼里填炮泥，用力大了会压炸雷管，用力小了又会留有罅隙，唉，不熟练的人，哪里有那么好掌握的？"老蔡仿佛多年后面对一个审判官，诉苦，申冤。

讲了那么多，老蔡却始终没有提到这次采金矿的主要目的。似乎这才是老蔡一辈子永远死守的秘密。

屠庆民只好把这个公开的秘密依旧当成秘密，永远地埋在他和老蔡两人之间，谁也不敢再去开采。

在这个世界上，秘密其实是块宝，也像是埋藏在矿洞里的金子，一旦你知道了它的存在，就算做出再危险的举动，都不觉得那算什么了。屠庆民很多时候想，岳父老蔡年轻时候的那一次冒险，要是成功了，谁会称它为一次冒险呢？人们通常只会将它称为"安全着陆"。这个词目前在他们圈子里很流行。前些日子，他们电力局老局长终于熬过五十九岁"鬼门关"，六十岁一到就光荣退休了，老部下们捧着鲜花来欢送他，高高兴兴地祝贺老局长"安全着陆"。

谁说不是呢？人活着就是这个世界上最伟大的冒险。生命不息，冒险不止。

3

老蔡要过六十九岁生日了。按照这里的风俗，六十九岁要过大寿，要过得光荣而隆重，七十岁大寿生日倒要静悄悄地过，仿佛这些岁数，是老天爷偷偷塞过来的一只大红包，得了就得了，识相着不敢声张的。

老蔡老两口儿和女儿小两口儿，四个人，打算举行一次豪华旅行。因为女婿说了，他今年作计划的外出旅差费，还剩下一点钱花不完。老蔡的生日在10月份，正好是单位报账截止期之前，所以，女婿决定，一起找个地方旅游消费掉，双飞。机票嘛，他会在自己的长期订票点出自己名字的票报销。

这次母女俩选择去柬埔寨，看著名的吴哥窟。不在国内转悠了，跨国玩。这个计划也得到了老蔡的同意。

蔡文静从网上打印出来的吴哥窟风光照片，一页页翻给老蔡看，故意说，这种石窟里，说不定还能找到有价值的矿石。这说的可是老蔡的专业！他很是鄙夷地撇了撇嘴，耻笑女儿，幼稚，简直发大头梦，这种石窟的石头，只有艺术价值和历史价值，你说的价值，是金钱价值吧？

女儿看老爸来兴趣了，做出憨傻的样子继续说，欸，说不定能发现金石哩，找到一块，不得了啦，发大啦！

老蔡连连摇头，一副不可理喻的样子。矿金的石质跟这种砂岩质完全不同，你不懂不要出洋相啊！亏你还是矿产局职工家属，哼！

老蔡一句话，把赵佳露逗乐了，也参与了来斗嘴，嘿，矿产局职工家属又怎么样？像我这样的几十年老家属，连金糠都没沾到过呢！

母女俩又习惯性地站在同一阵营。

老蔡也习惯性地不恋战，到阳台淋花去了。

老蔡的生日还没到，这柬埔寨吴高窟就成了老蔡家才冒出来的一对双胞胎兄弟，每每在饭桌上、茶几上、厨房里，老蔡都能感觉到它们的热情召唤。

这热情也多少感染了老蔡，以至于在一个晚上，他竟然破天荒地跟着赵佳露母女俩出门，到华佳商场进行一次大抢购。

其实，这也是赵佳露怂恿老蔡去的。华佳商场举行一个"零点一折"活动。按照传单上的说明就是：本周五晚上十二点开始，全场货品一折，限时一个小时。

多一个人多一双手，拿东西啊！赵佳露母女俩早就计划好"血拼"，一折，还不抢到头破血流？

等老蔡一行三人，计算好时间，跑到华佳商场门口一看，嗬！老蔡被吓得往后退了好几步——这深更半夜，又是深秋，冷飕飕的，竟还有那么多购物狂啊！别说商场的小广场上，就连商场旁边的两条小马路，都站满了等待的人。

一向习惯晚睡的老蔡，总是待在家里，不是看电视就是看报纸，安安耽耽的，他哪里知道世界上还有这样的夜晚？他今天总算明白了，物欲横流，原来它是不分白天黑夜的，真像一条湍急的河水啊。

随着人流，老蔡他们好不容易冲进了商场。里边亦是一片流光溢彩。货架上的物品完全丧失了往日的矜持，被翻找得七零八落；散放在货场中央大摊上扎堆的商品，更是一副不要白不要的便宜相。

最可怕的还是人。老蔡觉得，他们买东西好像不用钱似的，拿在手里，看了看，就往篮子里扔。有的时候，相互之间还会发生抢夺。

因为怕走散，老蔡寸步不离地跟着赵佳露母女俩，不时地接过她们伸过来的一组牙膏牙刷一捆卫生巾什么的，放到篮子里。很快，老蔡的篮子就满了。母女俩只好将新找到的东西放在各自手上的篮子里。又很快，三人的篮子都满了。老蔡想，这下，该出去了吧？他已经被耳边的吵闹声和鼻子里稀薄的氧气，弄得精疲力竭了。他只想快快结束这场打仗似的疯狂购物。谁知道，母女俩又在一个床上用品区里，翻出了些不同花色的被套、枕套，她们在商量比较之后，将两大条长长被套和四只枕套挂在了老蔡的肩膀上，又继续往另一个区游去。

老蔡觉得自己像电影里的阿拉伯人，滑稽地披挂着长衫，在人群里，跟着母女俩，脚跟碰脚尖地把自己努力递出去。

最后，他们停在了一个户外用品区。蔡文静看到了一只深绿色的睡袋，她兴奋地跟她老妈嚷起来——这是我早就看上的睡袋耶，以后我们到郊外露营，可以用它，我看看，一折，才八十九块，天啊，太便宜了，买两只吧!

不一会儿，老蔡就感觉到自己的头顶上飘来了两朵绿色的云，直接笼罩住了自己的头，他什么也看不到了，只听到女儿遥远的声音从云上传来："老爸，要顶住啊，我们再到食品区看看！"

老蔡只知道，两只睡袋躺在了自己的另一只肩膀上。睡袋虽然不重，但是老蔡却一步也迈不动了。好像这两只睡袋把自己密实地扎了起来，他只听到一片嘤嘤嗡嗡的声音，如身处另外一个非人的世界。他努力想让自己回到眼前这个充满物质的世界，却最终失败了，身体软塌塌地滑了下来。

老蔡患了小中风。还好，没什么大碍，就是舌头有些许歪，讲话有一点费劲。医生说，没什么大碍也要小心，要多静养。

无疑，老蔡要跟柬埔寨吴哥窟两兄弟彻底告别了。可说好了又不去，始终心有不甘，还白白浪费了女婿那笔公款。最后，母女俩还是照她们的计划前行，家里留下女婿和老蔡。女婿说，放心去吧，我找个靓女来伺候阿，阿爸。母女俩乐呵呵地放心出门了，只要能出去，就算找个白骨精来料理老头子，也没什么关系啦！

老蔡不要人伺候，他难得耳根清净。女婿不在家的时候，他独占一套大房子，东摸摸西看看，好像才搬进这里住不久似的。最令他高兴的是，他可以在外边吃小店。走出小区门口，滨海路边一长溜小饭店，想吃什么就吃什么。逢到女婿没有应酬，还会请他下馆子。

老蔡每天午睡起来，喜欢到滨海路散步，沿着长长的绿化带，来回一趟，一个多小时就消磨掉了。老蔡也不会多走，往往走到滨海路往河西大桥拐的一个楼梯处，便又踅回来了。一来桥上人多车多噪音多空气差，二来老蔡有点怕这桥。他一个清闲人，跟桥上那些匆忙赶路的人挤一起，倒显得自己落寞寡欢了。所以，一向以来，河西大桥就好像一道隔离带，将老蔡与对面川流不息、活色生香的生活隔离了开来。

这个深秋的下午，老蔡自由自在地甩着手，熟门熟路地走在滨海路上。

天气晴朗，阳光的成色很好。老蔡眯着眼，朝天空目测了一下那太阳，用光谱测金仪的系数，给太阳打了个高分。秋天的风，吹在老蔡午睡后潮红的脸上，凉凉的，老蔡感觉这风把阳光里的金砂都吹拂到了他的脸上，多么亲切美好啊。

老蔡清清爽爽地走着，很快就走到了河西大桥。走过了桥墩，就看到了那截上桥的楼梯。今天怎么那么快啊？老蔡还没走够呢！沿着那截楼梯朝上看，老蔡看到了桥头的大榕树下，有正在走路的人，也有一些不知道在做什么的人，聚集在一堆。

上！老蔡心一动，脚步就蹬上了那楼梯。

四十五级！老蔡气喘吁吁地数到最后。心跳有点激烈，他小心地扶着最后一节扶手，站定，喘气，眼睛却一直打量着不远处大榕树下那一堆人。

这个桥头，颇有点驿站的味道。婆娑的大树底下，砌了几张石凳子，供路人休憩。有些小摊贩，简易地摆卖些报纸、饮料之类的。老蔡看到的那些扎堆的人，都是些外地人，不讲本地话，讲些口音很重的普通话。他们多半是没什么事情做，或者是等着事情做的搬运工、装修工、清洁工之类的。报纸上说，现在在千江市游走的外来人，虽比不上大城市，但也越来越多。

老蔡走过去，听几个人在吹牛。听了一会儿，好像有点明白了，是在说什么东西，真不真、假不假的。

其中一个男人，看老蔡听得感兴趣，就走过来，专门跟老蔡说："老人家，他们在说一块石头，说里边有金子的，扯，谁会相信啊，那么一大坨，也看不出什么金子来，喔，有金子还不拿到黄金公司卖啊？拿来这里卖？你相信不？"

老蔡还没表态。另外一个矮个子男人，看样子四十来岁，有一张阔阔的黑脸膛，他接过这男人的话说："咦，可说不准啊，主要是没人懂，上次，我在这里，看一个阿婶，买走一根鹿角，八百块，那么贵她都买，她敢买，是因为她懂得那是真货。她说她以前是中药铺的拣药师，识货！要是识货，就知道捡到便宜了！"

矮个儿男人这话，遭到好几个人的攻击。那些人穿着旧旧的衣服，有的坐在石凳上，有的蹲在榕树脚下，分别就矮个子的话争来争去。

老蔡下意识地朝四周看。也没看到什么石头啊。

还是那第一个跟老蔡说话的男人，似乎明白老蔡在找什么，他对老蔡说，那块石头，刚才还在这里摆，现在不知道去哪里了。这几天都在这里摆，有谁要啊，一万块呢！

哦。老蔡随口应了一声。他心想，要是那块石头在这里，他能把它的庐山真面目给揭穿喽！

这帮农民工，虽然不懂石头，但是警惕性还蛮高。现在，那个遭到围攻的矮个子男人干脆就被他们认为是"托儿"了。好在，这些人看起来都很熟络，长期在这榕树下混的，所以，矮个子男人见斗不过他们，就嬉皮笑脸地跟他们动手动脚，玩耍起来，一场口舌之战也就嘻嘻哈哈地过去了。

这群快乐的男人，看起来每人都有四五十岁的样子了，还跟小孩子似的玩"打架"，你掐我的脖子，我踹你的屁股，穷开心。老蔡看得脸上也带了笑容。

待了一会儿，老蔡正决定要下桥回家。忽然，一个男人指着远处向榕树走来的一个高高壮壮的男人喊道，石头，石头又来了！

老蔡仔细看，那男人双手抱着一只包，吃力地走了过来。

看起来，这男人大约四十岁，着一身深蓝色西装。西装男人往榕树下一站，的确就跟那群农民工很不一样。老蔡一眼就看到他手上那只旧旧的、黄绿色的包，是那种帆布料的，外边涂了防水的浆，整只包硬硬的，所以，西装男一旦把包搁在地上，那包就跟有脚似的，稳稳地立在那里，纹丝不动。

这样的包，老蔡再熟悉不过了，当年他在地质队的时候，每天背在肩上的，就是这种包。在包的外侧，还印着某某地质队这样的红字。老蔡看不到西装男那包的内侧，不确定是不是地质队的包。

接着，西装男又将包里的一个黑包取了出来。

这只黑包一取出来，老蔡不由得心里一颤。呀，这种黑包，正是他们当年在地质队采集矿石标本专门用的！看上去很普通，可是一摸就能感觉到，它不是一般的布包，它用一种特殊材料制作的，防火、防潮，为了配合矿石的多棱角结构，它做成了特殊的不对称多角形。尽管后来采用了更科学的新标本套，这样的包早已经淘汰了，但是，在老蔡的记忆里，这包就是他的革命老搭档。

老蔡看得心惊肉跳。他目不转睛地看着西装男终于将那块矿石从黑包里扒了出来。那矿石似乎充满了磁性，它都要把老蔡几十年的经验全都吸取了出来，更吸引得老蔡忘记了前世今生般地忍不住蹲下来，想要用手去摸。

"阿叔，眼看手勿动啊！"西装男一脸严肃地制止住老蔡。

老蔡像是在梦里被惊醒般，醒悟过来，发现自己的脚尖已经快踢到那黑包了，连忙往后退了一步。

阿叔，识货啊！这石头可不是一般的石头，这石头里有金子。西装男诚恳地对老蔡说。

打这石头从黑包里露出脸，老蔡就确认它不是一般的石头了。根据他的经验，目测之下，应该是属于矿金石一类的，但究竟这块石头是否真能提炼金，或者说，含量有多高，老蔡还不能确定。

老蔡并没在琢磨这块金石的含金量，他不动声色地盯着那石头，仿佛看到了他的过去。石头变成了他在野外大碗喝酒大块吃肉的那张脸。

西装男当然不知道老蔡的心思。他专为老蔡开始了长长的"卖石演说"。

说实在的，西装男的口才，比老蔡在菜市场见到过那些卖菜刀、卖魔术切片机和卖打蛋器之类的小贩差远了。看起来，他还不是个"惯贩"。

直到西装男从那只帆布包里取出一沓破旧的材料，展示给老蔡看的时候，老蔡才明白，这西装男还真不是一般的小贩，他是一个老地质队员的后代。他的老爸，就站在他手上那张旧集体照片里，前排左数第六个，一个看起来比他现在年纪还小的男人。

"广西第二地质队第二分队，摄于1975年"。照片头顶上那行白色字是这样写的。

老蔡激动地将照片里的人，一个个地看过去。老蔡一个都不认得，又好像全都认得。

老蔡当然知道，虽然同属广西地质队，但地质队又按地区分，地区里又按分队分，这照片上的人，他们一辈子都没见过。可是，老蔡却在这旧照里认出了自己，就站在前排左侧第一个，身材不算高，但却不瘦，满身力气，朝着前方看不到的未来，露出意气风发的笑容。这个人，当然看不到现在捧着照片看的老蔡，老蔡也不知道他到底是谁，现在是生是死，但是，此刻，老蔡借用了他的躯体他的相貌他的年代，把自己送了进去。一切都如在目前啊！

西装男读不懂老蔡的激动，只看老蔡默不作声，盯着照片看的样子，以为他在犹豫是否该相信自己呈出的这些证据。于是，他又从底下的材料里，抽出了一张破旧纸，递给老蔡看。那是老蔡他们当年在野外临时记录矿石资料的表格，上面记录着矿石的一些基本资料。

这上边的资料，就是这块石头的资料。我老爸当年从地质队回到地方，身上就背着这块石头和这张资料。西装男怕老蔡听不懂，又加了一句，阿叔，你懂吗？这张纸就是这石头的"出生纸"，这里，你看，这儿有签名！

老蔡随着西装男的手指看到，那签名很潦草，连认带猜，老蔡念了出来：钟——振——峰。

对，钟振峰，我老爸的名字，我叫钟洋。阿叔，你看，这个，这个是我的身份证，这个，这个是我老爸的身份证复印件。西装男把手上的那沓材料一层一层地翻给老蔡看。

现在，老蔡已经知道，这个出生于 1940 年的钟振峰，从地质队分回到千江市下边的一个太平县，在县文史馆工作，一直干到退休，于前年病逝。

这块矿石，仿佛是老钟家的镇宅之宝，不到万不得已，不能外传。眼前这个小钟说，要不是自己儿子得了白血病，需要一大笔钱治疗，他打死都不敢冒犯老爸啊。"阿叔，你想想看，这么珍贵的宝贝，不是拿来救命，谁会拿出来卖？"

听到这里，我们的老蔡慈祥地笑了。在他眼中，这个钟洋，跟一个无知小儿般可爱。哼哼，竟敢在自己面前谈什么宝贝？就这么一块金石，能提炼出一克黄金，就不得了了。不过，很奇怪的，老蔡并没有生起那种熟悉的对奸商的痛恨，他宽容而耐心地看着小伙子的"表演"。在这块矿石和那堆资料的相互指证之下，在那段年轻岁月的召唤之下，更处于对往事恋恋不舍的情感簇拥中，他已经相信，这矿石，就是自己一个不曾认识的老队友，当年跟自己一样，风餐露宿，挖巷道，翻矿石，艰苦获取，并得以辗转留存在人世的一块宝贝。

那些围观的外地人，此刻还不知道，跟他们一起看热闹的老蔡，已经不是一般的旁观者了，他已经被那块宝贝降服。

"一万块？呃，能不能，少点儿？"老蔡决心逗这小子玩一下。

话一出口，围观的人都惊异地看向他。

西装男看起来也吃惊不小，停了大约有半分钟时间，嘴巴才启动："阿叔，阿叔，你看啊，是这样的，古代有句话说，宝剑赠英雄，好琴送知音。我看阿叔，肯定是这块宝贝的知音，所谓知音者几何，要不是等着用钱救命，我都可以一分钱不收。可是，这是救命钱啊，阿叔，就当积个德，续续寿吧，您的大恩大德，我和我儿子，还有我那天上的老爷子，都不会忘记的……"西装男按捺不住内心的喜悦，啰啰嗦嗦，有点词不达意了。

西装男那认为快要得手而抑制不住的快乐，以及在老蔡看来比较笨拙的表演，使老蔡产生了一种亲情。他越看，越觉得西装男像是流着他们地质队员血液的男儿，高高壮壮，脸黑亮黑亮，并且，说起话来中气十足。老蔡还进一步想，要是自己有这么一个儿子，绝不会叫他在大庭广众之下出那么大的洋相，这块金石，哪里能值一万块？真是笑掉人大牙了。不过，现在的人想钱都想疯了，说不定还真有人会相信一块金石就可以炼出一坨金子来呢。

眼看着有了希望，西装男一会儿蹲下扒拉那块金石，指指点点想要给老蔡增加购买的信心，一会儿又站起来，把手上那沓资料重新翻来翻去，想要继续说服老蔡。总之，围着老蔡卖力地忙个不停。

老蔡的心思，此刻已经不在这块石头上了，他更多地在让自己相信，眼前这个孩子，肯定是在生活上遇到了大麻烦。一万块，在这孩子眼里，就是比天大的救命钱，但是在赵佳露母女俩那里呢，还不够去看望柬埔寨吴高窟那毫不相干的两兄弟一趟。一想到赵佳露母女俩花钱时那种豪迈和洒脱，老蔡顿时就被自己说服了——她们花那么多钱买那么多东西，最终都变成了垃圾，自己买下这块金石，是永远不会变垃圾的，收藏到下一代、下下一代、再下下一代，只会不断升值。老蔡笃信，只要人类还有一口气在，黄金就绝对前景无价！

这时，西装男终于住了口，四下里，竟然一片安静。包括老蔡在内的所有旁观者，似乎心里都有各自的盘算。

在众人的目光之下，老蔡终于下了决心，买吧，当帮人也好，当给自己以后留个念想也好。反正，这样的东西，除了在这里，确实也没地方能买到，也算是个稀有的宝贝。但是，使老蔡发愁的是，要买下这块金石，自己那点"私房钱"显然不够。老婆赵佳露的钱，都存了银行定期，密码他不知道的。女儿的钱更是一点缝都钻不进去的。剩下的，只有找女婿了……

站在老蔡身边的其他人更多却在想，莫非，这破石，真能砸出金子来？这老头儿，不会又是"托儿"吧？

总之，大家一下子都在静观其变。

老蔡这一辈子，从没有如此阔绰、迅速地花掉一万大元。当他领着抱着块宝贝矿金的小钟，沿着长长的滨海路走回家取钱的路上，他觉得自己豪情万丈，脚步轻盈，一下年轻了好几十岁。

老蔡先是把夹在书柜底层自己那八千元"私房钱"全都拿了出来，然后，他跑到女婿单位，几乎是命令一般地，向女婿借两千元。

"阿，阿爸，一下子用那么多钱，你没出什么事吧？"屠庆民从没见过岳父这么干脆利落，这么，呃，富有活力。

"放心吧，不会有事的。你也知道，我轻易不花钱的，我不像她们，我花钱，就要买有价值的东西！放心吧，我这么老了，什么事情没见过，还会受骗不成？"要不是在女婿办公室里，人多不方便说，老蔡都想把这好事情说出来跟女婿分享，先高兴一顿再说！

当着同事的面，屠庆民也不好再多问什么，从抽屉里摸出两千块交给了岳父。

一万块，全部给了那个在小区门口等着老蔡的小钟。

小钟打开那只帆布黄包，又打开里边套着的那只惹得老蔡心情激动的黑包，指指说，阿叔，宝贝归您了，好好收藏啊，拜托啦，谢谢啦，我们一家三代都不会忘记您的大恩大德……小钟又一连串感恩戴德的话，把老蔡捧得飘飘然。

一直到小钟把那宝贝帮他抱上楼，转身离去，老蔡还在飘飘然。他都能闻得到这黄绿色的帆布包，散发着久远的山峰的气息，树林的气息，溪水的气息，还有松鼠、白兔、山鸡的气息，当然，少不了老蔡年轻的气息，那气息里充满了久违的征服和欲望。

然而，正如这世界上有很多努力，都会是一只空屁一样，又如所有的冒险，有赢但绝对也有输一样，当老蔡从那特殊材料制作的黑包里，小心地将那宝贝取出来观赏的时候，他颓然地发现，这个世界上，所有的努力所有的冒险，都他妈的，是一只大臭屁！

老蔡失败啦！——那块石头，像被人施了法术，由刚才那块含金的矿石，变成了一块普通的山石。老蔡的心一阵绞痛。

老蔡对着这块山石，足足生气了半小时——奶奶个熊，好心帮了人，反而还被骗啦？什么世道！什么人啊！

派出所里的那个公安，对从单位赶来的屠庆民说，像你岳父这样被掉包的案例，一个月不下五单，尤其在街心公园、滨海路一带，还有河西桥头，作案对象都找这样的老头儿老太。

老蔡一见到女婿，像犯了罪似的，急忙将刚才报案时对公安说的话重新又交代了一遍。他是这么说的："我也不知道自己到底做了些什么，下午散步到西江桥头，被几个人围住，吹了几口烟，之后，做什么都不记得了，回到家，才醒过来，哇，完蛋啦，怎么会那么傻啊，一万块买了这么块烂石头！"

老蔡一脸无辜，无辜到卑琐的样子。屠庆民看得心酸。唉，这老头儿，这辈子，还真没干成过什么大事。屠庆民不禁在心里引用了岳母赵佳露曾经唠叨过的话。

屠庆民怕老蔡太激动，会犯病，快快办完了报案手续，就带老蔡走人。

走到门口，那公安拍拍屠庆民的肩膀，拉后几步，悄声说，那些受骗的老头儿老太，都这么说，都说自己被人吹了迷魂烟，哪能啊？没看报纸吗？专家已经公布了，根本没有什么能指使人回家取钱的迷魂药，都是他们贪小便宜，不好意思说。

说完，公安善良地朝屠庆民眨了眨眼，摇了摇头。

在前边蹒跚着朝家方向走的老蔡，哪里知道，这会儿，自己身体后边长出了一个秘密。

屠庆民和公安，心有默契地对视了一眼。

反正，一万块多半是追不回来了，屠庆民把那块破石头，连同那只旧帆布包一起，吃力地推进了床底下。就让这个秘密，睡在他们身下，老死，憋死吧。

吃晚饭的时候，两人也没多说什么。屠庆民在推碗离桌前，觉得似乎应该说点什么好，犹豫着，说了一句："阿，阿爸，其实，其实，赚钱的方式有很多种……"

没等他把话说完，老蔡就打断了他——懂，我懂！这短促的几个字，就像最后的一张封条，把这个秘密严严实实地封锁了起来。此后，再没有人提起过这块石头。

4

爬进七十岁这道坎，老蔡偷笑着领过老天爷赏赐的红包之后，渐渐领悟到，老天爷的赏赐并不是无偿的，老天爷正悄悄拿走老蔡的记忆作交换呢。老蔡不明白老天爷要自己的记忆来干什么用，那些过去的事情，既不值钱又没作用，就连说出来都没人爱听的。然而，老蔡的记忆还是像黑夜里的点点繁星，逐渐被蔓延过来的乌云遮盖住了，人们轻易是看不到乌云在黑夜里作怪的。

老蔡变得丢三落四，跟前的事情就像一条条被鱼鹰叼住的小泥鳅，转眼之间，就滑进了喉咙下的皮囊里，若隐若现。接着，老蔡对一些惯常的事情也记不住了。比方说，洗漱的时候，他会对着两只杯子两根牙刷发问，到底这红杯子黄牙刷是我的呢？还是这蓝杯子绿牙刷是我的？杯子和牙刷不会回答呀，他就拎着杯子牙刷跑出去找赵佳露。赵佳露听到老蔡这种愚蠢的问题，语带讽刺地告诉老蔡："那蓝杯子和绿牙刷，天天在你嘴巴里跑进跑出，我都听到它们在喊你了，你没听见吗？"这话一说出来，大家都笑了。女儿还逗老蔡，学着卡通里的配音喊："老蔡老蔡，我是你的瘦子牙刷啊！老蔡老蔡，我是你的胖子杯子啊！"老蔡被嘲弄一番，很是不高兴，脾气一上来，狠狠地把杯子牙刷都砸到了地上，指着赵佳露斥骂："你，你，真不是个东西！合着别人来整老子，奶奶个熊！"说完，翻箱倒柜地非要找出一套新的牙刷杯子才肯漱口。

老蔡曾几何时发过那么大的脾气？而现在，发脾气几乎成了老蔡的家常便饭。一个羔羊性格的人，老了老了，居然还能变成猛虎？一座山，不，是一座假山，忽然在某一天爆发了火山，喷岩浆了。这怎么可能呢？

　　一段时间以来，赵佳露和女儿女婿会在老蔡的某一次发脾气后，背着老蔡，开小会，作为家庭课题来研究。这样的小会开多了，老蔡就犯疑心，觉得这三个人背着自己，肯定是在讲自己的秘密。所以，只要看到这三个人一起说话，老蔡就特别紧张，变得神经兮兮的。有天，老蔡散步回来，开门看到小饭厅里，三个人坐得整整齐齐，每人跟前还放了一杯水，在热烈讨论着什么。老蔡听到言语间提到了自己，女儿蔡文静就拿着笔在做记录。三个人一见老蔡走进来，话语明显就稀少了下来。老蔡断定，他们又在说自己的秘密了，不仅说，还记录下来，像做调查录口供一样。老蔡那个气啊，气得心扑通扑通地在里边跳绳，他连声大骂："你们，你们这帮鸟人，竟然背着我搞阴谋，要诬陷我，啊？啊？"老蔡气得语无伦次，径直走向老婆赵佳露身后，对着赵佳露的脑袋一巴掌就抡了过去。老蔡认定，赵佳露是这个小集团的头目。

　　这一巴掌，把赵佳露打得天崩地裂，大哭大闹。她发誓要跟老蔡离婚。她哭着说，老蔡变态了，发神经了，她是不会跟一个老神经病过下去的。她还说，像老蔡这种窝囊废，一辈子屁事也做不成，她早就看穿了，那年老蔡偷金矿，没被炸死，其实早把神经给炸坏了，炸成神经病了，可怜自己忍受了一个神经病那么多年……老蔡一见赵佳露那撒泼的阵势，天不怕地不怕，居然口不遮齿不拦地说起了那次矿难，他立即像从梦里醒回了现实当中，对刚才自己那激动的一巴掌懊悔不已。

　　老蔡自认为掩藏了多年的秘密终于暴露了！他又羞又愧，没再多说一个字，也没再看这三个人一眼，颓丧地走回了自己的书房，并且，彻底地把这些哭哭骂骂的嘈杂声音反锁在门外边。老蔡久久地坐在椅子上，低头看着书桌的玻璃板下长年压着的那些照片。其中有一张，被好

多张照片盖在最底下，仅仅露出了一小半。是老蔡当年跟地质队友爬上
猫耳山的合影。露出来的那一小半黑白照，偏偏也有老蔡——他照相
总是自觉地站在最边，中间正对镜头的位置，他永远都不敢站，一贯如
此。老蔡张了张嘴，试图跟那个年轻的老蔡说话。他问他，你告诉我，
这后边活下来的几十年，到底有什么意义？是啊，没意义啊！有个鸟意
义！老蔡自问自答着，又摇头又晃脑，心里怪委屈的。

　　老蔡的那一巴掌，给赵佳露的晚年生活落下了后遗症。她不时地会
在某一个瞬间，耳朵里发生一小阵嗡鸣，让她猛然感到世界这只大钟突
然停跑了一下，听不到任何东西，也想不起任何事情，甚至连知觉都不
在了，那种感觉，赵佳露说——就像忽然地"灵魂出窍了一下"。更令
赵佳露感到可怕的是，这样的"灵魂出窍"，是没有任何预兆的，说出
就出，说回就回了。蔡文静带着赵佳露找了不少医生，都得不到什么有
效的诊疗，开回来的药，不外是什么谷维素、镇定药之类的。赵佳露跟
人说起老蔡那一巴掌给她带来的这种神秘的感觉，无人能体会得到，在
别人同情她安慰她之下，她顿时眼眶红红的，叹一口气，说，唉，我的
命真苦啊，这死老头儿，这辈子没给过我什么好东西，就给了我这一巴
掌……说着，眼中就有泪光了。

　　经过这一闹，老蔡再不理会这三个人，更不愿意参加什么家庭活
动，甚至，连门都不想出了。不知道从什么时候开始，从老蔡那总是紧
闭着的书房里，传来了叮叮乓乓的敲击声。除了吃饭休息之外，这些叮
叮乓乓的声音总会准时响起，时而是集中的一阵，时而是零星的几声。
蔡文静打开老蔡的书房门，一看，哇，整个书房，就像一个加工作坊，
老蔡正全神贯注地用一些铁锤、钻刀之类的工具，折腾一块石头呢。后
来，屠庆民才知道，老蔡居然从床底下找出了那块一万块钱买来的石
头，敲敲凿凿，也不知道想干什么。蔡文静一再地追问这块石头的来

历，屠庆民就将老蔡那次上当受骗的经历告诉了蔡文静。蔡文静听了之后，又好笑又好气，说："哈哈，没想到啊没想到，我老爸其实也爱贪小便宜的呀！"

老蔡的日常只剩下了凿石头。他从那块大石头上，每天凿下一小块，然后用刀在上边刻啊、雕啊、磨啊，做出各种形状的小东西来。在他的书架上，已经摆了一溜这些石头做成的小玩意儿，一只小白兔，一只小鸡，一只小南瓜……手工不是太好，但是，仔细辨认，还能辨认得出老蔡当时的意图。当然，老蔡偶尔也有神来之笔。有只小猴，不知道怎么弄的，居然弄出了一条弯曲生动的尾巴来。屠庆民趁老蔡午睡的时候，溜进他的书房里，逐个看，就对这只小猴赞赏有加。他对赵佳露说："阿妈，你看，这只猴子，要是再打磨打磨，怕也能成为一件卖钱的艺术品哩。"赵佳露虽然对此很不以为然，但是这段时间，老蔡完全沉迷在自己的石头世界里，不再乱发脾气不说，摆弄起小石头来，跟个小孩子一样认真。她自然也对这老头子气不起来了。

赵佳露以为老蔡玩石头，就跟别的老头儿一样，没事在家练书法画丹青，起到修心养性、消磨时光的作用，没想到，老蔡玩石头却玩痴了，走火入魔了。某一天，赵佳露发现老蔡已经不满足于在书房里玩那块大石头，他居然跑到阳台上，把赵佳露那些花盆，一只只翻得底朝天，从泥土里扒拉出一粒粒黄色的小石子，擦擦洗洗，乐颠颠地捧回书房里，存放起来。

又有一天，老蔡找到一根布条，把手电筒绑在自己的额头上，做成矿灯，然后把整个身子探进床底下、柜子底下，这里掏掏，那里摸摸，翻捡出一些脏兮兮、布满尘埃的旧东西。他用手电筒，照着这些被他拉出来的旧物，吃力地逐一辨认着。有次，他还摸出了赵佳露多年前的一条小花裤衩，他看来看去，终于认出来，马上立功似的送到了赵佳露的跟前。赵佳露看到这条灰突突的小花裤衩，百感交集。这条花裤衩，还是自己当年没绝经的时候穿的呢，那个时候，自己是中码，现在，都穿两个加了。这条花裤衩弄得赵佳露心里伤感得要命。老蔡在屋子里，总能翻拣出些有纪念意义的东西来，老蔡不一定能记得，但是，赵佳露却记得清清楚楚：一只蔡文静小时候玩的陶瓷公仔、老蔡戒烟前赵佳露买给他的一只小烟斗、一只生了锈的百雀羚雪花膏小铁盒、一瓶当年老蔡从地质队带回来的蛇酒……老蔡就像朝往事的海洋撒出一张渔网，拖出了赵佳露一连串的唏嘘感慨。

老蔡活得越来越像个小孩子啦，不时会做出些让人莫名惊诧的事情来。他会手拿一把螺丝刀，将橱柜上、化妆台上的一粒粒小铜钉，很有耐心地起下来，放进自己的口袋里，不时地取出来把玩；他还会趁人不注意，跑进赵佳露或者蔡文静的大衣橱里，用剪刀把衣服上的纽扣一颗颗地剪下来……这些反常的举动，总是会在蔡家引起一阵狂乱，让蔡文静和屠庆民不得不接受了赵佳露的观点——老蔡真的发神经了！

最后，老蔡就真的变成个小孩子啦。他既认不得过去的老领导老同事老邻居，也认不得整天出现在自己跟前的那三个人。那三个人，隔三岔五地跑过来，哄小孩子一样地问："你知道我是谁吗？"他觉得烦死了。

有一天，老蔡竟然不见了！赵佳露晨运回来，找遍了几个房间，都没发现老蔡。一直过了午饭时间、午睡时间，老蔡还没见影，她慌了，打电话把女儿女婿叫回家，一起出门找老蔡。三个人沿着小区外的滨海路找，一直找上河西大桥，过了河的对岸。河的对岸是千江市的开发新区，楼高人多，老蔡真要是跑到这个区来，那简直就是大海捞针般难找啊！

三个人找来找去找不见，终于意识到事情的严重性了，赶快报警。在三个人忧心忡忡着折返回家的路上，还是赵佳露眼尖，远远地发现有个人正坐在河西大桥的桥墩底下。那人可不就是老蔡吗！三个人兴冲冲地朝桥墩跑去，果然看到老蔡在一个下水沟边坐着，正用一只小镜子，朝黑漆漆的水沟里照来照去。阳光在镜子的反射之下，照得暗处金灿灿地发亮。老蔡一看见赵佳露他们走近，就兴奋咧开嘴嚷了一句——老婆，老婆，这里，这里有金石，快来挖！赵佳露听老蔡这么喊自己，觉得老蔡又认出了自己，顿时有一种失而复得的感觉，流下了两行热泪。

回到家，赵佳露赶紧拿出了针和线，在老蔡的每一件衣服上，绣下了两行字：

蔡冬生，千江市民主路96号滨海小区3栋501
189223×××××

屠庆民看到这两行字后，沉思了一下，提了个意见："恐怕这后边，还要加上两个字：面谢。"女婿的意见，简直起到了画龙点睛的作用。赵佳露赶紧又逐一在每件衣服上补上了"面谢"二字。赵佳露的手工一贯做得不错，这几行字，被她工整地绣在衣服的左胸口上，也不觉得难看。

这样，老蔡每天都穿着自己的家庭地址、电话号码在身上，即使走到天脚下也不怕丢啦。赵佳露退休前在千江市汽车总站的行李寄存站工作，她再明白不过了，检查每一个寄存的包裹，只要把地址、电话两样都查清楚了，保证万无一失，就算长时间无人认领，她都有办法把包裹送走，并且索取到标准的费用。现在，老蔡对于赵佳露来说，可不就是一只寄存在人世间的大包裹么？

然而，没过多久，失而复得的老蔡又开始打老婆了。没有任何事由，也没有任何预兆的，老蔡有时看到赵佳露，会对她骂骂咧咧，骂的内容，因为口齿极其不清晰，也难以听辨，搞得赵佳露回嘴都没法回，莫名其妙地被臭骂一顿。要是老蔡骂得不过瘾，还会随手抄起一根棍子，朝赵佳露就要挥过去。老蔡不打别人，只打赵佳露，所以，赵佳露笃定老蔡是故意的，他压根就会认人。

"天啦，我不要活了，在这个家，有他没我！有我没他！"实在忍受不下去了，赵佳露哭哭啼啼地对女儿女婿下决心。

哭着哭着，赵佳露似乎恍然大悟，记起了很多往事，悲切地说，我早该知道，老蔡早就不想跟我过了，早就恨我了，三十多年前那次矿难之后，回家时他就说要搬出去住的！

赵佳露这一哭一闹，弄得大家也不知道怎么应付，只好劝慰她说："阿妈，你不要跟阿爸计较，他现在老年痴呆了，哪里认得你？他哪里知道你是他老婆？"

"他哪里会不认得我？一起生活了四十多年了，他会不认得我？说出去别人都会笑掉大牙啊！"赵佳露始终觉得老蔡是在装疯卖傻。她提醒女儿女婿，上次在河西大桥找到老蔡的时候，他还"老婆、老婆"地叫自己呢。

屠庆民为了说服赵佳露，给老蔡做了一次测试。晚上，他把老蔡拉到饭桌前坐下，像过去的某一个晚上一样，两人分喝了两碗汤。屠庆民跟老蔡东拉西扯一会儿后，故意压低了声音，问老蔡："阿，阿爸，那个老六说要来看你，你要不要见他？"老蔡正舀着汤的手马上停在了半空中，偏着头细想了一下，问："老六？哪个老六？"屠庆民忙回答说："老六啊，地质队的老六你不记得吗？就是那个负责填炮泥的呀，他那次没去，换了你，害了你，你忘了？"屠庆民不断地提示老蔡，还把老蔡过去跟自己讲的地质队的事情搬回来引导了一遍。这样，老蔡似乎有了一点记忆。屠庆民再次问起老六的时候，他显得不那么迷惘了，说："噢，那个老六啊，最没义气就是他啦，他还敢来见我？"

"是嘛，我都跟他说你不会见他啦，他硬是说要来，还说要来向你道个歉！"屠庆民信口开河了起来。

"哼，来嘛，老子天不怕地不怕，还会怕他老六？"老蔡脸红红的，有点兴奋，"叫他来，叫他来，老子就等着他，奶奶个熊！"

屠庆民离开了一会儿，把赵佳露带到了老蔡跟前，说："阿，阿爸，老六来看你啦！"

老蔡抬头看着赵佳露，眼神里净是疑惑，左看右看，忽然爆发出一阵笑声："哈哈哈，哈哈哈，她是老六？坑人的，坑人的！"然后，又马上收敛住笑，转过身去，严肃地跟屠庆民说："她不是老六，你抓错人啦！"

一时间，屠庆民和赵佳露的心都像油灯的火焰，意外地跳了一下。

"她不是老六？那她是谁？你认识她吗？"屠庆民紧张地问老蔡。

老蔡端详着赵佳露，从上到下。那目光把赵佳露直看得全身发毛，好像无端端被一个陌生人盯住了。

"唔。"老蔡的神色很是凝重，像是在鉴定什么，又像是试图在记忆里努力捞救出些什么东西，艰难地说了一句，"我看，这个同志很面熟！"

话音刚落，屠庆民和赵佳露便同时呼出了一口长气。

不管认不认得人，打老婆的老蔡，实在把整个蔡家搞得鸡飞狗跳。最终，老年痴呆的他成为了这个家庭的弃儿——在过完农历新年后，老蔡就被送进了市中心的一家养老院。蔡家的生活才免去了一惊一乍。

有天晚上，屠庆民照例应酬到深夜回家。刚才饭局上那个要把儿子办进他们电力局的银行副行长老范，塞了只颇有厚度的信封来，还外拎了几罐龙井茶，吩咐说，这是顶级的新茶，回家，最好马上放进冰柜里，受潮就可惜了。

屠庆民的书房里，有个专门存名酒的酒柜，也有个专门存放好茶的冰柜。好东西，第一时间就请进去。当他心情愉快地把这几罐龙井茶请进冰柜的时候，忽然发现，冰柜的右侧角落里，有一个黑塑料袋，看上去不像茶叶，也看不出是什么东西。于是，好奇地拿了出来，解开，一看之下，忍不住一顿爆笑！

原来，袋子里整齐地摆放着三块光滑的鹅卵石，在每块石头上，分别整齐地贴着三张便条，每张便条上，都是老蔡的字迹，仔细一读，才知道，是每块石头的鉴定，记录有石头发现的时间、地点、重量、含金纯度等等简单资料，最底部，还很规范地签上了老蔡的姓和名！这三块石头，屠庆民一看就知道，是老蔡从小区的喷泉池里摸回来的。

屠庆民笑得气都喘不过来了。

嘿，嘿，这老头儿，真的是想金想疯啦！

等屠庆民独自笑够了，才拎起那沉甸甸的黑塑料袋，扔到屋外的公共垃圾桶里。当屠庆民转身要离开的时候，望着躺在一堆秽物当中的那三块石头，不知怎的，竟有一股睹物思人的酸楚涌进了他还带着酒气的鼻腔内。

开发区

　　开发区不在郊区，不在江边的新城里，开发区在我们住的那条街上，她是我们的街坊。

　　我们这条街上，有不少嫁不出去的大龄女人，开发区是其中一个。只是她跟我们不同，她有约会的男朋友，我们没有。她有一张美丽的脸蛋，因为身材矮点胖点，所以算不上大美人，但是做个小美人，还是够资格的。可我们宁可叫在街口卖凉茶的"山大王"的女儿叫小美人，也不愿叫她小美人。我们叫她开发区。

　　我承认，我们除了看不惯她对男人的行为，还很嫉妒她，不知道她从哪里开发来这么多男人。很多时候，她就像一个野外生物学家，一走出这条街，就忙着去采集生物标本，而那些男人，也许在很多女人眼里看来实在不值得一提，可是，对于我们来说，每个男人就像我们在大街上眼睁睁看着飞驰而过的宝马或者凯迪拉克。

　　只有一点让我们感到安慰，尽管开发区开发了那么多男人标本，可她还是跟我们一样。所以，每当她在街坊活动中心里跟我们见面，说自己刚甩掉了一个干什么什么职业或者什么什么行政级别的男人的时候，我们都在肚子里暗暗可怜她，又被一个男人甩了。呵呵，看着她那双确实乌黑发亮的眼睛，我们也觉得其实她真的并不怎么样。

当然也有例外。我们曾经看到过一个其貌不扬、衣着普通的男人，站在她家门前的路灯底下，从我们做饭的时间开始站到我们把晒在阳台的衣服收回家。然后开发区出门了，经过这个男人，视而不见，男人跟着开发区走到了街尾，走出了这条街。之后我们再也没见过这个男人了。

开发区可不是我们的榜样。虽然我们也在私下里有过向开发区学习的打算。那一次，小芹好不容易经人介绍认识了一个在医院里当护士的小伙子，看着蛮清爽的一个人。开发区却对小芹说，根据我的经验判断，一个男人去当护士，估计没法往上走，你何曾看到过护士是男的？不过呢，这个男人倒有可能对你好，细心，把你当病人一样护理。说了半天，她给小芹的建议是，不要投入太大，先吊着，遇到合适的再放了。

谁知道过了不久，小芹咬牙切齿地把开发区给恨死了，没想到她真的将开发区的话当了格言，人家小伙子看她不热情，转头就找了另外一个女的。

我们都为小芹感到可惜。同时也觉得小芹亏了，不是被那小伙子赚了便宜，而是被开发区弄亏了，或许她在骨子里也跟我们一样，都不希望我们其中哪一个比自己嫁得早，更别说嫁得好了。

就是这样的，有的时候我们觉得开发区是跟我们站在同一个阵营里的，只不过她喜欢孤军作战，但更多的时候，我们又觉得她是我们的敌人。

我跟开发区不仅仅是街坊，还是同学。我们在一个自费的职业技术师范学院里有过三年的同学过程，所以，不管我跟那些女人抱着多么相似的心态，甚至在私下里把开发区的名字叫得比任何人都频繁，可是，开发区还是愿意跟我说得最多。开发区的女朋友几乎等于鸭蛋，不知道是因为她把所有的时间和精力都用于开发男人，还是女人都把她看成是自己的竞争对手。

据我个人所知，开发区在念书的时候，喜欢过一个搞艺术的男孩子。他是学油画的，用开发区的话来说，就是搞西洋产业的，同学们那个时候打趣地叫这个两鬓窄窄、脸色苍白的男孩子"西洋参"。"西洋参"的家在贵州一个老山区，据说家里穷得在河床里摸些小卵石，用盐巴炒炒，下饭的时候放到嘴巴含含。所以"西洋参"吃东西口味特别重，只要东西够咸，也不管是什么，就能吃掉两大碗饭。读书的时候，"西洋参"依然很穷，在街边给人画肖像，在隧道口给人设计签名，这些都干过。听人说，画画的能挣钱，光拍卖掉一幅就把一辈子的钱挣够了，所以开发区说，现在穷点没关系，关键是以后能往上走。

"往上走"这个概念，也不知道开发区从哪里学来的，在我认识她这么多年，每当评价一个男人，她要不是问旁边的人，他以后能不能往上走？要不就自己问自己，他还能往上走吗？天晓得上是个什么地方，她又不是一个基督徒，她也不相信什么上帝。总之，开发区看男人跟我们都不同，她把男人都看成了一个问题，一个能往上走还是不能往上走的问题。

开发区对"西洋参"也许是喜欢的，因为除了喜欢过这个男孩子以外，我看不出她还喜欢过谁。为了帮助"西洋参"，她在他画肖像的路边当托儿，有人看到她从早站到晚，以为一个无知少女暗恋落魄艺术家。

最绝的一次，她跟"西洋参"跑到他贵州的深山老林里，挖那些树木的根，山高水远地搬了几大麻袋到我们这里来卖。可是，谁会要这些东西啊。那个时候，我们找到一块木板就会迫不及待地将它做成一张小板凳或者小斗柜之类的。那些根雕拿来给我爸爸看的时候，我爸爸嫌它们形状太奇怪了，连做一个烟斗的杆子都不够。说来也好笑，我的妈妈可喜欢这些树头了，她把它们捡了来，放在阳台上，把一些还没干透的小衣物挂在它们上边，有的还放在厨房里架我们的碗，她说，恐怕只有最称职的家庭主妇才懂好好利用废品。

算起来，开发区对"西洋参"是最好的了，他是唯一一个得到她借钱的男人。开发区的老妈总是对我们说，她养了一只铁公鸡。我们都笑说，她充其量也只是只铁母鸡。她老妈竟然说，她若是母鸡，下了蛋也会把它吃回肚子里，何况她从不卖力气下蛋，她指望男人下蛋。我们都不同意她老妈说她不卖力气，开发区其实真的很卖力气，她早出晚归，她开发男人，她的奋斗口号是——早起的鸟儿有虫吃！

开发区来我家找我的时候，除了讲讲眼下的那些男人，偶尔还会感叹一下过去，就跟吃了无比大的亏一样。她总是气愤地说，贵州佬真的不是一个什么好东西，在他身上我投资了四百五十七大元，放个屁都比他值钱。尽管这四百五十七大元已经过去好些年啦，可开发区每说一次，就恨不得去找他要回来一次。

那年"西洋参"毕业了，在这里东转转西转转之后，决定北上开发。他说，这里的人，连根雕都不懂得欣赏，还指望他们看西洋画？他要去找一个看得懂他的画的地方。一被人看懂了，他的画就值钱啦。说实话，开发区一直看不懂"西洋参"的画，"西洋参"花了很大的精力画完那幅称之为印象派的画，得意地给开发区看，开发区看了半天不说话，最后，她指着画的一角，兴高采烈地对"西洋参"说，看出来啦，这里有一个女人，这是奶，这是卷发。

不久，"西洋参"背着这幅画向开发区借买火车票的钱。他说，只要火车一开，他的画就值钱了，画值钱就等于开发区值钱啦。

值钱的话，开发区是最要听的。尽管如此，开发区还是犹豫了不少时间。她在"西洋参"转身走的那一刻，决定帮"西洋参"到火车站买一张卧铺票。

整整四百五十七大元出去了。

好多年过去了。也不知道"西洋参"的画有没有值钱。

前些年，有人说在深圳的一个什么村里看到过"西洋参"，他跟很多画画的人一起，画三百块一幅的"蒙娜丽莎的微笑"或者"向日葵"，每天能画好几幅。我问开发区，干脆到深圳找他去？开发区那个时候正在开发一个我们这里刚刚开始筹建的大学城的包工头，据说以后钱会多得能把所有快乐都买来，能把所有烦恼都雇人灭掉。开发区说，找他干吗？我不在乎那点钱。后来，有人又说看到"西洋参"在桂林一个小县城的桥上，摆个小摊，挂满了山水画，骗老外钱呢。我又问开发区，要不到桂林去找他？开发区犹豫了一下，问我，要是找到他了，他会还我那些钱吗？那时候她刚结束一次开发，那个据说能往上走的厂办秘书刚刚从她身边走开。

如果我是开发区，我可能早就嫁了一百次了。连我妈妈都说，这个开发区，难怪叫开发区，总是开发，不结果的。算起来，开发区比我大一岁，她在我们面前说起过的男人，算都算不清楚。可是，天晓得，这些男人跟她都怎么啦？根据我妈妈的经验来看，她没跟那些男人怎么啦。我不明白。我妈妈说，她要跟了那些男人怎么啦，就不会老不结婚了。

我觉得我妈妈说的话，只对了一半。开发区可想结婚了，她甚至说，结婚哦，就像是她一直盼望得到一本蓝色护照一样，上面盖满了纽约、伦敦、巴黎、希腊等等印戳。她打这个比喻的时候，眼睛瞄着她那正在吃西瓜的妹妹。可是她的妹妹一眼都不看她，只顾着埋头仔细地挑出那些黑籽儿。

妹妹当然清楚她说什么啦，她的手上戴着一只漂亮的米奇手表。这只手表每走一秒，似乎都在撩拨着开发区的神经。这是开发区下最大血本送给妹妹的一只米奇手表，是她早就在杂志上看到预告，然后早早寄钱去邮购回来的一只限量版的米奇手表。她把手表送给妹妹，妹妹于是承诺她，等她在新西兰安定下来之后，就帮她物色一个好男人，把她娶过去。

妹妹在网上认识了一个新西兰老男人，居然成功地把她娶到了新西兰。妹妹说不上比开发区漂亮，但是却比开发区聪明，她懂得上网，在很多姻缘网上张贴自己的征婚启事，把自己吹得跟朵大丽花似的。其实，开发区不喜欢她妹妹，她妹妹好吃懒做，但比她命好就是了。

妹妹出去已经两年多了，可是她每次发回来的照片，不是风景，就是她住的 HOUSE，压根就没提那个物色给自己的新西兰男人。

这次，妹妹回来生孩子，明确告诉她，新西兰地广人稀，平时除了奶牛和植物之外，连个人影都看不到。

开发区当然不相信啦。她看着那只限量版的米奇手表，问妹妹，你老公为什么不买只洋表给你戴着？

妹妹不接话。

尽管这样，开发区还是找回过去分手的那个外科男医生，让他给妹妹找了个好的妇产科大夫，她跟妹妹说，不用送红包哩。

我们认为，开发区结不成婚，是因为她总跟人处不好。就拿那个小陈来说吧，我们到现在都觉得她实在过分。

有一天，开发区逐个给我们打电话说，她可能要结婚了。接下来不用问，就听她说了一通，这个叫小陈的，如何如何有前途，如何如何能往上走，这些话说实在的我们都听多了。后来她要我们去看看他，他在一家土菜馆订了房间请我们吃饭。我相信我们当中几乎没有一个愿意去吃饭的，开发区不应该找我们这些单身的女人去，要知道听她说自己要结婚的时候，我们的心理活动是多么统一啊。我说我刚好要加班，小芹说她老爸老年痴呆发作了要在家看着，露露说她身上不舒服去不了，那个黑黑的胖小蔡干脆就明摆着说她没兴趣，不去。

可是当我去到那间包厢的时候，我发现，开发区邀请的人全都来了，因为除了见到小陈之外，我们还见到了小陈单位的好几个单身男同事。

小陈是个小公务员，比开发区大两岁。好像在一个什么政策研究室，人不老，但额际很高，头发已经快脱到头顶了。开发区说，这种样子的人，就是能往上走的，当然了，她说这话不是没有根据的。那个小陈吃饭的时候，总是说某某规划局的局长跟我很熟，某某厂长我一个电话就能找他出来买单之类的话。开发区一直用那双美丽的大眼睛看着他，好像他说的那些人，是自家的亲戚一样。

饭后我们一起走回去，大家心里都在想，完了，这回开发区真能嫁掉了。而关键是，那几个单身男同事们竟然没表现出对我们当中的任何一个感兴趣，我们沮丧的心情完全发泄到了对开发区这桩婚姻的诅咒上。

人家说，早秃的人不好，身体不行。胖小蔡首先第一个说了出来。

于是我们都说开了去，就跟议论菜场里卖注水猪肉的那个缺德老沈一样。

没想到我们的诅咒居然生效了，开发区果然没有跟那个小陈结成婚。

对于我们这些大龄女青年来说，诅咒是很灵验的，因为关于花好月圆的祝福，在我们身上总不奏效。更何况，我们越来越对命运虔诚了，我们都去找过不同的算命先生，算桃花运，甚至在各人的房间里，动不动就摆上一两个按照算命先生吩咐弄来的物事，朝向讲究，质地讲究，轻易是不给移动的。所以菜场里那些做买卖的男人，敢得罪退了休的老太太，甚至是嗓门大大的大婶，都不敢得罪我们。做生意跟我们结婚一样，都是诅咒不得的。

那天，开发区的老妈气鼓鼓地走到我家，跟我妈妈说，我家那个十三点真的十三点，难怪她会成老姑婆。

我们都吓坏了。

她告诉我们，她家那个十三点竟然把那个小陈给扔了。

真不知道她是要嫁皇帝还是玉帝，谁会要这种十三点啊。开发区的妈妈气都快喘不上来，要知道她已经快七十岁了。

原来开发区竟然对小陈说她老妈得了一种稀罕的怪病，需要一大笔钱找医生，向小陈借一万元。可人家小陈没借给她，她就把人家给扔了。

好端端的，向人家借什么钱啊，还诅咒我得了怪病。真是没心肝啊！开发区的老妈又生气又伤心。

我在心里暗暗想，难道开发区中了邪？或者是被我们曾对她诅咒的力量改变了命运？可开发区的命运是那么容易改变的吗？

谁知道开发区却很有理由，她第二天跑过来对我们说，这个小陈什么都好，就是跟钱相处不好，钱啊，是这个世界上最难相处的人，能跟钱相处好了，自然跟所有的人都能相处得好，自然才能往上走啊。

我觉得她真的是脑子里灌了水。

难怪你妈说你十三点！我对开发区实在没话好说，难道她真的觉得男人就像她们家花盆里种下的芫荽，割去当作料用了，过不了几天又能长出新的来？

最后我妈妈说了一句话，让我至今脸红。我妈妈说，你又没跟人家睡，人家干什么要借钱给你啊？

我真的没想到我妈妈会说出这样的话。她说这话的时候，我的爸爸正坐在旁边低头给一盆金边吊兰捉虫子，没吭声，我妈妈正眼都没看他一眼。

开发区也不说话，我看到她眼里竟然闪着泪光，不知道是因为失恋的痛苦，还是因为扔掉小陈感到后悔。事后想想，可能两者都不是，大概因为她知道她老妈在别人面前骂她十三点什么的。

在开发区交往过的男人当中，当然也有我喜欢的类型，毛峰峰就是一个。他送给我一张快餐店的八折卡，我至今把它夹在钱包里，看着那上边的名字，就好像看着他那张脸，那张脸，起码在我看来，是帅气的。

大柿子脸！开发区说到毛峰峰还是一副鄙夷的样子。

我的心里充满了愤恨。说实在的，开发区总是这样，对于那些她交往过的男人，一一不喊姓名，好像被她开发过的那些人，最终都成了她的敌人似的，连那个给她妹妹安排生产的外科医生也不例外，她背地里叫他消毒水，因为他一身都是这种味道。

难怪她嫁不出去！我愤恨的时候，总是会在心里这样骂她。可是，又能怎样呢？即便我不那样，也与她有着相同的命运。就像我对这个毛峰峰，从心里到外表都顺从他，甚至他让我给开发区带夜宵，让我给开发区的老妈带一些新鲜的肉和蔬菜，我都没有对他有过埋怨。

开发区也想过要跟毛峰峰结婚的，她说，一跟毛峰峰结婚，她就成老板娘啦，虽然现在快餐店做得还不是特别红火，可是，她很快会让这些快餐店连锁起来。到时候，她首先要盘下街尾那间冷清的旅店，把快餐店连锁到我们这条街上来，在这里她生活了三十多年，到时候，给大家打折。毛峰峰一听到打折这个词，仿佛条件反射似的，脸上堆起了笑容，从坤包里取出一叠印着他的名字的八折卡逐个递给我们。

后来我拿着那张八折卡常去毛峰峰的快餐店，可以说，毛峰峰对我留下了深刻的印象。我的话不多，可是我从钱夹里掏出八折卡在收银台付钱的样子，给毛峰峰一种美好的感觉。

有一天晚上，快要打烊了，毛峰峰在收银台拦住了我，他说我是开发区的好朋友，经常来，这次要请我，免账。接着又把我留在一张桌子前坐下来，让服务员送了两碗杏仁奶茶过来。

他说，陪我喝喝，聊聊。

毛峰峰不是本地人，他从老家跑出来，首先是在一个酒楼当服务生，因为他长得周正，而且笑得很勤奋，客人逐渐跟他熟络起来。后来，他被一个大酒家挖去当领班，再后来，又被一个更大的酒家挖去当楼面经理，到最后，毛峰峰就开始打本经营自己的生意。这家快餐店才经营起来不到一年，名声就已经在外了。

到时先在我们街尾开一间连锁店？开发区曾经这样在我们面前炫耀过的。

呵呵，当然，只要她愿意，到哪儿开都可以啊。

毛峰峰的回答让我心里充满了忧伤。这个愚蠢的问题一下子破坏了我聆听的幻觉。

接下来，毛峰峰竟然跟我说了很多他小时候的故事。那些到现在听来实在很不值一提的乡村小事，不知道他为什么兴致勃勃，即使是说那些令人难以置信的艰辛的情景，他都说得眉飞色舞。

这个夜晚虽然对于我一贯以为是注定了的人生，是无动于衷的，事实证明，我后来的结婚对象也跟这个夜晚一点关系都没有。可是，不知道为什么，我却对这个夜晚以及那杯味道怪怪的杏仁奶茶单方面地感到特殊。

开发区说过，一个男人开始要追一个女人的时候，习惯跟那个女人讲自己的过去，讲得越详细就越表明他越想追到你。

毛峰峰的那些乡村生活，在一段时间里成为我反复捧读的一本书。我喜欢看小说，我们街上唯一的一间租书店里，那两排亦舒、玄小佛的言情小说全都被我看完了。租书店的老板说，她们早就不写了，因为她们都结婚去了。

结婚了就不再写爱情小说了？这听来有些荒谬。

开发区说，那有什么奇怪的，结婚了，有人养了，谁还那么辛苦写书赚钱啊？

往往都是这样的，在我们看来很荒谬的事情，开发区却觉得正常得不得了。即如她一脚把毛峰峰给蹬了，这么不可理喻的一件大事情，却被她像弹烟灰一样做得不动声色。

毛峰峰啊，那个即将开连锁店的小老板啊，那个遇到熟人就堆起笑递八折卡的好男人啊，开发区竟然像一次习惯性流产一样，把他给流掉了。

那天下午，毛峰峰在快餐店里看到我，托我把两张票带给开发区。这是一场香港歌星的群星演唱会，毛峰峰找人出高价买回来的，他让我转告她，晚上他来接她去看。

我拿着那两张票，不吭声，不拒绝也不同意，要知道那个时候，我的心里就像小说的高潮部分那样，冲突得可厉害了。我甚至还能感到，在黑暗里，毛峰峰坐在我身边，将手伸向我或者将头靠向我的时候那种温热和心旌荡漾。当然，毫无例外，我同时也对开发区开始了诅咒，这个肥胖的女人，不知道哪里好。要是毛峰峰知道她跟过多少个男人，他还要她才怪呢！

　　我一直找着各种借口，没有揣着那两张票走到开发区的家。

　　黄昏的时候，开发区竟然找到我家，她穿得无比花哨，脸上也刻意地刷了好几把，仿佛是今夜即将开屏的一只母孔雀，她肥胖的屁股一扭一扭地消失在我的视线里，我感到对她从来没有过的讨厌，以及随之而来的烦躁。

　　我妈妈在屋里看到我的一切，深深叹了口气。她最近在积极地广撒网，希望不久能在茫茫人海中给我捞回个男人来。

　　也就是在那个香港歌星演唱会的晚上，开发区把毛峰峰给蹬了。

　　这个毛峰峰太小气了，连两块钱都不放过。

　　这怎么可能呢？毛峰峰还请我喝过杏仁奶茶呢。虽然我忍着没将这件事情告诉开发区，但是我觉得开发区欺人太甚！

　　开发区说，他们看完演唱会出来到存车处取摩托车，那个老太婆让毛峰峰把号牌还给她，大概是因为看演唱会太混乱了，又喝可乐又吃果脯什么的，把号牌丢失了。丢失就丢失了呗，老太婆要毛峰峰赔两块钱工本费，给就给呗，可毛峰峰竟然说，他付了存车费，凭什么还要付号牌费？老太婆说他丢失了号牌就要赔两块钱。一个大男人啊，竟然就跟一个树底下看车的老太婆争吵了起来，还要把别人的车给推倒。

　　岂有此理！长这么大没见过这样的男人！开发区一边说，一边用厚厚的巴掌将风扇到自己的脸上。

　　仿佛被蹬的人是我一般，我先是气愤，然后是难过，最后是忧郁。这样的忧郁持续了一段日子，我进到毛峰峰的快餐店，看到毛峰峰，他尴尬地装作不认识我。又过了一段时间，我进到毛峰峰的快餐店，看到毛峰峰跟一个女孩子，面对面坐着，桌前两杯一模一样的饮料，他正在眉飞色舞地跟那个女孩子讲着什么，目光一搭到我身上，马上就又收回到那女孩子脸上，竟然就真的从没认识过我了。

在我们这条街上，那些跟开发区擦肩而过的男人，会盯着开发区突出的圆屁股看，他们心里都在想，这个女人，究竟谁要了她？我从我那沉默的爸爸那里看懂了这些没有说出口的话。我爸爸某一天坐在沙发上，一直目送着开发区从我屋子里穿过客厅继而走出大门，紧接着他冒出一句话，就是她跟了老曾？我爸爸记错了，这段时间里传说我们街上一个老单身汉老曾跟街上一个单身女人好上了，我爸爸认为开发区就是那个女人。当时我爸爸穿着我妈妈穿旧了的很宽松的一条西装短裤，有意无意地走到阳台上，朝下边张望。开发区必然在下边，一扭一扭地走过。

等到有一天，开发区终于大张旗鼓地出嫁了，这些男人才终于把目光放到了许同的身上。

现在大家都知道，那个叫许同的，走路迈着平稳的八字步，一不小心就容易走路同手同脚。他每天下班后，都要到菜场去转，捎点肉捎根黄瓜什么的，当然也经常买大闸蟹，通常一买就买三只。所以卖大闸蟹的泥鳅仔最喜欢看到许同了，他甚至说，许同，我们真是有缘，我在这里卖大闸蟹多少年了，从没看到过跟自己长得那么像的人。许同看看他，没有什么意见，说，只要你留最肥的母蟹给我，就算跟你双胞胎又有什么关系？泥鳅仔长得像泥鳅，整体瘦长，尤其腰最长，仿佛一坐到凳子上，屁股就不够放，垂到凳子下边悬空着了。他们说，懒人腰长，泥鳅仔前世是个少爷。墙角那个算命的老头儿，每见泥鳅仔经过，都喊他少爷，泥鳅仔被他喊得高兴，到档口抓一把毛票就送了过去。似乎是一种风气，我们这条街上的人，特别相信风水、相术、八卦什么的，就连许同，才跟开发区结婚搬来半年，有一天我们也看到他蹲在算命老头儿的旁边，很像那么回事地给老头儿摸摸骨头，瞅瞅面相。

算命的老头儿问许同，要看哪方面的？

看看官运。许同尴尬地压低声音说。那个样子，就跟一个男人在地下诊所看暗病一般。

自打许同出现在这条街以来，谁不知道他是矿产局的一个统计员啊？可是在我们这个没山没水的小地方，哪里来什么矿产可以开发？

算命老头儿不看许同的脸，只摊开他的手端详了良久。

你的手线很清晰，该有的都有了，事业、爱情、儿女，一样不缺。

一样不缺，意思说，还能往上走？许同将信将疑地像看着一个救星。

当然，从你的鼻子来看，能往上走，晚年会更好。

看得出来，好像被证实了某个事实一样，许同乐颠颠地在泥鳅仔那里挑了三只肥母蟹，用草绳整齐地扎好，拎了回家。

许同有什么好的？许同有什么不好的？谁也说不准，只是因为许同是开发区要嫁的，所以许同一下子在这条街上成为了我们议论的对象。

除了我之外，她们都为开发区感到可惜，以至于她们光顾着可惜，却一点都不在乎她先于自己嫁出去了。

许同是开发区去参加一个很时髦的"九分钟约会"开发回来的。

那天开发区来找我，说，晚上带你去赴一个约会。

约会还带上我干什么啊，要我帮你俩取景拍照留念吗？我听了一肚子不高兴。

呀，这种约会，是一批一批的约会，不是双人约会。开发区向我解释说，这是她在朋友那里打听到的，一种快速约会，九分钟就结束了。

九分钟？样子都没看清楚呢。这也能叫约会吗？就算是目的明确的相亲，一顿饭的时间还是要的吧。我感到无比好奇。

农村的集市里相那些不会说话的马或者驴，还要一个上午呢，九分钟就能牵个男人回来？我妈妈一贯对于开发区不信任，她认为开发区条件好却一直嫁不出去的原因，就是不够脚踏实地。

认识了以后再慢慢看清楚嘛，先看条件。开发区满怀希望地把我带走了。

当我和开发区七拐八拐地找到那个叫"单行道咖啡馆"的时候，我终于知道为什么开发区比我们能找到男人了，她就连这种藏在某条小巷某个宿舍的车库底下的咖啡馆都能找到，哪里还有她找不到的地方？

女人歇着了，地球就不动了。这是开发区的名言之一。看上去，开发区连歇息的念头都没有。

她穿着高高的细跟鞋走进昏暗的地下车库，一低头，变魔术般地，就钻进了"单行道咖啡馆"。

令我大开眼界的是，这个门面看起来小小的咖啡馆，里边竟然能容纳那么多男人和女人。他们坐在桌子前，各自介绍着自己的情况，或者留下自己的联络方式，有的竟然还很精心地把自己的简历打印在纸上，话都不多说，发出去就走人。

我和开发区显然是这一堆人里边年纪偏大的，那些相互交换着目光的人，似乎只扫描了我们一眼，就不再理睬我们了。

服务员给我们端来了一杯咖啡。我才注意到，每个人的桌上都摆着一杯相同的咖啡。

开发区一坐下就不断地向邻近的男人介绍自己，同时那些男人也在不断地打量着开发区，要不是桌子挡住了开发区的下半身，估计他们连开发区的脚板都不会放过。可是，打量完毕后，没有一个人表现出对开发区的情况感兴趣，他们的脸最终都朝开发区偏开了。

也没有人来问我的情况，如果我不及时地逮着一个男人主动提问的话，这个"九分钟约会"就等于跟一杯咖啡约会了。

原来，所谓的"九分钟约会"并不是给男人和女人们规定见面交流的时间，其实仅仅是一杯咖啡消费的时间。九分钟，你桌面的咖啡就算一口都没动，都要被服务员收回去，在咖啡被收回去的同时，你的约会时间已经用完了。如果你要继续坐在这里，要继续寻找你的姻缘，那么，对不起，请继续交钱续咖啡，一杯咖啡二十块。

不用说，现实生活就是这样的流水作业，而这种男人和女人因为同一个目的坐在一桌的约会，等同于一桌流水席。

然而，我和开发区的这九分钟很明显比别人多，因为几乎没有人来主动跟我们搭讪，即便是美丽的开发区，也显得与他们如此格格不入。

我开始感到懊悔。早知道就不来了，跟这些所谓的白领精英们比时间，我们不惨败才怪呢，这么多年来，时间哪一天不在欺负着我们这些单身的大龄女青年？谁说我们不是被美好时光判出了局？

开发区更加一点也不掩饰自己的沮丧，她抚着咖啡杯的大耳朵，左边转一下，右边转一下，仿佛哪个方向都不舒适。

服务员将我们两杯到点了的咖啡收走后，我和开发区就打算离开这里了。可是，等等，生命里往往就是那么戏剧性地会出现一些人和事，甚至将我们的惨败结局扭转了过来。我也因此而对我过去所看的爱情小说那些一直不可思议的部分，相信了它们发生的真实性。

许同用声音把开发区的脚绊了一下，以至于开发区刚刚离开座位的大屁股一下子又落了下来。

再来一杯怎么样？我记得许同是这么说的。

我们刚才好像都没看到过这个人。说实在的，我们看不到他也很正常，他在人群里是如此平凡甚至平庸，要不是他在这个令人沮丧的散席的瞬间，发出了给我们续咖啡的邀请，就算是同样平凡的我都看不到他，更何况一贯自诩不凡的开发区？

原来平凡人跟平凡人扎堆，就会续很多很多杯咖啡，消磨很多很多个九分钟。

我算不清楚，许同给我们续了多少杯咖啡。这个"单行道咖啡馆"的老板很满意地看着我们离去，从他对我们的态度上来看，我琢磨着许同一定给我们续了不下十杯咖啡。

之后不久，开发区就跟许同结婚了。结婚了仍然住在这条街上。开发区兴奋地告诉我，许同买房了！我才知道，她把她老妈留给她的老房子低价卖给了许同。

九点五折啊，你去问问看，现在老城区的房子有那么便宜的？

据说许同当时高兴得嘴巴都合不拢，把所有的积蓄都转到了开发区的名下。

说来也奇怪，自从开发区嫁给许同之后，开发区就好像从这条街消失了似的，即使她穿着一件大红花衣在街上走着，人们都好像看不到她，相反人们开始关注起许同来了，仿佛那个风骚而美丽的开发区，隐了身一般地附在了许同的身上。当然，我们也跟开发区疏远了，我们看到她，甚至都不想跟她说话，仿佛她一张嘴，就是一个许同的嘴巴打开了。

这样的状态不知道持续了多长时间，大概是在我们一个个陆续结婚了之后，开发区才又在我们的嘴里复活了过来。

有件事情我一直琢磨了很久，你猜，我结婚的时候，红包里那张一百元钱的假币到底是谁送的？开发区结婚已经快两年了，她居然还在追问我。

天晓得，一百元都是一样的，又不签名的。

接下来她竟然用排除法将我们一一怀疑了个遍，又一一推翻了个遍。

嘿，不过我也没亏，我让许同拿去买菜花掉了，居然都没被看出来。

　　说不上开发区的婚姻生活幸福不幸福，但是我肯定许同一定对她很好，不仅仅因为许同每天都很有耐心地出现在菜场，也不仅仅是因为许同在算命老头儿那里确认了日后能"往上走"的这个事实。开发区一结婚就对许同讲，许同，你现在对我不好，那么到你老了，等你患了老年痴呆，你要小便我偏灌你喝水，你要喝水我偏塞你盐巴！许同听了，笑呵呵地做一副很害怕的样子，出门买菜去了。

　　后来，开发区又在我们的视线里复活了过来。我们又看到了开发区，每天穿得美美的，喷得香香的，以至于我们又开始有错觉，好像开发区又恢复了单身女人时的模样，勤奋地出门开发去了。

　　说实话我们还是看不习惯开发区这种夸张的样子。

　　我总是害怕呀，指不定哪天走在路上，一辆豪华小车，吱一下，准确地停到你旁边，然后从车里跨出一个男人，你仔细一认，原来是过去被自己蹬掉的某某某啊。不穿漂亮点，会输得很惨的！开发区望着那天窗外边若隐若现的小雨，少有的神经质的样子说。

　　我忍不住笑了出来。你呀，韩剧看多了吧？

　　咦，生活里的事还能有个谱的？谁也拿不准的。

　　话音未落，我只听到咔嚓一声，开发区已经用力把一只大闸蟹的腿掰断了，她很熟练地拈着一只蟹钳，捅进一截瘦瘦的蟹腿，跟做手工似的，一点一点地把那里边的肉掏了出来，那么认真地，卖力地，寻找着一些甜头。

草　暖

　　草暖今年三十岁了，她给自己未来的十个月定下一个庄严神圣的任务——每一天她都要想两个不同的名字，一个男的，一个女的，当然最前边的那个字是根本不需要考虑的，"王"字是她肚子里的宝贝今生今世的定语，当然也是草暖今生今世的最前边的一个姓氏。"王陈草暖"，这是草暖在二十七岁结婚后的名字。

　　王明白对草暖说，其实真的不需要这样，结个婚难道连老爸姓什么都给丢了不成？我姓王，你姓陈，过去姓陈，现在还姓陈，只要你还姓陈就是我姓王的老婆。

　　草暖说，那还是不一样啊，我是你王家的人了，当然跟你姓啊，你看香港台新闻经常出来的那几个女人，什么陈方安生、叶刘淑仪啊，不都是跟丈夫姓的么？再说我也没有丢掉我老爸的姓啊，陈字还不是排在王字后边，不是还在那儿吗？别人一看就能知道我老爸姓陈。

　　王明白没有吭气，他一个大男人每天应对公司的事情那么多，对这些细枝末节的事情从来不想考究，名字嘛，就是一个人的标签罢了，又不是什么商品的品牌，非做得那么考究干什么？实际上他公司里的同事见到陈草暖都喊她"王太太"，根本没有人知道她姓陈，名草暖，更加没有人知道她把自己唤作"王陈草暖"。

但草暖还是在自己的朋友里边坚持唤自己为"王陈草暖"。多么麻烦的称呼啊，所以那些朋友无论跟陈草暖真熟还是假熟，都一律自觉地喊她——"草暖"。

自从三月份草暖怀孕以来，对名字的执着简直就到了变态的地步，好像十个月以后生下来的是一个名字，而不是一个男孩或者女孩。

变态！有一次王明白真的就这样说草暖。草暖没有说话，眼睛里充满了怀疑，好像怀疑自己肚子里的孩子跟王明白没有任何一点关系一样。王明白那天在公司里跟董事长产生了一些不愉快，心情比较烦躁，所以顺口就说了草暖这么一句。

草暖当然不会跟王明白争吵的，怀孕前不会，怀孕后当然更不会了。草暖说怀孕了不能够发火，要不然会把孩子气掉的，也不知道她从哪里来的根据，但是这毕竟对草暖是件好事情，更不用说对王明白了。草暖这个人就是这一点比较合适当老婆，整个人就像她整天挂在嘴边的那个口头禅一样——"是但啦"。只要有人征求她任何意见，结果别人总会得到她这句话，刚开始别人以为草暖有教养谦让别人抓主意，久而久之就发现草暖真的是很"是但"。在广州的白话方言里，"是但"就是"随便"的意思。结婚后王明白甚至觉得草暖这样"是但"的优点，比草暖煲的汤做的菜，比草暖长的样子穿的衣服，比草暖瘦瘦的小腿尖尖的乳房等等都要好出很多倍。

可是，王明白却不明白为什么草暖什么都可以"是但"，唯独对姓名这东西却不肯"是但"，对"王陈草暖"以及无限个还没有确定下来的"王××"，她从来没有说过"是但啦"。

从小学读书开始，草暖就有一个绰号——"公园"，因为在广州，草暖等于公园，这是谁都知道的。草暖公园位于广州的越秀区，东风路的末尾，火车站的旁边，是广州流动最多人的一个地方，所以，草暖公园既是一个公园，也是一个公交车站的站牌。草暖不喜欢人家喊她"公园"，公园啊，听起来就像公厕那么糟糕，再往下想草暖就会更加不高兴了。

因为这个名字，草暖问过她的妈妈，她记得很清楚，就那么一次，后来妈妈跟爸爸离婚了以后，她想再问，就找不到妈妈了。那一次草暖放学回家，看到妈妈在家里熨衣服，那种很笨重的铁熨斗，底部经常被草暖用来当镜子照的，那个年龄草暖比较喜欢照镜子，只要能看到自己的脸的发亮的东西，都可以被草暖当作镜子来照，不管是一块放学经过的橱窗还是一小片窝在阳台上的积水。草暖长得很像她的妈妈，越大越像了。草暖的爸爸也是这样说的，包括草暖后来的妈妈也是这样悄悄跟草暖的爸爸说的。也就是说，草暖一天一天地照着镜子长大，奇迹还是没有发生，她太像妈妈了，而妈妈长得太普通了。

当草暖问妈妈为什么要给自己取一个公园的名字的时候，草暖的妈妈稍微愕然地抬起头看着已经高到自己肩头了的草暖，然后放倒了铁熨斗，熨斗的底部正正对着草暖的脸，草暖依旧习惯地朝着熨斗照了照。

草暖记得妈妈是这样回答的——起个名字，是但好听就得了，草暖，几好听啊！

妈妈很"是但"的回答令草暖很失望。说实在的，她多么希望妈妈能给她一个浪漫的解释或者气派的解释，比如说她跟爸爸是在草暖公园认识的，比如说她跟爸爸在草暖公园散步的时候想到给未来的她取这个名字的，比如说草暖公园那个时候是他们单位共同修建的，比如说草暖公园有一棵芒果树是当年他们将核埋进土里然后长成的……

　　但是草暖是个公园啊，妈妈。草暖不死心，总希望妈妈隐瞒了事情的真相，像她看到的很多言情小说一样有着一段爱恨缠绵的情节。

　　公园？公园不好么？春天来了，草最早就暖了。你不记得了？小时候整天缠着爸爸妈妈要带去公园的啊？妈妈继续熨衣服，低着头处理衣服上很难熨到的皱褶。

　　可是去公园不是去看草啊，公园有游乐场啊。草暖还要继续追问。

　　那你就当你自己是个游乐场好了！妈妈笑着刮了刮草暖的鼻子。草暖的鼻子跟妈妈的一样，塌塌的，刮在上边，跟刮在一张平脸上没有什么区别。

　　如果草暖是个游乐场，草暖也许就会很快乐了。可是草暖是公园里的草啊，春天来了，草就长了，暖了，春天走了，草就矮了，黄了。一年春天有多长啊？尤其在广州，冬天和春天简直没有任何界限，冬天走了一暖就叫热了，成夏天了。

　　再说了，妈妈后来也没怎么带草暖到游乐场。在草暖十三岁那年，草暖的妈妈就搬离了草暖的家，她不知道妈妈为什么要离开草暖和爸爸，她从来没有听到过爸爸和妈妈吵架，但是妈妈却忽然消失了。草暖什么感觉也没有，好像妈妈只是离开她一阵，过几天就会回来的。直到不久学校召开"单亲家庭家长会"，老师递给草暖一份油印的通知书，爸爸参加了，回来的时候摸摸草暖的头说，明年，明年我们就不参加这个会了。果然，到了第二年，草暖又有了新妈妈。

　　长大一点草暖才知道妈妈跑到香港了，跟她一个从小一起长大的表哥一起，说是去发展，谁知道呢？总之，草暖再也没有妈妈的消息。

　　不知道为什么，草暖总认为是爸爸不要妈妈的，因为爸爸长得比妈妈好看，妈妈能找到爸爸那么好看的人，也算是前生修来的了，妈妈有什么资本挑剔爸爸啊？妈妈也更加没有资本嫁到香港去才对啊。关于这些，草暖和爸爸没有任何交流，因为新的妈妈一来，草暖的妈妈简直更加人间蒸发得彻彻底底了，只是草暖这张脸偶尔会成为某种记忆的禁区。大概因为这张脸的缘故，草暖觉得爸爸不是很希望她结婚后再经常回家。

还好有王明白，他可以顺利地将草暖的人生从春天过渡到夏天以及其他别的季节，反正只要春天过了就好，过了就是说开好了头了，开好了头后就没什么大不了的了。

王明白既是草暖的初恋也是终恋。草暖二十六岁遇上王明白，那时候王明白从学校分配来广州，是一个外来人口，没有户口本，只有一张户口纸，夹在公司一叠厚厚的集体户口里边，轻飘飘、乱糟糟的。

草暖跟邻居一起认识的王明白，本来也没有什么相亲的意思，只是周末单身汉约着一起凑热闹，打发打发时间，人越多越好，所以邻居就把草暖拉上了。那次是到白鹅潭的酒吧街吃烧烤，大约有十个人，彼此都不是太熟，一个带一个就组成了一帮。邻居向他们介绍陈草暖，照例有人提到了草暖公园，草暖照例笑了笑没作什么解释，后来不知道是谁接着问草暖有没有弟弟，草暖纳闷地摇摇头说没有啊。那人说，如果有的话应该取名陈家祠。于是人群就都有了笑声。草暖也笑了，头一回有人将她跟陈家祠联系起来。陈家祠跟草暖公园相隔远着呢，在中山八路，是过去西关大户陈氏的旧址，里边是老广州的生活模式，已经成为文物被保护起来。

人群挨着珠江边吃起了烧烤，样子都不是特别雅观，但各自都跟各自靠近的聊起了天，边吃边聊，一直到了都看不清脚底是陆地还是珠江了。

草暖混在里边，属于人问一句自己答一句的那种。历来如此，草暖在人群中就是不起眼的，样子不起眼，说话也不起眼。

旁边居然有人很准确地喊她，陈草暖，要不要来瓶可乐？

草暖很惊诧，侧过脸去看那个人，一张陌生的脸，虽然刚才每人都被介绍过了，但是草暖一个也没记住。

这个人居然能记住草暖的姓和名。

草暖回家以后是这么想的，既然这个人能完整地喊出自己的名字，那就是说这个人注意到自己了，注意到自己了也就是说对自己有好印象了。相反，草暖不是太能看清楚这个人的样子，在夜色里只是觉得这个人不算高，有一张稍圆的脸。

所以第二天王明白打电话约她出去吃饭的时候，草暖自然就去了。

后来王明白就有秩序地跟草暖交往起来。

一年以后，草暖跟王明白去登记了。草暖带着登记有草暖的爸爸和新妈妈的户口本跟王明白到民政局登记那天，是夏天，广州的热浪熏得草暖觉得很不真实，好几次草暖回过头看王明白圆圆白白的脸上挂着几粒黄豆大的汗珠，每次快要滚下来的时候，草暖都用自己的白手帕将它们接住了，然后换到另外一面再给自己擦擦。到了民政局，王明白从胸前的口袋里掏出那张薄薄的户口纸摆在桌上，跟草暖那个有封面的户口本一起，草暖翻到有自己名字的那一页，摊开了，看看自己的名字，然后看看王明白的名字，心里才开始一阵高兴——自己嫁给了王明白了。

在王明白二十七岁到三十岁之间，不仅身边多了个草暖，而且还多了很多下属，短短三年，王明白像坐直升机一样，噌一下子到了部门经理的位置。草暖笑嘻嘻地过上了好日子，换了一百多平方米的大房子，最近王明白还买了车。

"旺夫呗，有什么好说的？"草暖美滋滋地对自己的朋友说，她结婚后跟女朋友交往比过去密切了很多，话也自然多了。

实际上，草暖那张一点特色也没有的脸，实在看不出什么"旺夫益子"的端倪来，鼻子不高，天庭不饱满，两颊无肉，下巴不兜，怎么看怎么普通。幸亏草暖不喜欢张扬，要不然妒忌她的人不准会说出什么话来损她。基本上她的朋友在她身上得出的结论是——好人还是有好报的。草暖是个好人，好人的定义在她们看来就是：不刻薄，不显摆，不漂亮，不聪明。所以草暖这个好人过上了幸福的生活。

关于草暖的"旺夫益子"论，王明白虽然嘴上不以为意，但心里还是有一些相信的。客观地说草暖这个老婆还不错，很顾家，不奢求，不多事。可是王明白更多地想到自己一个大学生，这个时候不冒尖，这辈子要冒尖就很难了，看看周围跟他经历类似的年纪也差不多，现在不像那种熬资历的年代了，更多地讲究抓机遇，机遇错过了就回家带孩子好了。这听起来好像比较残忍，但事实如此。

而草暖只是不偏不倚地与王明白的机遇同时出现而已。

关于王明白的机遇论，草暖虽然没有回应很多，但是心里也还是承认的。从这个角度来看，王明白就是草暖的机遇。还有，草暖现在肚子里的"王××"，也是一个机遇。怀上了"王××"，草暖才明白，人要寻找机遇并且逮住机遇，是多么微妙的一件事情啊。

怀孩子是草暖提出来的。

王明白刚买车那一阵特别喜欢带草暖出去，打打牙祭，吹吹山风。有时是为了吃大良的双皮奶开车到顺德，有时是为了泡泡温泉开车到清新，有时甚至为了吃一个牛肉丸开车到潮州……只要离广州半径不超过五小时车程的，王明白都喜欢带草暖出去，草暖坐在王明白的身边，系着安全带安静地听王明白车上放孟庭苇的歌，这个孟庭苇据说是王明白学生时代的偶像，一直喜欢到他当上了经理，并且开上了私家车，还是初衷不改。草暖不喜欢这个孟庭苇，她还是比较喜欢听粤语歌，什么梅艳芳、刘德华的，她都喜欢，她觉得用粤语说话，高高低低，长长短短，味道都很婉转，光是说话就像唱歌，更何况唱歌？

这一次王明白带草暖到东莞说是看一场内衣秀。草暖不是很想去，可是王明白想去，他说他们公司有几个经理都会带家属开车去看。这样一说，草暖就觉得有必要去了。草暖是王明白的家属啊，能不去么？再说，看的是内衣秀啊，当然要带家属去了，难道要几个男经理一起去？不太好吧？草暖当然去了，而且穿得很整齐，好像不是去看内衣而是去看自己一样。

到了东莞，草暖跟另外几个家属坐在一桌，男经理们则坐在另外一桌。那些穿着内衣的"内模"让草暖看得很陶醉，草暖觉得真美，不是内衣美，而是身材美，女人美，她承认，女人美起来真的连女人都会被打动的。其中有一个草暖就特别喜欢看，每次轮到她上场草暖的目光都不会离开她。草暖看那女人的时候偶尔也会想想自己，如果自己穿上那些内衣也会这么好看吗？其实这还用问？当然不会啦，草暖小时候很喜欢照镜子，长大以后就不怎么喜欢照镜子了，穿着外衣的时候不怎么照，更不用说穿着内衣照镜子了，草暖早就记下了镜子里的那个自己，普通得没有任何奇迹的机会。

真是美啊，男人们不知道会怎么想？其中一个家属由衷地感叹。

美有什么用？她们很惨的，找不到好老公才抛个身出来给人看的。另外一个家属接话，有些嫉妒的成分。

也是，她们就是因为找不到好老公才出来当"内模"。草暖在心里这样认同但没有附和。侧过头去另外一桌看王明白，他跟几个经理一起，讲讲笑笑，也猜不出在说台上的还是别的什么。

看完内衣秀回家的路上，草暖的手机响了，是草暖一个久不联络的表妹，刚说不了几句，手机就没电了，于是草暖用王明白的手机给打过去，并吩咐表妹将她家里的电话发短信到王明白的手机上，王明白不经心地瞥了一眼短信就把手机闭了。回到家，草暖问王明白表妹家的电话是多少，王明白看也没看手机就把号码背了出来，草暖不相信，要王明白给手机给她看，王明白给她看了那条短信，居然一个号码不差！草暖心里忽然有一种恐慌，莫名其妙的。王明白的记性原来是天生的好！

那当然，在读书的时候我的记性一直都是班上最好的。王明白很得意地笑了。

一直都那么好？那么准，那么牢？草暖求证。

又准又牢，所以考试总是考得好，现在记客户名字和电话也记得很准确。王明白大概觉得这是自己的绝活，也是自己升职的一个诀窍，沾沾自喜地窝在沙发上，跷起二郎腿翻报纸。

草暖想起那个白鹅潭的夜晚，王明白准确地问她，陈草暖，要不要可乐？连名带姓地。

王明白不认识草暖这个表妹，也许压根都不知道草暖还有这个表妹。草暖并不害怕王明白认识这个表妹，她只是害怕王明白的记性。

这种害怕随着草暖几个月后踏进三十岁一起踏进了草暖的心里，就跟三十岁这个年龄一样，赶都赶不走了。

三十岁生日那天，草暖觉得有必要去发廊修修头发了。草暖平时做头发喜欢在附近的一个小店里，店不大，也不是什么名店，但是对付草暖那简单的一把长头发，绰绰有余了。草暖习惯到那里，一是因为师傅都熟悉了，二是因为师傅都不爱跟客人说话。是的，草暖刚开始以为师傅是不爱跟自己说话，后来她观察过了，他也不太跟别的客人说话，只是喜欢在镜子里盯着客人的头发而不是眼睛看，这让草暖感到很自在，师傅专心对付的仅仅是一把头发甚至是一把乱草而已。她不喜欢别的那些发廊，无论是师傅还是小工都围着自己团团转，一会儿问她的工作怎样，一会儿看着镜子里的她夸她脸上的某个器官，一会儿还问她家里的先生如何，诸如此类的。草暖是个人问一句就答一句的人，即便不会多说，但总是不忍心不回答不理会，所以但凡问了就会回答，而且回答大多准确。所以，草暖只去这家发廊剪头发，喜欢这样无声无息地坐在椅子上，偶尔看看镜子里的自己，更多的时候是翻看理发店的杂志。

吃饭前，草暖的头发就被洗湿了。照例拿起一本时尚杂志来看，一翻就翻到了一页，大概因为人翻的次数多了，所以不由得草暖的手控制，一滑就滑到了那一页。

这一页是心理测试题。标题是——看看你生命中的最爱是什么？

类似这样的测试题，草暖看过无数次，几乎翻开每一本时尚杂志，做得光鲜、花哨的，基本上后边都会有不少这样的测试题，测感情的，测理财的，测魅力的……不需要看对象的，叫 DIY，就是自测的意思。

在每道题选择答案的地方，都有人用笔打了钩。其中有一道很简单，上面有五个人的字迹。

题目是这样的：

如果你在沙漠里迷路了，不得不按顺序放弃你身边所带的动物，它们是：老虎、大象、狗、猴子、孔雀，那么你放弃的顺序是怎样的？（结果请查看 121 页）

草暖看了看已经有人选择的顺序，有两个选择将老虎放在前边，有一个是猴子，有两个是孔雀。

草暖不知道那代表着什么结果。

此时师傅将草暖头顶那缕头发暂时掀到了前边，这样草暖的整个脸就被挡了，埋在头发里，草暖将那些动物排了个顺序：老虎——大象——狗——猴子——孔雀。

她设想，自己在沙漠里，没有食物、没有水，自己都顾不上自己了，当然要先舍弃一些大块的包袱了，要不然跟它们揽着一齐死不成？也许，放了它们它们还能够凭本能逃出生天呢，而猴子和孔雀是最需要保护的。

草暖生怕自己忘记了这个顺序，在嘴上喃喃地念了两遍。

脸上的头发被拨走了，后边的师傅看了看草暖，草暖的眼睛在镜子里正好跟师傅的眼睛对接了一下，草暖的脸一下子红了起来，而师傅却没有任何表情，把眼光挪回到了草暖的头发上，大概是习惯客人都会翻到这页做这道题吧。

没准师傅是最早做的一个呢。草暖心里偷笑。

按照题目后的提示将杂志翻到了有结果的 121 页，也是很容易一翻就到了。

草暖看了一看，心里就乐了。

这些动物原来分别代表着每个人人生里的一些东西：大象——财富，老虎——事业，狗——父母，猴子——孩子，孔雀——伴侣。

草暖心里一乐，接着就糊涂了，她记得自己的顺序前边是老虎，接着是大象，后边是狗，没有错，但是最后两个，是猴子在前还是孔雀在前的？她有些犯糊涂了，翻回到题目那页看题目，老虎、大象、狗、猴子、孔雀，这是题目的顺序，自己不可能按照题目的顺序一成不变地选择的啊，那就是老虎、大象、狗、孔雀、猴子？好像也不是啊。

草暖就这么犹豫着。

如果按照答案，那么转换成的结果就是：事业——财富——父母——伴侣——孩子（或者孩子——伴侣）。

草暖还真没有想过在伴侣和孩子之间，自己到底会先放弃谁。但是，她从来没有想到过要放弃王明白，而孩子，因为没有出现，更加谈不上放弃了。

知道答案以后，草暖就再选不了最终的结果了，到底是猴子在前孔雀垫底，还是孔雀在前猴子垫底呢？草暖永远没有自己的答案了。

头发终于做好。师傅拿出一个小镜子，让草暖对着眼前的镜子反看后边的头发形状，草暖很笨拙，小镜子总是对不准后边的头发，有好几次从大镜子里看到的小镜子里竟然是身边的师傅一张严肃的脸。草暖有些尴尬。

很好了，谢谢。其实草暖压根就没有看到自己后边的头发。师傅当然也知道，但是没有吭声，笑了笑，说，下次再来啊。

走出发廊，草暖不知道是因为修理过了头发还是什么，居然觉得感觉良好，风一吹，有些许飘逸的味道。草暖路过橱窗看了看，年轻了一些似的，依稀看到了少年时代满马路找橱窗照的那个自己。

晚上王明白带她到花园酒店的扒房吃西餐庆祝生日。

两人在烛光下吃得一半，忽然草暖想起了那道简单的测试题，就同样拿来让王明白选择。

王明白想了一下，给草暖一个顺序：孔雀——猴子——狗——大象——老虎。

草暖一听，愣在了那里。

她问的时候没有想到过王明白的答案，现在王明白做了答案，就出问题了。换算对应的结果顺序是：伴侣——孩子——父母——财富——事业。

草暖心里很不舒服。

　　我的顺序刚好和你的颠倒过来。现时，草暖可以肯定她最后放弃的是孔雀而不是猴子，并且是坚定地肯定，为了跟王明白完全颠倒。

　　这些东西骗人的，亏你还去相信。王明白看出了草暖的不舒服。

　　可是这是你心里选的，除非是你心里骗自己？草暖反问王明白。

　　你想想看，这是常识嘛，在沙漠里迷路了，当然先甩掉那些没有帮助的甚至拖累自己的东西了，保存实力，出去了再返回来拯救它们啊，像孔雀猴子狗之类的。王明白跟草暖辩白。

　　可是，那些有实力的自己可以自救啊，先放弃它们它们或许还可以活命啊，像老虎大象之类的，放弃那些弱小的，返回来肯定找不着了。

　　王明白想了一下，把手中切割好的一块牛扒放到草暖的碟子上，说，这简直都不是一个维度上的比较，完全两种思维，你不要去踩这些陷阱，会扰乱人心的，更加不要庸人自扰啊。

　　草暖想再说些什么。但看到王明白把肉放到了自己跟前，不由得就动手去叉那块肉来吃，黑椒酱是王明白的最爱，草暖逐渐也喜欢上了那股胡椒的辣味。

　　那天晚上回家后，王明白要做爱，草暖就决定要有个"王××"。

　　一决定了，草暖就怀上了，王明白既不知道草暖的决定也不知道草暖那么容易就怀上了。

　　那就生下来吧。王明白无任何疑问。

　　那样，草暖的肚子就一天一天地自由散漫地大了起来。

　　草暖肚子里的"王××"还没有来到草暖和王明白的生活里，古安妮就先一步来到了草暖和王明白的生活里了。

　　王明白的女秘书叫古安妮，像一个混血儿的名字，可是草暖知道她不是混血儿，是江苏人，长得高瘦，头发乌黑发亮，脸上光光白白的，眉毛淡淡长长的，说不上很美，但是很有味道。对于草暖这样长相普通的人来说，古安妮算是一个打不败的对手了。当然，古安妮不是草暖的对手，她只是王明白的秘书，是在上班时间照顾她丈夫王明白的人。

草暖不是没害怕过古安妮跟王明白会成为那种"经典关系"，但事实证明他们不是这样的关系。

这是事实。

王明白有一天回来很气愤地对草暖说他的秘书古安妮肚子大了。

当时草暖的肚子也开始大了，可以从肚子的外形想象孩子的头手脚了，所以她一听到王明白气鼓鼓地说有个女人肚子也跟她一样大了，她首先想到的就是，有多大了？几个月了？孩子踢妈妈没？

很显然王明白并不是想跟草暖说古安妮的肚子，而是说古安妮。

古安妮是谁？

古安妮是我秘书，去年来的。

古安妮的肚子大了又怎样？

古安妮是江苏人，我面试的时候将她招来的。显然，王明白真的不愿谈古安妮的肚子。

古安妮的肚子大了不能在你那儿干了么？草暖关心的是古安妮的肚子。

古安妮很能帮忙，做事情很有条理，而且态度好。王明白还要跟草暖说古安妮这个人，可是草暖并不太想知道古安妮这个人，只想知道她的肚子，因为她不认识古安妮，也从来没有见过。

但是后来草暖还是见着古安妮了，这个大了肚子的女人。草暖代表王明白去找古安妮，当然王明白并不知道。

草暖想到要去找古安妮，并不是因为古安妮跟自己一样都是大肚子的女人，也并不是因为古安妮的肚子跟自己的肚子有什么关联。只是，这个大了肚子的古安妮影响她的丈夫王明白的睡眠质量了。

自从王明白告诉草暖说他的秘书古安妮肚子大了之后，草暖发现王明白就在一种焦虑状态中，吃不香，睡不安，最重要的是，经常莫名其妙就义愤填膺，也经常莫名其妙就很无奈。

古安妮的肚子跟你有什么关系吗？草暖问王明白。但是她相信不会有什么关系，倒不是草暖有多自信，只是因为王明白下班一进门就告诉草暖这件事了，让草暖觉得好像是他们夫妻俩要共同面对的一些杂事，比如汽车被人撞坏了车灯要索赔，比如小区的管理混乱经常有传销商进来很不安全，诸如此类的。王明白就是当成一件事来告诉草暖的。

当然没有。王明白很坦白。

那，古安妮的肚子跟谁有关系？

她说是董事长的。

那，你为什么要生气？草暖有些纳闷。

我生气是因为她不告诉我，她居然跟董事长有一腿。王明白像个受伤的小孩。

这种事情还要汇报你，经得你同意？草暖真觉得王明白有时候很令人哭笑不得。

她是我的秘书，我亲自招来的。

可，她又不是你的人。

王明白听草暖这么一说，就更加来气了，在房间里走来走去，不坐也不站。

草暖后来才一点点地知道，古安妮告诉王明白，她被董事长看上后两人就同居了，董事长开始承诺会跟他老婆离婚娶她的，谁知道，她等了一年也没见董事长有什么离婚的动静，于是就故意怀上个孩子来威胁董事长，已届中年的董事长不吃她这一套，压根就不当回事。眼看着肚子一天天大起来了，她只好警告董事长说，如果不跟她结婚她就把孩子的事告诉她的直接上司王明白，让他身败名裂。董事长听了之后，冷笑一声说，他王明白算个屁，我开了他！

关键不是古安妮的肚子，而是董事长那声冷笑。当古安妮把董事长的话照搬给王明白听之后，古安妮的肚子已经不是一个已婚男人和一个未婚女人的庸俗故事了，成为了一个男人和一个男人之间的纠葛了。

男人和男人之间的纠葛，当然不是指情感的纠葛啦，权力、金钱、尊严等等等等更能成为男人和男人之间的纠葛。

那个中午，两个挺着肚子的女人，桌子前放一杯清水，那是草暖的，古安妮喝的是咖啡。草暖很想告诉古安妮书上说怀孕的时候喝咖啡对胎儿不好，可是草暖克制住了，这不是这场谈话的重点。

我觉得你这样行不通的。草暖说话开门见山。

他会心软的，他是爱我的，只不过放不下他的孩子。古安妮说话跟接电话时一样好听。

可是你和他的孩子还在你自己肚子里啊，他又看不到的。

可那终究是我和他的孩子啊。

他的孩子已经会代替他太太撒娇了，你的还没出生。

可是孩子终究是会出生的啊。

要么你辞职把孩子生好了跟他结婚，要么你辞职把孩子打掉离开他。草暖接连用了两次辞职，她希望这个美丽的古安妮能离开王明白的公司，不管她要不要这个孩子。好像只有古安妮辞职了，王明白跟董事长的纠葛就从此烟消云散了一样。草暖是这么认为的。

没想到过了几天，草暖就真的听王明白说，古安妮辞职了。

草暖心里一阵惊喜，也顾不上问古安妮的肚子是不是还在。

王明白看上去却有些怅然。

吃饭的时候，草暖问王明白，那个古安妮美不美的？

王明白想都没想就回答草暖说，美的吧。

草暖的肚子越来越大，已经进入生产倒计时了。她忽然有些舍不得她的孩子离开她的肚子，好像孩子出生了，她的肚子就空空洞洞了，而她每天琢磨的那个"王××"一落地，性别、模样、名字、一生，这些，就在世界面前揭晓并且尘埃落定了，也许孩子在肚子里的种种理想就会变成神话，每天过得都像等待奇迹一般，而草暖知道，等待奇迹的日子其实并不很好过的。

那个黄昏，草暖就这样伤感地想着，坐在沙发上，也不知道时间什么时候过去的。直到王明白下班开门走了进来。

草暖慢慢撑着腰走过去接王明白的公事包，然后拉着王明白的手说，我想好了，要是生个男孩就叫他王家明，要是个女的，就叫她王家白，好不？

王明白没来得及细想，心头就一阵感动，点了点头。等到自己换好了拖鞋转过身来，看到他的老婆，王陈草暖，挺着个大肚子，窝在浅绿的沙发上，穿一身红底黑点的裙子，像极了附在草叶上的一只披挂着铠甲的大甲虫。

小　姨

　　我经常听到外婆跟别人讲，小妹啊，已经错过了最好的结婚年龄。后来，我妈跟人煲电话粥的时候，不时也会蹦出几句关于我小姨的话来——别像我老妹那样，错过了生育的好年龄。家庭聚会的时候，但凡说起小姨，似乎每个人都有自己的看法，而这些看法最终都变成了一声声叹息，以及抱怨。我外公固执地认为，小姨念大学，念坏了。据说，小姨上大学前，还是一个很正常的优生，大学之后小姨就变了。"抽烟、喝酒、打老K，没有理想，不思上进，整个人颓废掉了！"身为一名中学校长，外公说话总是恨铁不成钢。

　　关于小姨人生历史上的这次重大转变，家里人至今都不能完全理解。失恋？小姨早就澄清了这个猜测。成绩跟别人比，落差大？小姨撇撇嘴很不屑地说："弱智，大学生谁还比这个！"那是为什么？小姨发脾气了："什么为什么，那个时候，人人都一样啊，有什么问题吗？"仿佛颓废是一种时髦，小姨理直气壮得很。

　　我的小姨生于1970年，八七级大学生，毕业后分配到本省一个偏僻的小城。当年，外公努力想办法要把小姨调回我们家所在的省城，小姨却完全不配合，努什么力呀？在哪儿不都一样活着？她自作主张卷起包袱去小城那家单位报到。至此，小姨离开了外公外婆的怀抱，邪邪乎乎独自生长。外公说，就像一棵发育不良的歪脖子树。

我喜欢跟小姨待在一起，她似乎对什么都无所谓，松松垮垮，相处起来一点不像长辈。过年过节她会从三百多公里外的小城回来，放寒暑假，外公外婆也会带着我去她的那个小城，跟她住上一段日子。不过，这"一段日子"，大抵也不会超过两周的，小姨嫌家里人多，烦。确切地说，小姨其实怕被人管，任何一个他人都会打搅小姨多年的独身生活，这个"他人"，自然也包括父母。他们都说，小姨一贯追求自由。在我的理解里，自由是什么？就是没有人管，狂吃鸡翅和薯条，把可乐当水喝，把电脑当书本看。可是小姨想要的自由实在让人看不懂，就像她喜欢的那张画——在小姨的卧室里，摆着一张躺椅，椅子正前方墙上，除了挂着一台电视机外，还挂着一张画。小姨说，这是一张世界名画的复制品，名字叫：《自由引导人民》。这张画常年挂着，从没更换过。有过一段时间，我不太敢去看那张画，那个举着旗子在战场上指挥人们的女人，上身裙子滑到了腰上，露出两只胖胖的乳房让我很难为情，会不断联想到自己正在像小馒头一样涨起来的胸部。后来有一天，我在美术课本上看到这张世界名画，感到十分亲切，就好像看到了小姨的旧照片。

小姨常常窝在躺椅上抽烟，看看画，看看电视。时间长了，头顶的天花板上便洇出了一大圈黄，遇到梅雨天，潮湿格外严重的时候，人坐在躺椅上，会被一滴滴油一样的黄色水珠打中。小姨懒得去擦的，反觉得有趣，抬头去数那些凝在墙上的"黄珠子"。

这张画是师哥送的。师哥是大学时的学生会会长，我在小姨的相册上看到过他，中等个子，瘦瘦的，拧着眉头，表情的确很"学生会”，长得有点老。我怀疑地问小姨，师哥很多女同学追？小姨眨眨眼，想了想，说：“是的。他当年可是个人物呢，有理想，有信仰，有激情……”“噢，师哥现在在哪里？做什么呀？”小姨一问三不知：“可能，失踪了……”“啊？那么大一个人，怎么会失踪了呢？”小姨迟疑地摇了摇头。据小姨说，师哥大学都没念完，后来，就杳无音信了。

我猜小姨喜欢师哥，不过，是暗恋的那种，小姨会不会因为暗恋师哥，变成了一个“剩女”？如果真是那样的话，那小姨太伟大了。我算了一下，应该有二十年以上了，oh, my god！我觉得小姨简直就是——虐！

小姨在家里实在待不住了，会带我到游乐场玩一把，玩刺激的青蛙跳、摩天轮，在人群里她的叫声是最尖的。小姨还喜欢刮刮福利彩票，二十块买上十张，认真地问我，小嫣，这张会不会中？我说，中！当然，一次也没中过。“鬼信！”小姨笑着走开了，并不觉得那是输钱。

在玩这方面，我跟小姨是没有代沟的，我玩什么她也玩什么，只是在玩够了回家的路上，小姨一下子就变了，她忧郁地揪揪我的小胖脸说：“人啊，活着都是没意思的，总体来说都是不高兴的，只有游戏里那几分钟时间是高兴的，小家伙，你说是不是？”那个时候，我心里盘算着要怎样才能多吃到一只香芋雪糕。走到一棵大榕树下，小姨说，要坐下来，吁根烟再走。刚好附近有个书报亭，书报亭前摆着个雪糕柜，我终于如愿。对着大马路，我和小姨两个人坐在大榕树下，一个手里举着支雪糕，一个手里举着支香烟，各自幸福着。小姨连续抽了两根烟，烟头往地上一扔，脚尖一搓，抡抡手臂，好像跟空气里的谁打招呼：“回家喽！”

回到家，我向外公外婆汇报今天出游的高兴事，外公看看小姨，没了抱怨的念头，俯下身来，摇摇我的手说：“你看，小姨对小嫣最好了，小嫣长大了要像孝敬妈妈一样孝敬小姨哦！”我重重地点头说：“嗯，我长大赚了钱给小姨买烟抽！"小姨笑了。她的眼睛里红红的。

离开小姨家，走到楼下不远，我转头回去看，只见小姨站在三楼的阳台上，挨着两盆芦荟边，右手举在耳朵旁，两根手指做成一个"V"的形状，好像在等人拍照的样子，见外公外婆也转过头来，她的手才垂到栏杆底下。我知道，小姨的"V"字里，夹着根香烟。外婆说："小妹这样下去，怎么办？总是高兴不起来。"外公看了一眼远处的小姨，狠狠心，扔下一句话："没头脑，自作孽！"

小姨站在阳台上，抽着烟，目送我们离开的次数有很多，等到有一次，我忽然体会到离别的伤感滋味时，已经十三岁，青春期正躲躲闪闪地在我的身体里抢地盘，而小姨已经不动声色霸占到一个"资深剩女"的地位。

我妈多次郑重其事地对外婆说："妈，您一定要说说小妹的，女人一定要有个家。不生小孩可以，但婚是要结的！"外婆很是赞同我妈的观点，连连点头，在此基础上她又强调了结婚的重要性。二人在这方面高度一致。结果，外婆长吁一口气对我妈说："要不，你去跟小妹说说，你们是两姐妹，你的话她能听得进去。"我妈盯着外婆看了几秒，溜走了。

只要有小姨在场，但凡涉及到结婚、生子、老有所依之类的话题，无论谁起的头，都不会有第二人敢接下去讨论的，仿佛当中埋了个地雷。倒是小姨，偶尔会大大方方地接过话题，向大家公布："我嘛，以后肯定是自己去老人院的，要是能有幸猝死，省了病痛的折磨，那就是积上大德了，要得了大病，半死不活的，我就自行了断，活那么长干吗？！"她讲得轻轻松松，干脆利落，现场的人面面相觑，无以回应。外婆只好挥动手中的筷子，假假地在她脑袋上敲了一记："说什么呢，死不死的，在吃团圆饭啊！呸！呸！呸！"小姨朝我扮个鬼脸，给自己塞了一口饭。

有一天，小姨要我咧开嘴巴，研究我的矫牙钢箍，看了看，摸了摸，羡慕地说："小嫣真幸福，将来会有一排整齐漂亮的白牙。"

在我们的家族里，小姨微微突出的嘴巴是个异类，并非出自遗传，而是后天的龅牙造成的。我妈说，杨天高就是被小姨的龅牙吓跑的。我从没见过杨天高，可杨天高却像我们家族里的隐形人，一有机会就出现。"现在想想杨天高这个人最合适小妹了，可惜了……""这个人长得好像一个人耶，呃，像不像那个杨天高？"……杨天高大概曾经是小姨唯一靠谱的男朋友，虽然他仅仅是个小公务员，但是，我们家里人都认为他曾经是小姨命运的特派员，是专门来拯救小姨的。可小姨却放弃了这根救命稻草。"太麻烦了，谈恋爱，结婚，生子，造一个生命到这个污七八糟的社会再受一次罪，有什么意思？"

外婆拼命做小姨工作："不是那样的，结了婚，结了婚就会好了，日子总是一天一天好起来的。"

"怎么可能会好起来？学习那么辛苦，工作压力那么大，贫富差距那么大，整个环境那么恶劣！"

"现在比过去好多了，过去我和你爸爸，两个人工资加起来才四十六块钱，养四口人，一根香肠要分成四段，一口就吃光了，你们小时候真的生不逢时，现在可不一样了，不愁吃不愁穿，什么东西都不缺……"

小姨懒得听外婆忆苦，她想说的根本不是这些。

外婆多次严肃地警告外公："小妹的人生观很成问题，很有必要矫正！"

可是，人生观跟人的牙齿何其相似！乳牙更换掉，新牙按秩序刚排列好，牙根还没站稳的时候，对付那几只歪邪、出格的牙齿，我的矫牙钢箍就像紧箍咒般起作用，但要对付一副已经咀嚼了几十年、牙根已经深扎牙床大地的牙齿，任何方式的矫正都是徒劳，除非连根拔起。同样，要想把小姨稳如磐石的人生观连根拔起，除非小姨的脑子被洗得一干二净！可这世界上谁发明过洗脑器？

　　有一段时间，我妈总把我跟小姨扯在一起。我不止一次偷听到我妈在厨房里悄悄问外婆："妈，您说小嫣将来会不会像小妹那样？"外婆生气地打了我妈一下。"少发神经啦，小嫣又不是小妹生的，怎么可能像？你自己的女儿你都不了解吗？""啊唷妈，我都愁死了，小嫣叛逆得太厉害了，谁都管不了她，啊唷，我现在只要一想到小嫣不听话，整晚都不能睡了……"甚至有的时候，我跟我妈顶得厉害，她也会口不择言，指着我的鼻子大声说出来："你看看，你现在这个样子，牛鬼蛇神，谁的话都听不进去，简直跟你小姨一模一样！"我立即就会顶回去："小姨怎么啦？我就是要学小姨，我偏要牛鬼蛇神！"我妈气得再说不出话来。

　　在我妈看来，小姨的叛逆期永没过完，她做法奇怪，想法更古怪，是一个异类分子。除了婚姻问题，她最无法理解的就是小姨的运动方式——独自爬无名山。小姨喜欢找那些无人问津的无名山爬，在爬山的时候，又爱觅偏僻的山路，甚至野路来走。我跟她去爬过一次无名山。那山虽说就在郊区，却极少人去，就像被抛荒了多年的一堆垃圾，连苍蝇都没兴趣钻了，可小姨偏偏喜欢钻那山。沿着一条几乎看不出是路的路，小姨手脚并用，撩开杂草，不时踩平一根顽固的拦路枝条，她熟络地朝前方攀登，胸有成竹，仿佛只有她才知道，无限风光就在不远的顶峰。我跟在小姨后边，沿着小姨踩平的路，一声不吭，只盼望早点下山。好在，这是个小山包，并不需要太长时间，我们就登到顶了。这个所谓的山顶大概也是小姨自己命名的，仅仅是一个稍微宽阔一点的平台，只是杂草少些而已。我呼吸一口空气，环顾左右，看不到任何风光。也不知道小姨为什么要跑到这种破地方！我在心里后悔死了，还不如待在家里看几集《海贼王》！唉，小姨真是无聊。

　　小姨对爬无名山的兴趣一直不减，任谁劝都不停止。好几次，小姨的手机一整天都处于"无法连接"的状态，我们吓死了，想着，再接不通，明天一早就要跑到小城的无名山去寻人了。好在，通常最终都能听到小姨的声音从电话那边传过来，伴随着一声清脆的打火机响，小姨嘴里便一阵含糊——唔，到家了……

　　我妈劝过小姨："你这样很不安全，荒山野岭的，要是遇到坏蛋，在那种叫天天不应，叫地地不灵的地方，谁来救你？"小姨耸耸肩，无所谓地说："我这个人，要啥没啥，劫财还是劫色？"我妈哭笑不得，反问她："你说呢，你想劫财还是劫色？"小姨笑笑，干脆地说："财没有，色倒还剩几分，拿去吧！反正荒着也是荒着。"我妈也笑了，推了小姨一把。第二天清早，我妈拉着小姨出门，也不说去哪里，走了十五分钟到时代广场。这是我们城北比较大的一个广场，紧挨着运河边。远远地，就能听到大喇叭吵吵闹闹的，舞曲带来了好多人。我妈直接扯着小姨到东边。那里已经有十来个人在跳舞了，舞步娴熟、轻快。我妈撇撇嘴说，西区那边是老年队，这里是我们的队伍，来，你也来跳跳，很简单的，你不是要运动吗，这种运动最好！说完，我妈就加入到了那十来个人当中。小姨朝西区看过去，那里的人数比东区多出很多，她们不能说是在跳舞了，只是扭动身肢，活络筋骨罢了。

　　小姨并没有参与到队伍中去，任凭我妈在人群里起劲地朝她挥手。她站在原地，看了一会儿，开始沿着广场的四边，慢慢地走一圈。她走远了，喧闹的舞曲逐渐被她关小了音量，这时，她才把目光伸向了广场中央的那尊塑像。塑像不是巨型的，无须仰头，就能看到人工铸造的五官和笑容。小姨缓缓走近塑像。塑像就跟小姨站在一起了。小姨才看清楚，在他身上几个呈现弧度的地方，搭着几件运动者脱下来的外衣，在他站直的长腿边，倚傍着几把扎着红缨子的长剑，他垂下来微微握拢的拳头上，塞着塑料袋包裹的几根油条……小姨朝他咧开嘴笑了。一会儿，她绕过了他。她也绕过了那群拍手扭臀、锻炼热情饱满的人。她从广场的一个缺口处溜了出去……

"老妹这种人，典型一个反高潮分子，这方面到底像谁？"我妈无奈地问。外婆极力要撇清遗传的关系，翻出一个旧相册，指给我们看。一张，小姨穿着双排扣列宁装，马尾巴梳得高高的，手握一本书，表情很是"英雄"。外婆说，这是小妹读小学，参加全省演讲比赛呢。一张，是少女时代的小姨，穿着花连衣裙，站在湖畔垂柳下，跟女同学手挽着手，头稍微侧着，笑容很甜；还有一张，是几排人的合影。外婆戴着老花眼镜，把照片拿远了仔细找，指着第二排中间的那个人说，你看，这是小妹在入团宣誓呢。果然是小姨，右手握拳，举到脑袋边，嘴巴张开，显得挺激动的。"你们看，小妹以前还是蛮合群的嘛！"外婆惋惜地说。

除夕夜，一家人坐在沙发上边看春晚，边聊天嗑瓜子，外婆又拿出那本相册，指着照片对小姨说："小妹，你看你以前，多好。"小姨没吱声，一张张看过去。外婆又叹口气说："小妹，我还是喜欢那时候的你！"小姨就丢下相册跑到阳台抽烟去了。

小姨问了我一个很奇怪的问题："小嫣，你会跳兔子舞吗？""是像兔子那样蹦蹦跳跳吗？"小姨在客厅里，一边哼着曲子，一边把双手伸直向前，脚上随着节奏跳起来，步伐很简单，就是双脚不断地前前、后后、前前……小姨跳得气喘吁吁。她告诉我："这就是兔子舞，双手搭在前一个人的肩膀上，几百人在操场围成一个大圆圈，蹦蹦跳跳，这是我们大学时代的圆舞曲，毕业那一年，一个大圆圈跳着跳着就散了，各自抱头痛哭！""为什么呀？男生也哭？那么多人，一起哭？"我简直不能想象。小姨很自豪地拍拍我的肩膀说："是啊，我们很团结吧！"小姨把我拉起来，说教我兔子舞。两下就学会了。我们两个从这个房间蹦到那个房间，累了，一头扎到床上！我大声地喘着气，而小姨却安静得像睡着了一样，等我凑过脸去看，发现小姨闭着的眼睛，流出了眼泪来。我觉得，小姨肯定是想念师哥了。

后来，我们硬拉小姨到时代广场倒数，十、九、八、七、六、五、四、三、二、一，新年快乐！礼花在天空华丽飞舞，我们在人群中欢呼，直喊得口干舌燥。要散时，才忽然想起一直落后的小姨不见了，也不知道她什么时候挤出了人群外，孤单得像电视剧里那些失恋的女主角。

等到师哥重新出现，小姨已经人届中年。干瘦，满脸黄斑，一副烟嗓使她听起来比看上去还要苍老。每天，她沿着护城河，骑电瓶车上下班，烟瘾上来，便把车停下，双脚踮地，点根烟，看河边垂钓的下岗工人。那么多天了，她未曾见过他们收获的场景，不知道是不是他们从没钓到过鱼，还是，她一向悲观主义者的眼睛里压根就看不到生活中的欢呼雀跃？师哥的电话就是这个时候响起来的——这是一个怎么看都陌生的号码。小姨本来不想接的，不过这号码太执着了，那首《秋日的私语》就快要奏完了，钓鱼者都快要转身来抱怨那声音吓跑了鱼。

差点被拒听的这个电话让小姨感到阳光灿烂，一来因为师哥说他出国二十多年刚回，费老大劲儿才找到了她的电话号码；二来，她不断温习这个惊喜的电话后，得出一个结论——师哥没变，如同这个电话一样，执着。谁也不会知道，这种执着曾经难以想象地深深吸引了她，无形地影响了她的人生。小姨执着地燃烧过，又执着地让自己变成了冷灰。如今，二十多年后，师哥如同一只走失的信鸽，翻山渡海，从远方又飞近来了，这只信鸽的翅膀扑扇着，将那堆冷灰腾了起来，在记忆的天空中舞蹈，并试图在滞重的岁月后再扬起那种血气方刚的风姿。

那天，小姨要去三亚参加同学会，从小城赶来省城的机场坐飞机。我从没见过小姨这种样子。她穿一条真丝连衣裙，外罩一件崭新的皮衣，隔着饭桌，我都能闻到羊皮的气味。

小姨说起这次将要参加的同学聚会。组织承办者是班上一名体育特招生，成绩差得一塌糊涂，对集体活动却总是热情高涨，他毕业后分到海南，现在是一所私立学校的校长，腰包涨得很，这次聚会，吃住行玩他一人全负担。小姨还破天荒地跟我们提起了师哥。她认为，毕业那么多年，这种同学聚会头一次举办，完全是因为师哥的出现，又把一帮子当年志同道合的人聚在了一起。

"师哥还是相当有领袖魅力的！"小姨说完，想了想，开心地笑了。

"那师哥是做什么的呀？"我妈认为那师哥肯定很有来头，竟能指挥一个阔校长包办下几十人的费用。

"呃，师哥在电话里没说，他说这些年一直在法国，回来不久。"

"噢，海归啊，那就是大款喽，成家没？"我妈找到了话题，顺带给我们谈起了现在的婚姻市场行情。据她看过那么多档相亲节目后得出一个结论，小姑娘特别欢迎海归。海归，并不是指出国深造回来的归客，而是指那些在海外市场打拼积累了财富的大叔。"这类人啊，既有成果，又有海外身份，小姑娘们抢得步步惊心呢！"在这方面，我妈一直是家中权威，她的话基本上没人会去挑战。看起来，小姨这一次心情的确很好，她没像过去那样泼冷水，只是从鼻子里哼出了一声冷笑。算是客气了。

我妈在饭桌上高谈阔论。小姨把我扯到一边，掏出一张钱，让我到附近的东利文具店买几副扑克牌。我轻蔑地对小姨说："小姨你太过时啦，现在没人要玩扑克了，三国杀才好玩。"小姨抬手试图拍我的脑袋，却只能拍到我的肩膀——我已经比小姨高出一头了。"小鬼，又不是跟你玩！我告诉你啊，以前我们班同学打老K最凶了，基本上每个宿舍门口都摆着一摊，不分白天黑夜打，真壮观啊！"小姨是怕同学聚会时想玩的时候找不到地方买，所以买了五副扑克备着，可见小姨是多么盼望这一次聚会啊。

小姨拖着一只亮壳拉杆箱，穿着同样发亮的黑皮衣，出门，下楼。我从窗边看下去，尽管她很快就被楼下的树挡住了，可还能听到那笨拙的"噜噜噜"响的拉杆箱，仿佛她牵着一个队伍。我忽然冒出一个浪漫的想法，我希望小姨从此不要再回来了，就像一个奔向新生活的勇敢女人一样，跟上她那些志同道合的"队伍"，在这个广阔的世界上闯荡，干一番有意义的大事，而我呢，熬到明年6月高考结束，书本一烧光，也到这个世界上去，拼命赚钱，赚够钱之后就当个背包客，去旅游去探险，从此自由自在。事实上最近我常常做这种有关自由的假想，而这类假想，无一例外地被现实逐个击破。

三天后，小姨又牵着那只"噜噜噜"响的拉杆箱回来了，她打开它，掏出一大袋东西：大红鱼干、海螺片、虾米、沙虫干……那是同学会的赠品，都纷纷地装进了外婆的储物柜。此外，她还从钱包里翻出一套票券送给我妈，说是度假游的赠券，可以招待一家三口。那是在我们城郊新建的一个生态旅游度假村。我妈看到票券上介绍的项目种类繁多，顿时来了兴趣，连问了一些情况，小姨只轻描淡写地答了一句："是师哥投资建的。"这简直应验了我妈当时的话！她得意地说："我就说嘛，海归的这类大款，就是有搞头！"我妈其实还想继续问那个师哥的情况，不过看小姨很不耐烦的样子，只好作罢。

小姨把从同学会上带回的东西全都掏出来了，包括睡在箱底的那五副扑克牌——它们连包装都没拆。

这次外婆硬要小姨多住一天，因为再过五天就是小姨的四十二岁生日了，外婆想提前给小姨庆祝。在我的印象中，小姨是个没有生日的人，因为她一直孤伶伶地在外地生活，我们都凑不到一起给她过生日。外婆早就想好了，趁小姨这次来，给小姨过一次生日。可小姨坚决不要过生日，她反复说自己从来不过生日的，她对这些仪式感到最肉麻了。我们则在一边七嘴八舌地劝她，像挽留一个过于客气的客人。最后，一直沉默不语的外公从沙发上站起来。我们以为他要下死命令了，谁知他长叹一声，对小姨说："你考虑考虑吧，你妈和我都快八十了……"话说一半就没了下文，自顾朝卧室扬长而去。

在家庆祝生日其实很简单，无非就是晚饭多出了几样菜，打开了一瓶红酒，每人轮流举起酒杯向寿星小姨祝福。我不知道，为什么这么简单的事情，小姨做起来却显得那么尴尬。切生日蛋糕的时候，她干脆久久地待在阳台上抽烟，直到我们把蜡烛点好，灯灭掉，喊她，她才走过来。

看起来，柔和的烛光终于让小姨自在了一些。她会跟着我们一起拍手唱生日歌，逐渐融入我们这个集体。她凝视着那些蜡烛，目光亮晶晶的，仿佛过生日的人不是她而是这只摆在中央的大蛋糕。唱完歌，外婆催促小姨许愿。小姨只好双手合十，闭上眼睛。我发现外婆也双手合十，闭着眼睛，嘴巴动了动，像她在寺庙拜神那样。

蜡烛吹灭，灯光重新亮起，我们拔蜡烛准备切蛋糕，小姨忽然好像神经发作般，用手在蛋糕上抓了一把，在我们还没能作出反应的时候，她的手往我脸上一抹，弄了我一脸的奶油。小姨这么幼稚的举动跟她四十二岁的年龄以及一贯沉闷的性格太不相称了。我们都感到很怪异，仿佛她被什么灵魂附体。

　　就像电视里经常看到的画面一样，那个蛋糕被我跟小姨你抹一把我抹一把的游戏浪费掉了。小姨狂笑不已，看上去简直像个疯子。最后，她竟然把整盘蛋糕都盖到了自己的脸上。

　　无论如何，大家为小姨这突然而至的疯狂感到难以理解，隐隐觉得：小姨一定受什么刺激了。

　　当天晚上，我跟小姨睡一床。睡到半夜，我就被声音吵醒了。小姨睡的位置是空的，那声音代替了小姨在黑暗中起伏。我一动不敢动，连大气也不敢出，只是凭感觉找到了那声音的所在地——靠墙的那只落地大衣柜。小姨把自己关在那里面，正试图放低声音哭泣。我听了一会儿，鼻子就酸了。我想，失恋，大概就是这么伤心绝望的吧。可怜的小姨！

　　几个月后，我在郊区那个"绿岛生态旅游度假村"见到了师哥。他在满墙的大照片里，跟好多人握手合影。那些人，用我爸的话来说，都是些"大人物"。我虽然从没见过师哥，但相比小姨相册中的那个清瘦师哥而言，他变得实在太多了。他已经变得圆乎乎的，正面照，两只耳朵已经看不见了，侧面照，鼻子被深深地埋藏住了，一笑，满脸的肉都在放光芒。他总爱穿阔阔的唐装，黑的、白的、花的……在不同的相片中，人再多我也一眼就能把他认出来。整个度假中心，随处可见师哥跟"大人物"的合照，出现频率最多的，就是那张巨幅照片：他屈着脊背，在跟一个"大大人物"握手，手腕上戴的一串佛珠让我记忆深刻。这些照片一张张看过去，除了几个明星之外，那些"大人物"我都不认识，可是，我爸却对他们相当"熟悉"，他说，这里边，有《新闻联播》的常客，有《财经》杂志的封面人物，还有体育明星、网络论坛的公知……"额的神啊，"我爸佩服地说，"这个师哥还真能混啊，什么界都能搭上，太牛了！"

这个度假村其实就是一座山。师哥把整座山都包了起来，温泉、高尔夫、射击场、农庄……要是可以的话，一个星期都玩不完。我妈说，其实这里并不适合家庭度假。那适合干什么？我妈眨巴眨巴眼睛，暧昧地说："适合这些人来，搞腐败！"她指了指墙上的照片，迅速跟我爸交换了一个眼神。

托小姨的福，我们一家三口在"绿岛生态旅游度假村"好好地"腐败"了两天。临走的时候，我们还凭赠券领取了度假村自己研制的农家保健品——两盒标价为两千八百块的绿色螺旋藻。又白玩又白拿，我妈满意得要命。离开度假村时，她望着车窗外远去的青山，怅怅地说，老妹怎么当初就不跟师哥好上呢？

小姨是绝对不可能跟师哥"好"上的，当初不可能，现在就更不可能了。因为，比起师哥的改变，小姨现在的改变更让人可怕——她已经变成了一个中年怪阿姨。原来，反高潮主义者伸出手来制造高潮另有一套，那就是——搞破坏——就像破坏她那只四十二岁的生日蛋糕一样，她把命运分配给她的那部分蛋糕，毫无耐心地一下子捣碎，如同玩各种不同游戏，她从中获取短暂的快乐。比方说有一次，小姨到邮局给外婆汇款，电脑排序票上显示，她还需要等待四十八人才能轮上。反正无所事事，她就坐在大厅里等。等着等着，她发现，很多人拿了号之后，没耐心等下去了，就把票一扔，走人，造成电脑叫的很多都是空号。同时她也发现，在地上，在板凳上，的确有不少还没叫到的号码。于是，她把那些还没轮上的弃票一张张收集起来，遇到刚进门的，看得顺眼的，或老病残弱的，就发给他们。这样一来，一些人没等多久便能轮上了，而那些坐在大厅久等的人们，眼看着这些后来者居上，先是纳闷，等他们弄明白是小姨在破坏秩序，顿时感到很生气。个性内敛的人，则在心里对这个中年妇女嘀咕几下，他们认为她肯定脑子坏掉了；而那脾气暴烈者，忍不下就跟小姨吵了起来——

"你怎么能这样呢？存心搞乱秩序，你不赶时间，别人可是要赶时间的……"

"我怎么搞乱秩序了呢？我又没有插队，我明明是在维护秩序啊！"

"我看你就是吃饱了撑的没事干！那么有空搞这些，还不如回去搞老公……"

"哈，难道你是总理吗？赶时间何必亲自来排队？叫你二奶来办嘛……"

你一句，我一句，小姨跟一个瘦瘦的中年男人吵得不可开交，眼看着就要骂到各自的祖宗八代，就要推推搡搡了，保安才跑过来……

无人能解释小姨这类无厘头的行为。小姨跟我们这个家庭集体越走越远。当我们鲜有地谈论起她，多数是在回忆些涉及到她的往事，然而，即使是一件好笑的趣事，我们最终也会伤感地就此打住。

高考结束的那个暑假，在我准备跟同学一起去北京旅游之前，外公突然把我叫到房间，他让我去小城看看小姨。他说："在这个世界上，除了我们，小姨对你最好了，小姨是个善良的人，这一点，无论什么时候你都要牢牢记住！"外公的话让我想起了那个深夜，小姨在衣柜里哭。这个秘密我一直没有告诉任何人，这是目前为止我对小姨唯一的回报。不过，我也时常感到后悔，我想，我应该打开柜子，坐进去，拍拍她，就像一个成熟人所做的那样，就算一句话也不说。

听从外公的话，我独自乘大巴去小城看了小姨。她正忙得不可开交。写宣传单，制小红旗，一副要大干一番的势头。我的好奇心很快被她那认真积极的样子挑逗起来了，也跟着跃跃欲试。

第二天上午，太阳只升到了半空，温度却已经完全飙了上来。在小区的门口，我的小姨集合了一群业主，共同拉起了一条横幅："抗议政府建毒工厂危害市民安康！"除了这条大大的横幅之外，他们每个人手里还挥着一面小红旗。这些小红旗是昨天我跟小姨连夜赶制出来的，有一捆呢，我们逢着人就分发。

很快，小区门口就被围了个水泄不通，有本小区的居民，也有附近小区的，还有一些路过的行人，想到这附近即将要修建起来的那个 LCD 数码多媒体工厂，他们就像被化学废气毒侵般恐惧，他们责无旁贷地参与到其中来，高呼口号——抗议毒工厂，还我生活安康！口号一喊起来，人们的声势便壮大了，听上去像有千军万马。

小区的物业管理者、社区的工作人员闻声而来，试图制止这次集会。无须多追究，他们就确认了小姨是这次集会的领头，所以，他们把小姨拉过去，想要说服小姨。

"这是政府决定的事情，你们这么闹也无济于事啊，而且，还干扰了居民的生活，多不好啊。您说是吧？"

"要闹也别在这儿闹，行不？这样我们很难办啊，都是住在一个小区的，和谐最重要，别闹了行吗？"

"要不这样，你们先停止，然后我们跟相关部门反映，让他们给你们一个合理的交代，和平解决，好不好？"

"哎唷，求求您了，别闹了。"

……

无论怎么商量，小姨都不会妥协，她理直气壮得很，仿佛手上握的那面小红旗就是真理的权杖。在众志成城的气氛鼓动之下，她坚定地爬上了花坛，高出人群一大截。她在花坛上稳稳地站着，手挥小红旗，声音尖利——抗议毒工厂，还我生活安康！人们便随着这个站在高处的女人齐呼，连呼几遍，便呼出了默契的节奏感来，那口号就像一曲即兴而成的歌，嘹亮、高亢。

　　我从来没有见过这么激动人心的场面。人人似乎为真理而战，而我那小姨则越战越勇！这种场面，看起来的确很令人亢奋的。假使一个毫不相干的人路过，停下来看热闹，没过几分钟，他心里长期积压的一些抱怨之气很快就会蹿上来，也会借机嚷上几声。

　　如此又过了一阵，有几个穿制服的警察接到报告后赶过来了，一看到他们，人们本能地便闪出了一条道来。这些人其实也不敢做什么，只是那一身制服的严肃性足以让胆子小的人自觉噤声、躲避。

　　那个拿着喇叭筒的穿制服者，反复对着人群喊："请大家自觉疏散，不要扰乱公共场合秩序，请大家自觉配合，维护社会治安和谐……"喇叭处理过的声音听起来比人们的呼叫声要威风好多倍，它们迅速地盖过了小姨近乎歇斯底里的尖叫。不过，小姨却并不示弱，固执地挥旗呐喊。随即，那个喇叭筒便对准了小姨，喊："请花坛上的那位妇女同志马上下来，注意人身安全，请你马上下来，注意人身安全……"

　　眼看着，以小姨为领袖的这次运动就因穿制服者的到来而失败了。人群里的那些过客以及本来就抱着"抗议无效果"的心态的人，逐渐觉得没意思，打算要退出了。刚才还挤挤挨挨的人圈，开始出现了松散。

　　就在这即将溃散的时刻，花坛上的小姨猛地把小红旗往人群里一扔，这举动吸引了所有人朝她看过去。只见她迅速将身上那件宽宽大大的黑色 T 恤往头顶一撸……人群里顿时发出了一阵短促的尖叫声，之后，四周就陷入了沉默。那喇叭筒也张着大大的嘴巴，一个字也吐不出来。

　　我的小姨，正裸露着上身，举手向天空，两只干瘦的乳房挂在两排明显的肋骨之间，如同钢铁焊接般纹丝不动。在这寂静中，她满眼望去，看到的，都是那些绝望的记忆，那些如同失恋般绝望的伤痛，几秒钟就到来了，如高潮一般，战栗地从她每一个毛孔绽放！

　　我站在人群中，跟那些抬头仰望的人一起。我被这个滑稽的小丑一般的小姨吓哭了。

给猫留门

"豆包回家了。"老沈告诉雅雅，"胖得像一只大熊猫，每层楼的灯都被它踩亮了。

"亮！豆包喊一句，灯就亮了……"老沈学着雅雅的口气。

咯咯咯咯……雅雅在电话那头笑得欢。

老沈兴致勃勃地重复亮了好几句。

犹记得有一段时间，沈小安一家周末过来吃饭，每爬上一层楼，雅雅就用尽吃奶的力气喊——亮！感应灯被她喊亮之后，雅雅也是那么笑的，咯咯咯咯。五楼，小孩子也不嫌累，爬上来之后，还要拉着老沈重新下楼，又喊上一轮。老沈气喘吁吁地跟在雅雅后边，力气只够在心里笑。这个游戏是这座旧楼唯一的亮点，如果没有那些时亮时灭的感应灯，估计雅雅会蛮缠着让沈小安背上楼的。不过这些吸引力也不长久，上学之后雅雅就不太愿来爷爷家了，周末，她偶尔跟她爸妈到郊外玩，多数时间在家看电视、玩手机或电脑。直到豆包喵喵喵地在她脚边缠绕。

那天雅雅玩饿了，嚷着要吃奶油蛋糕，老沈就牵着她去马王街对面的蛋糕房。老沈不喜欢吃烘焙过的洋面点，喜欢蒸笼里跟热气一样白的土包子。泰康粮店的那几个店员，换了多少茬，每一茬都知道马王街有个瘦瘦的老爷子，每天清晨准点来买豆包。去蛋糕房不会经过泰康粮店，但老沈故意绕了一下路，他想让他的朋友们看看自己的孙女，尽管这些朋友他连叫什么名字都不知道的。在老沈眼里，雅雅是这个世界上最好看的小孩，一笑起来，左右两只对称的小酒窝，总能引人赞美。这些赞美的话，再怎么重复老沈都像第一次听。

不太会有顾客在晚饭前来买豆包，店员已经开始盘点收银柜里的钞票。他们果然赞美起这个老客户的孙女，并且慷慨地掀开蒸笼，用袋子装了两只豆包送给雅雅。就是在雅雅怯怯地犹豫要不要接过来的时刻，这只小猫不知从什么地方蹿了出来，跃上收银柜，朝那两只豆包喵喵喵个不停，雅雅先是吓了一跳，接下来，就跟小猫成了朋友。

是只小白猫，除了额头和脸颊处有一些灰色的斑纹，其他地方跟蒸笼里的豆包一样白。太瘦了，以至于很难从个头判断它的年龄，不过叫声倒不是很成熟。没有人认识这只小猫，但它却谁也不害怕。大概是饥饿壮大了它的胆，圆睁的绿眼睛一直盯着那只袋子，一副准备要出手的架势。

等老沈一只手牵着雅雅回家的时候，他的另一只手上，挂着一个黑色的塑料袋，豆包躺在里边，安静得像一件被主人买回来的什么东西。

李倩对沈小安说，你老爸真的不会当爷爷。之前，雅雅就一直缠着他们要养猫，沈小安倒是没意见，到了李倩那里却通不过，原因是她猫毛过敏。老沈猜她对任何小动物都会过敏，从她生活上对雅雅过于敏感的管制可以看出这一点。所以，这只被雅雅从泰康粮店带回家的流浪猫，最后只能留在老沈家。老沈乐于奉命，只要雅雅喜欢，他干什么都行。

有了豆包，老沈就能经常见到雅雅。不一定是周末，有的时候，放学后沈小安也会带她来，老沈像迎接贵宾一样，削好水果，买好菜。通常他们三个会在一起吃个晚饭，豆包就窝在雅雅的腿上，雅雅吃一口，问一句：弟弟，要不要吃鸡腿？豆包似懂非懂，眯了眯漂亮的绿眼睛。豆包在窗台上，看到一只在树梢还没停稳的麻雀，警惕地把身体紧贴地面，目不转睛，下颌不断抖动，咽喉里发出低得几乎听不到的咯咯声，不知道是兴奋还是紧张。第一次见豆包这个样子，他们都觉得很好笑。老沈经常会给雅雅学豆包，上下颌一开一闭，发出咿咿呀呀的声音。雅雅一定会被逗笑，但沈小安很讨厌老沈这个样子，看起来就像一个嗫嚅着讲不出话的中风患者。

看不到豆包，雅雅就给老沈打电话，像个亲切的小姐姐——弟弟在干吗呢？弟弟为什么那么爱睡觉？甚至对老沈承诺，姐姐明天放学要去看弟弟的。就像豆包是寄养在别人家的弟弟一样。李倩每次听到这些话都会抗议，她说，鸡皮疙瘩都起了，好像鼻孔里吸进去几根猫毛，引起了她的猫过敏症。她让沈小安管管女儿，认一只牲畜当弟弟，算起来岂不是乱伦？沈小安嘻嘻哈哈敷衍过去，说，你要真能生下个猫弟弟，也是本事的。说完用手去摸李倩的肚子，被李倩一拳挡了过去。

雅雅看豆包的频率越来越密集，有时还赖着要在爷爷家睡，但这绝不可能。往往不到9点，李倩总是以检查功课或者洗头发、剪指甲等理由电话催促他们回家。沈小安于是软硬兼施，拽着雅雅回家。每次看着父女俩在门口小垫子上换鞋子，低头系鞋带的动作，几乎一模一样，老沈心里都会有些伤感。沈小安跟老沈的话从来不多，顶多来一句："跟爷爷说再见。"老沈已经想不起来，儿子这么多年来，有没有认认真真跟自己说过一句"再见"。

雅雅迷恋那只猫，沈小安并不觉得有什么问题，小孩子总是有一段时间喜欢小动物，尤其是那种毛茸茸的，譬如小鸭子小兔子之类的。他小时候从街上抱回过一只大黄猫，每天都恨不得把它装在书包里带到学校。他并不讨厌豆包，但也谈不上多么喜欢，已经过了那个年龄，而在那个年龄，以及那个年龄之后的很长一段时间里，他对老沈充满了怨愤。他对李倩说老沈不会当爷爷那句话并不认同，但他认为老沈不会当爸爸是真。从前那只大黄猫在某个深夜，被老沈从他的被窝里揪出来，还没完全醒过来，来不及叫唤一声，就被丢出了家门。这个梦魇一样的情节，以及那种窝在被子里装睡的无助感，在某些特定的情境下，沈小安总是会想起，并且，像一根导火索，成年之后他一直跟老沈怄气，时常想到这个细节，他并不会那么快原谅他。

母亲去世之后，沈小安就不那么勤快跑马王街。他不知道怎么跟老沈独处。内心深处，他觉得老沈既不像父亲，也不像朋友，他们只是一对与生俱来的因果关系。好在有了雅雅，老沈的注意力全都放在了她身上，后来又有了豆包，他们之间便多了一些话题。猫粮快吃完了，老沈会打电话让沈小安网购，到时间打疫苗了，沈小安会在上班时间偷溜到马王街，带豆包去宠物医院，甚至，因为豆包，父子俩还开起了玩笑。带豆包去绝育前，沈小安指着豆包胀鼓鼓的卵蛋说，雅雅问我，绝育是什么？我说就是把这两只小铃铛割掉。她又问我，小铃铛又不响为什么要割掉？老沈一听乐了，小丫头，哪见过这玩意儿？沈小安眨一下眼说，这小铃铛，母猫碰到会响。老沈用手去戳那两只小铃铛，"不响。"两人都笑了起来。豆包竟然不生气，反而就势在地上打起了滚。"嘿，你看看，这小子都懂得享受了。"沈小安一脸坏笑，葛优瘫在沙发上，欣赏这只在地上享受的小家伙。他顺手点了根烟，老沈就到厨房里找了个酱油碟给他当烟盅。

"要是不想养就别养了，小孩子总是一头热，很快就过去了。"吐出一口烟之后，沈小安对老沈讲。

老沈不知道该怎么回答。

"你不是不喜欢猫嘛。"事实上，从豆包被留下来的那天开始，沈小安就一直想问老沈，不过他不知道怎么跟他提。看得出来，老沈是为了讨好雅雅。

"还行，这小家伙陪陪我，有个伴儿，也不错。"

"不怕狂犬病？"

"不是打过疫苗了嘛。"老沈忽然尴尬起来，停了一下，又说，"你小时候，医学不发达，什么措施也没有，不一样的。"

沈小安点点头。烟还只抽了小半，他不可能就这样掐掉。至少再抽两口，再抽两口，他就站起来，把豆包装进旅行包里，带到宠物店去割掉那两只不会响的小铃铛。

"你还记得你那只大黄猫？"老沈看着儿子，四十岁，头顶上就已经有了一些白头发，现在挺着沉重的肚腩，深陷在这个老房子的旧沙发里。他顿时觉得时间有点恍惚。

沈小安果断把烟掐掉，努力使自己利索地从沙发上站了起来。他的体量是两个老沈那么大。"记得啊，那只胖胖的大黄猫。"他拉长了躯体，话音里也在伸着懒腰。

"我听你妈说，让你把大黄猫丢出去那天，你抱着它坐在楼梯口足足哭了一个中午，下午都没去补习。"

"不会吧？"沈小安夸张地笑了几声，"要是雅雅知道，肯定会笑死的。"

"你不记得了？小时候你爱猫如命。"

"小孩子都爱猫，就像雅雅现在一样。"

"嗯，雅雅真把它当弟弟。"

没想到，这次豆包装进旅行包居然没太用力反抗。老沈掩门的时候吩咐说，问一下医生，手术后要注意些什么。

走下拐角楼梯的第一级，沈小安站住了，想了一下，把旅行包抱在怀里，坐下来，回头看。从这个角度看过去，能看到自己家的门口。他把屁股挪下第二级，回头看，也能看到自己家的门口。他以为，那个中午，门里边的人根本没有探头出来看到他，他哭得那么伤心，仿佛要被丢掉的不是猫而是他自己。

豆包在旅行包里开始不耐烦了，扭动着身子，喵喵地叫了几声。沈小安吓了一跳，从楼梯上弹起来，连屁股都没拍一下，蹭蹭蹭蹭连跑带跳逃下楼去。好在豆包没有惊动里边的人，那扇门安安静静地闭着。

老沈不喜欢猫，猫的警惕性会莫名其妙地带给他紧张感。作为一个长期的神经衰弱患者，夜深人静如果还在失眠，猫的神经就会变成他的神经。当猫煞有介事地竖起耳朵，凝视某个安静的黑暗角落，而他什么也看不见听不到，如同掉进一个黑洞里。这些时候，他需要打开所有的灯，一一确认那些地方其实什么都没有。他从来没对任何人承认过他的恐惧，即使拒绝沈小安那只大黄猫，他坚定的理由只有一个——被猫抓伤会患上致命的狂犬病，这很符合他一贯的形象：一个胆小怕事的父亲。

小孩子都爱猫，老沈并不否认，如果有父亲，他相信自己小时候可能也会喜欢猫的。就是在沈小安养大黄猫以及雅雅养豆包的这个年龄段，他跟妹妹和母亲一起住在农村那间老屋。睡觉前，母亲常常会跟他们做一个游戏。三个人裹在一张被子里，慢慢地，一点点用手把被子撑高，让外边的灯光一点一点地漏进来，渐渐能看到屋子里的凳子、桌子、门……等待母亲冷不防小声说出那句"老虎来了!"于是,三个人一阵忙乱,迅速把被子放下,捂得严严实实,在这过程中要是谁笑出了声音,谁就算输,要在床上学青蛙跳。如此若干个回合,花光力气大概是为了很快能入睡。其实并没多大意思,但比起睡前讲故事,母亲更喜欢做这个游戏。母亲陷入被窝里的黑暗中,屏息,听外边的动静,眼睛里闪着一团警惕的光,并不像是做游戏的投入。"你们听,老虎的脚步声。"母亲久久地把他们抱在怀里,一声不响,往往超出了游戏的设置。

老沈对父亲没有任何记忆,母亲反复说那时父亲是怎么让他骑在肩膀上去看赛龙舟,他在脑海里勾勒这个情境,父亲的面容只能停留在一张发黄的照片上。在他两岁多一点,父亲跟随村里的一群年轻人偷渡南洋,本意是为了打工挣钱回来做点小买卖,谁知道一去便难复返,直到客死他乡。这个等同于没有见过面的父亲使他们成为了一类人,背负着"华侨"这个名词,老沈在成长过程中没少吃苦。刚开始,在收到信和钱物的时候,母亲会提起父亲,后来,就是在母亲被抓去在村里游街那一阵,脱下胸口那个木牌,母亲会指着"资本家走狗"那几个毛笔字告诉他,他们说,这个"资本家"就是你们的父亲。母亲的泪都哭尽了,只剩下干涩的苦笑,此后对父亲只字不提。

大概因为豆包是雅雅的弟弟,老沈倒不那么怕豆包,那小东西整日黏在他的脚边,睡觉打起微鼾,确实跟个小人儿似的。雅雅挠豆包的额头和下巴,小东西就伸长了脖子紧挨着雅雅的手掌,发出有节奏的呼噜呼噜,既急切又安详。雅雅像个小老师,一边挠一边教老沈:"这两个地方,豆包最喜欢了,因为它自己永远都舔不到。"

"噢,原来是这样。"老沈没研究过这个问题。

"是爸爸告诉我的,爸爸说,他以前那只大黄猫最喜欢这两个地方。爸爸还说,猫咪一旦跑出家门口就迷路了,因为猫咪不会认路,大黄猫就是这么跑丢的，爷爷，绝对绝对不能让豆包跑出门哦……"雅雅一边抚摸着豆包，一边给老沈交代任务。

那只大黄猫是会认路的。几次被老沈丢出家门，它还是会回到门口喵喵地叫，甚至会蹲在门口，等沈小安放学回家，简直就是阴魂不散。它不仅扰乱了老沈的睡眠，同时还勾走了儿子的魂魄，一个学期下来，沈小安的成绩落后到了全班倒数。只要一看到大黄猫卧在儿子的作业本上，老沈就火冒三丈，将一切都迁怒在它身上，把它丢得远远的。趁那只大黄猫蹲在阳台栏杆边舔毛的时候，他用手轻轻一扫，它就扑哧一声跌落到一楼的沟渠里了，他都没敢朝下望一眼。他对沈小安说，大黄猫这次跑出去一直没有回来。

在老沈开门出去之前，豆包会早早地蹲在门边，被老沈呵斥过之后，又懂得耍心机，潜伏在附近的某个角落，一伺门开便冲过来，老沈每次都被它弄得心惊肉跳，他先是指着它一顿吼，它却并不害怕，双耳朝后，双眼无辜，只知躲闪，老沈只好转而苦口婆心地劝说："出了这个门，就见不到你姐姐了，你难道不想姐姐？"

豆包最终还是跑掉了。

老沈反复回想看见它的最后那个瞬间，不过那个瞬间有很多个，最终变成了老沈的幻觉。甚至，他觉得那一整个晚上都是幻象。

在《新闻联播》结束到天气预报之间的广告时段，老沈听到了敲门声。起身开门前，他习惯地找了一下豆包。那小家伙四肢蜷缩在肚皮底下，眯着眼睛，不过耳朵倒朝门口方向侧着。老沈心里暗笑，这小东西一定认为它姐姐又来了。

门外一下子出现三个人，老沈吓了一跳。中间一个高大的老人，见到老沈，很快爆发出一阵笑声，边笑边喊出他的名字："沈文兵！"老沈懵住了。那老人喋喋不休地跟身边的女人说："果然被我找到了，沈文兵，他就是沈文兵。"他的声音比电视里天气预报的过门还响亮。老沈侧着头，辨认这个比自己高出大半个头的老人。高大的老人气势十足，一脚跨进门里，把老沈抱住了。"我刘进乐啊，你个沈文兵！"他用拳头敲了敲老沈的脊背。

没错，是刘进乐，半个世纪过去了，这家伙一点没变矮，还是那么热情洋溢。老沈想起来了。他推开他，后退好几步，将这张红红圆圆的大脸跟年轻时的那张脸对应了起来。他们互相盯着看。直到各自的眼角里溢出了泪，就像进行一场缓慢而准确无误的化学反应。

大学时，刘进乐是班里的党支部书记，热心、上进，对瘦瘦小小的沈文兵多有照顾，还是沈文兵的入党介绍人。毕业后刘进乐分配到上海市政府工作，这一切，有赖于他学生会工作的成绩，以及根正苗红的出身。而老沈，背着"华侨"成分这个龟壳，支援边地，辗转在广西十万大山之间，成为地质队的一个资料员，20 世纪 70 年代，他从地质队退役，分配到这个山城的人防办，管理数十个大大小小的防空洞，安定下来才得以结婚生子。退休时老沈的职务是地下商城管理站主任，城东那个最大最长的地下商城，是由他年轻时参与挖建的防空洞改造的。这一切，刘进乐当然不得而知。他之所以能在这个春天的夜晚，摸进这条破旧狭窄的马王街，艰难地爬上五楼，是因为他那优秀的女儿，被邀请到这个山城讲课，顺便带父母来游玩，在离开的前一个晚上，他模糊想起自己有个大学同学沈文兵好像就在这个小城，一番周折找到大学校友会的电话，查找到一个几十年前登记下来的地址，登记的时候还没有安装电话，街道门牌房号倒是清晰的。一贯孝顺的女儿即使觉得这个地址无效但也不忍逆拂老父的心愿，三个人，一脚深一脚浅地找过来，竟然真的敲开了老沈的门。

憋了半天，老沈说出的第一句话竟然是："进乐，你看我是不是潜伏得很好？"

刘进乐不断点着头，还没擦干的眼泪又涌了出来。那个一头细密卷发、系着讲究的红丝巾的刘夫人，不断抚着刘进乐的背："毋激动啊，医生吩咐你不能太激动的。"刘夫人轻言细语的神态，像个资深的护士。另外一边，刘进乐的女儿很快掏出一张纸巾递到老刘的手上。

客厅那张唯一的沙发刚好够三个人的位置，他们坐着还是跟站在门口时一样整齐，刘进乐在中间，夫人、女儿各一边。

老沈走到饮水机前给他们泡茶，豆包一直跟在他的脚边转悠，鼻子东嗅西嗅，竖起的尾巴不时擦着老沈的裤脚，似乎向主人确认自己的领地。

他们彼此讲了一下大学毕业后的工作生活，大概因为退休久了，几十年轻描淡写讲完，真应了那句弹指一挥间的话。话题更久地留在了自己的儿辈孙辈。刘进乐兴味盎然，让老伴翻出手机里的照片，将他的三个儿女和三个儿孙一一指给老沈看，现在坐在身边的是最小的女儿，上海某个大报业集团的老总，在新闻领域属于老师辈人物了。由于成家晚，老沈只有一儿一孙，他指着墙上的遗像告诉刘进乐，老伴早些年去世了。老沈说得很黯淡，气氛一度陷入尴尬。小女儿于是提议给大家拍照，为了这个重逢的伟大时刻。

一动起来，那个皮肤白白的小女儿俨然变成了一个指挥官，指挥他们寻找拍照的最佳位置。沙发上背光，他们被叫到饭桌边，把椅子挪走两张，把饭桌上的杯子、药瓶、茶叶罐等杂物一一清走，镜头里看看还不满意，又把饭桌后边从前老伴买的那盆五彩斑斓的塑料花抱走。如此折腾一番，两个老同学才得以坐定下来。刘进乐的手搭在老沈的肩膀上，隐隐伴随着颤抖。茶水已经喝到第二泡了，他的激动依旧未能平复下来。

印象中，刘进乐就是那种激动、奋进的人。还记得，那次他偷偷把老沈约到明湖边，压低声音告诉老沈，传达室老黄上交给他一封信，寄给老沈的，从信封、邮票、邮戳可以判断，是老沈的华侨父亲写来的。这封信被他扣下来没交到学校，因为彼时正处于老沈入党考察阶段，怕这封信节外生枝。他让老沈看了之后当着他的面烧掉。基于那种熟悉的恐惧，以及与父亲划清界限的决心，老沈拆都没拆就烧掉了。看着还没烧尽的火焰，刘进乐激动地搂着老沈的肩膀，立下誓言，一定要帮助老沈进步，顺利入党。同时，为了巩固成功概率，他让老沈写了与父亲划清界限的证明书。"本人沈文兵，虽与父亲沈天鹏有血缘之亲，但从两岁开始便未见过父亲，亦从未受过父亲一点一滴的养育和教化，思想从未受过资产阶级腐化，本人一直忠诚追随中国共产党，为表决心，修此证明，与沈天鹏划清界限。"这封递交组织的证明书，证明人也是他的入党介绍人刘进乐。寥寥数语，跟那些年代背诵的语录一起，老沈记住了一生。他后来才知道，那封信是父亲自知时日无多，冒着风险写给他的，算是遗嘱。听到父亲去世消息的那个中午，他冲进集体浴室，脱光衣服，龙头的水拧到最大，也无法冲洗掉他夺目而出的泪水，无法压低他难抑的呜咽。这情形在一个神经衰弱者失眠的夜晚，变成羞耻的烈日，灼烧得他疲惫不堪。

如老沈所言，这半个多世纪，他的确潜伏得很好，往事休提，循规蹈矩，小葱豆腐，平庸度日，亦从不向他人提出任何非分之想，与其说是让人忽略他这个大学历史系高才生，不如说他循着命运所列的指示牌，一走到底，就连翻盘的念头也从未有过。分配到人防办，也合乎他意，管理那些阴暗的防空洞，如同潜伏在时代的肚腹，讳莫如深，冬暖夏凉，他谙熟洞里的逃生技能，即使和平年代没有战争，如果遇着地震，他定是这个城里最能确保家人平安的大丈夫。不过这些技能倒从来没有得到过证实。

刘进乐不仅话多，还喜欢打断别人的话，大概是过去当领导留下的习惯。为了管理他心脏放进去的三根支架，护士一般的刘夫人，恨不能给他滔滔不绝的话标上逗号句号省略号，慢慢分三段讲完。

在他们交谈的间隙，小女儿终于发现了坐在窗台上远望他们的那只猫。"伯父养的小猫真可爱，眼睛是祖母绿的颜色呢。"

于是老沈自然而然地讲起了豆包的身世，当然讲得最多的还是雅雅，因为豆包是雅雅的弟弟。他给他们看雅雅的照片，指给他们看那两只对称的小酒窝，毫无疑问获得了一致的赞美。这样，话题最终毫无逻辑地又回到自己的儿孙，还是刘进乐讲得多一些。

小女儿拿出手机要拍豆包，豆包却一点不给面子，从窗台一跃而下，径直跑进了卧室里。那晚之后很长一段时间，老沈反复回忆，认为最后看见豆包的那个瞬间，应该就是那个窗台的一跃。但他也不是太确定，因为自那以后，他们还讲了很多话，一起坐了很久。

站起来准备道别的时候，刘进乐才顾得上打量这个旧房子，看了几眼，忽然问老沈："你的确潜伏得很好，但是你的任务完成没有？"

就在同学们即将各奔前程的毕业聚餐上，饭盆装满米双酒，不知已经喝下多少盆。老沈把饭盆举得高高，专去敬他的入党介绍人，酒撑大了他的舌头也壮大了他的豪情："金戈铁马去，马革裹尸还。从这个校门走出去，我一定写出一部中国当代华侨史。老兄，就当我潜伏执行任务去了。"

半个世纪过去，刘进乐还记得那一幕，在老沈看来，那简直就是一个幼稚的笑话，想想这一生的挫败，老沈哭笑不得。

老沈执意要送他们到街口打车。小女儿觉得五楼爬上爬下太辛苦，坚决不让送。他们在门口推让了几下。最后还是刘进乐拿了主意，他和老沈牵着手，一级一级并肩走下楼梯。在感应灯还没被踩亮之前，有几级楼梯是摸索着下的，黑暗中，老沈能感觉到刘进乐对他的依赖，手上会使力，高大的身体下意识会倾向他这边。

下完一层，后边的母女俩快步跟了上来。女儿用礼貌的口吻提出，还是由她挽着父亲的手走比较合适，因为楼道实在太黑了。于是，他们又像来时的结构，刘进乐居中，夫人、女儿各一边。

"亮！"老沈学雅雅，命令感应灯。这方法竟立即奏效。于是刘进乐也跟着老沈喊，他嗓门大，喊起来更像发号施令。他们喊亮了每一层楼，大家在一片笑声中轻松走完了所有楼梯。

这个小城的出租车基本都是急性子，更顾不上什么礼仪，刘进乐屁股刚坐稳，还没来得及从窗口探头出来挥手，嗖一下，他就看不到街口那个瘦小的人影了。这说不定是他们最后一次见面啊。车已经消失了踪影，老沈才意识到这点，心里冒出来一句诗："萧萧班马鸣，挥手自兹去。"琢磨一下，似乎觉得前后颠倒了，又倒过来念一次，这一次念出了声音。

和刘进乐在门口拖拖拉拉道别，老沈全然忘记了那只一直伺机出门的猫。等到他回过神来，在屋子里每个角落遍寻，甚至用勺子不断敲打它的食盘，豆包都不再会像往常那样积极地小跑到他跟前，更不用说在他脚下欢天喜地亮出自己的肚皮了。他急急忙忙又重复了一遍刚才那场告别，在每一层楼学着它的叫声，重新走了一遍送刘进乐出马王街的那一路，最后停留在他们上车的那个位置，好像那些时候豆包都在场似的。

整整一个晚上，老沈失魂落魄，吞下两颗半安眠药，都没能闭眼一分钟，索性坐到客厅的沙发，把门打开，留下一道猫可容身的缝隙，他侥幸认为它玩够了就会回家，就像过去那只大黄猫，会在门口喵喵地叫门。

天亮的时候，老沈想得更多的是，该怎么向雅雅道歉，爷爷没有完成她交给他的任务。

城东的摩啰街，始于 20 世纪 80 年代末，前身是一条宽八米、长二百八十米的防空洞，由于这个小城山多，几乎所有防空洞都是穿山洞，在那个"深积粮，广挖洞"的年代，这里的洞远比粮多，多数功能丧失，处于开放状态，成为居民冬天取暖夏天乘凉的聚集地。摩啰街是最早被改造的防空洞，基于洞的长宽度，也基于它地处城东城西的接壤处，建设者索性将它延长，打通了整座山。起先，那些从这里西江码头出发运货到香港的海员，带回一些零零碎碎的"洋货"，服装、香水、光碟、奶粉、保健品之类的，会拿到这里摆卖，如同香港开埠时，印度水手在荷李活道摆卖杂货而得名"摩啰街"，走船的海员干脆把这里也叫"摩啰街"。那些"洋货"曾经很受欢迎，供不应求，进入新世纪以后，高速高铁呼噜噜穿进小城，水运没落，这里就什么都卖，潮流的小玩意儿，私人收藏的旧货，也有名牌的山寨，比如大写字母的"阿迪达斯"，无故拦腰断了一条连线的 GUCCI，间或也有剪掉商标的正品……东西杂，流动快，但"摩啰街"这个名称一直不变。

沈小安的办公室在"摩啰街"中部，是其中一个岔洞改成的，正门东边开，面朝西江。人防办曾经有一度也在这里办公，后来迁到市府大楼边上，这个岔洞就成了下属的一个管理站。办公室就俩人，另外一个负责安保，沈小安的事情不多，除了收纳一些相关费用，最多的事情就是跟洞里的商贩闲聊，处理一下他们之间的"商业竞争"关系，鸡毛蒜皮，每天如此，小富即安。最近，沈小安迷上了钓鱼，一上班就溜到门外西江河堤。他的鱼竿很专业，就连那张坐钓的小凳子，也是在网上买最贵的。一缸茶，一根竿，还有在洞里禁吸的烟，人生没毛病。

老沈心事重重，根本没有在摩啰街转转的想法。他不常来，但每次来都悄悄到四号岔洞看看壁顶那几个字，是当年水泥未干的时候，他偷偷用小竹竿划的：命运的咽喉。仰头看的时候，真像置身于一截咽喉里，窄长，昏暗，潮湿，能听到口水的吞咽声以及肺部的叹息声。

办公室只有那个负责安保的小谢，老沈也认识，是同事谢茂业的儿子，跟沈小安一样，大学没考上，都是子顶父班。小谢指指江边，朝老沈做了个吸烟的动作。老沈心领神会，径直往对过河边走去。

挖这个洞的时候，西江的水位还很高，能与人视线同处一水平，现在，水似乎真会随着岁月流淌掉，走到堤岸还得探头俯视。老沈探下头看到沈小安，坐在河滩一片乱石中间，穿着宽松的上衣，戴着帽子佝着背，身边一只大茶缸。远看，还以为是个退休老头儿在闲钓。

老沈盯着沈小安的背影看了很久，越看越伤心。如果二十多年前他勇敢地迈出一步，儿子今天怎么会是这个样子？他也可能会像昨天晚上那个优秀的女儿一样，骄傲地礼貌和客气着，搀扶着自己的父亲，感觉在这个世界上只有她能搞定一切。

二十多年前，沈小安高考离上线差了八分，于是想起了自己有个照片上的华侨爷爷，享受侨眷待遇可以加十分。谁知道老沈死活都不肯去侨办开证明。妻子哀求，儿子出走，众叛亲离，这些都不能让老沈改变主意。

绑在西江堤坝栏杆的红旗被风吹得啪啪响，像是谁站在那里不断拍打着栏杆，老沈站在红旗下，沮丧地想，要是时光可以倒流，或者说时光可以将现在的自己送回到那个时刻，他一定拔腿便跑到侨办去，对那些人说，给我开张侨眷证明，如果他们翻出夹在档案里那张耻辱的划清界限证明，他一定会厚着脸皮毫不犹豫地告诉他们，这是历史问题，后来我和父亲关系很好……可是，这些简单的事情，他当年竟然一件都没敢做。

沈小安去顶老沈班的第一天，他对妈妈说，老爸这一辈子，就是想自己想得太多。这句话老沈到死都不会忘记。那么多年了，他从没跟儿子辩解过什么，即使说明一下也没有，他明明还能一字不漏地背出那张证明。

看到老沈，沈小安觉得很意外，想从凳子上站起来，但那根刚拿上手的竿似乎有了点动静，他在用手感知。好在老沈很快在身边找块石头坐下了。

"钓到了？"

"好几天了，毛都没钓着，都被那帮下岗工人钓光了。"沈小安朝远处撇撇嘴。

上游的确有不少人在钓鱼，东一个西一个，互相都不讲话。

沈小安抖动了一下手腕，竿尖上抬一点，钓线松垮垮的，又没入了水中。他的腰也松了下来。

"有事？"沈小安从烟盒抽出了一根烟。

豆包不见了。老沈认为这事情不能用电话讲。这个过失的前因后果，不仅仅是昨天晚上，不仅仅在于那个到访的老同学。

"啊，跑掉了？"

"嗯。"看着沈小安脸上不痛不痒的表情，老沈不知该从什么地方讲起，"怎么跟雅雅交代？"

就在老沈准备讲昨晚发生的一切时，只看见沈小安将手上的烟一扔，敏捷地从凳子上站了起来。他警惕地盯着水面，上下两颌开始剧烈地抖动，咽喉里低沉地发出了一些奇怪的声音。那个样子，像极了豆包在伏击小鸟之前，时刻准备着不顾一切。

转眼间，老沈就看到一条泛着银光的鱼，凌空挣扎，拼尽全力。

"哈哈哈，大白条！"沈小安得意地朝老沈笑，"起码三斤重。"

这意外的收获让老沈也跟着兴奋起来。这条鱼看起来或许不止三斤，钓竿被它压得很弯，加上它不断挣扎，老沈都有点担心鱼竿会断。可是沈小安并不着急将它从鱼钩上取下来，只是将钓竿转了个方向，指向河岸，继续让它凌空挣扎，看上去好像在对谁示威。那些垂钓的人，频频朝这边看过来，虽然离得不近，但凭经验也能感知这条鱼的斤两。

白条鱼在空中逐渐丧失了力气，放弃了挣扎，沈小安才把它捧进那只罩着渔网的水桶里。

"老爸，回家蒸鱼吃，浇上榄角汁，鲜死个人了。"沈小安的舌头迅速在嘴里转一圈，发出响亮的一声吱。

老沈看着得意忘形的儿子，松出一口气，笑了。

坐上那辆二手桑塔纳，沈小安帮助老沈扣安全带时，想起豆包的事情来了。

"豆包什么时候跑掉的？"

"昨天晚上。我给它留了一夜门。"

"猫跑出去就迷路，不像狗。"沈小安把车发动起来，后座水桶里的鱼条件反射地挣扎了几下，响起一阵扑腾的水声。

"怎么跟雅雅交代，她一定大哭大闹。"老沈的心又沉重起来，"是她弟弟啊。"

"喊，小孩子，哭一阵就好了。明天给她买只更好看的。"沈小安的脸上又是那种不痛不痒。

车经过摩啰街的洞口，很快就要开上跨江大桥，老沈转脸去看那座被洞穿过的珠山，草木蓊郁，山体浑圆，完全看不出它的肚子里有一道长长的伤痕。老沈想了一个晚上要对沈小安说的那些话，一句也说不出来，他觉得自己就像那条咬钩的白条鱼，显然，他的挣扎要比它漫长而疼痛。

图书在版编目（CIP）数据

给猫留门 / 黄咏梅著. -- 北京：作家出版社，2018.10
（第七届鲁迅文学奖获奖者小说精选集）
ISBN 978-7-5212-0264-9

Ⅰ. ①给… Ⅱ. ①黄… Ⅲ. ①短篇小说 – 小说集 – 中国 – 当代 Ⅳ. ①I247.7

中国版本图书馆CIP数据核字（2018）第235082号

给猫留门

作　　者：黄咏梅
责任编辑：史佳丽　翟婧婧　李亚梓
装帧设计：孙惟静
出版发行：作家出版社
社　　址：北京农展馆南里10号　　　邮　　编：100125
电话传真：86-10-65930756（出版发行部）
　　　　　86-10-65004079（总编室）
　　　　　86-10-65015116（邮购部）
E-mail:zuojia@zuojia.net.cn
http://www.haozuojia.com（作家在线）
印　　刷：三河市兴博印务有限公司
成品尺寸：152×230
字　　数：193千
印　　张：16.25
版　　次：2018年11月第1版
印　　次：2018年11月第1次印刷
ISBN 978-7-5212-0264-9
定　　价：38.00元
